LE GRAND JOUR

6 juin 1944

Les Parachutistes (Seuil).
(Prix Aujourd'hui.)
Casanova (J'ai lu).
Le Secret du Jour J (Fayard).
(Ouvrage couronné par le Comité d'Action de la Résistance.)
L'Orchestre Rouge (Fayard).
Le Dossier 51 (Fayard).
Les Sanglots Longs (Fayard).
L'Erreur (Fayard).
Le Pull-over rouge (Ramsay).
Les Gens d'ici (Ramsay).
La Petite Bande (Ramsay).
Un homme à part (Bernard Barrault).
Taupes rouges contre S.S. (Messidor).
Paris sous l'occupation (Belfond).
Le Soldat perdu (Ducaté).
Le Dérapage (Gallimard).
Notre ami le roi (Fayard).
Le Secret du roi (Gallimard).
Pourquoi les guerres ? (Le Seuil).
L'Ombre de la Bastille (Fayard).

GILLES PERRAULT

LE GRAND JOUR

6 juin 1944

Enquête de Hermine SCHICK

LA NUIT NAZIE

Une cachette sur le canal

L'Europe dort.

Anne dort à Amsterdam, en Hollande, dans une maison dont la façade donne sur un canal. Les passants ne voient qu'un immeuble de bureaux commerciaux mais, à l'intérieur, bien dissimulée derrière une armoire, une porte s'ouvre sur plusieurs pièces où se cachent huit personnes. Parmi elles, Anne Frank, qui a quatorze ans, ses parents et sa sœur aînée.

Les Frank ne sont pas sortis depuis bientôt deux ans. Leurs seuls visiteurs sont trois amis hollandais qui viennent leur apporter un peu de ravitaillement. Cachés comme des criminels, ils savent qu'ils risquent la mort si on les découvre. Leur seul crime est d'être juifs.

En ce temps-là, l'Allemagne était devenue folle. Elle avait choisi pour dictateur Adolf Hitler, qu'on appelait le Führer, c'est-à-dire le chef, ou le guide. Hitler croyait que les hommes se rangeaient en deux catégories : les Allemands et les autres. Les Allemands étaient des surhommes et les autres n'étaient bons qu'à leur servir d'esclaves. Sauf les Juifs. Les Juifs n'étaient même pas dignes d'être les esclaves des Allemands : il fallait les exterminer.

Hitler avait créé un parti politique, le parti nazi, que les électeurs allemands mirent au pouvoir en 1933. Bien sûr, les nazis n'avaient pas claironné leurs projets criminels. Beaucoup d'Allemands espéraient seulement que Hitler supprimerait le chômage et redonnerait du travail aux millions d'ouvriers qui n'en avaient pas. D'autres comptaient sur lui pour faire oublier la défaite de 1918 et, peut-être, offrir à l'Allemagne sa revanche. La plupart, enfin, souhaitaient qu'on en finisse avec le désordre, qu'on soumette les jeunes à la discipline, qu'on dirige le peuple avec la même autorité qu'une troupe militaire. Et Hitler avait promis tout cela. Rares étaient les Allemands qui, à l'époque, devinèrent que ses promesses n'amèneraient en fin de compte que le sang et les larmes.

Les parents d'Anne l'avaient tout de suite deviné. Ils étaient allemands et leurs voisins, à Francfort, les considéraient comme d'excellents citoyens. Mais pour les nazis, ils étaient avant tout des Juifs, donc des êtres nuisibles. M. Frank comprit ce qu'annonçait l'arrivée au pouvoir d'un homme tel que Hitler. Il décida aussitôt de quitter l'Allemagne. La famille alla s'installer en Hollande. Anne avait alors quatre ans. Les Frank vécurent à Amsterdam des années de vrai bonheur.

Jusqu'au jour où les nazis qu'ils avaient fuis finirent par les rattraper.

Hitler avait tenu parole. Il avait redonné du travail aux millions de chômeurs allemands. Mais en leur faisant fabriquer des bombardiers, des navires de guerre, des chars d'assaut, des mitrailleuses. Il avait réussi à discipliner la jeunesse. Mais en lui durcissant le cœur et en lui apprenant à mépriser les autres peuples. Il avait supprimé les grèves, l'agitation, la contestation. Mais en faisant de l'Allemagne une caserne où chacun devait travailler à préparer ce qui était le vrai but des nazis : la guerre.

Tous les pays européens étaient menacés. Ils le savaient car Hitler, sûr de sa force, ne prenait même plus la peine de mentir sur ses projets. Mais au lieu de s'allier pour mieux résister au danger, les peuples d'Europe restèrent divisés. Presque tous pensèrent qu'on pouvait laisser le voisin se débrouiller tout seul. Les dirigeants politiques étaient aveugles ou lâches. On n'écouta pas ceux qui, comme l'Anglais Winston Churchill, criaient « Au feu ! » Ce fut la grande chance de Hitler. Au lieu de trouver en face de lui des peuples unis, il put les attaquer et les battre l'un après l'autre.

L'Autriche disparut la première. Puis vint le tour de la Tchécoslovaquie. Ensuite, ce fut la Pologne. Cette fois la France et l'Angleterre comprirent le danger et déclarèrent ensemble la guerre à l'Allemagne nazie. C'était en 1939. Anne Frank avait dix ans. Elle aimait l'école, sauf pour l'arithmétique, et jouait au ping-pong avec ses amies avant d'aller manger des gâteaux dans les pâtisseries d'Amsterdam. Personne ne croyait que la Hollande pourrait connaître les horreurs de la guerre. Le peuple hollandais était tranquille, travailleur, et ne demandait qu'à vivre en paix avec ses voisins. Et cependant le tour de la Hollande n'allait pas tarder à venir.

Car l'armée allemande continuait ses conquêtes. Elle s'empara du Danemark et de la Norvège. Puis, au printemps 1940, elle attaqua en même temps la Hollande, la Belgique et la France. Ces trois pays furent battus en quelques semaines. Ce fut comme un coup de tonnerre dans le monde entier. On comprenait la défaite des armées hollandaise et belge, qui n'étaient pas de taille. Mais l'armée française était considérée comme la plus forte du monde, la mieux équipée, la mieux commandée. Or, elle s'était écroulée lamentablement devant l'offensive allemande. On n'avait jamais assisté à un pareil désastre dans toute l'histoire de France. La peur et le découragement accablèrent les peuples européens. On se disait que l'Allemagne était invincible. Qui pourrait lui résister ? L'Angleterre, qui restait seule en face d'elle ? Allons donc ! Cela ne paraissait pas sérieux. Hitler débarquerait sur la côte anglaise et entrerait dans Londres quelques jours plus tard.

L'Angleterre n'avait qu'une petite armée, peu de canons, guère de tanks, pas assez d'avions, mais elle avait à sa tête un homme brave et tenace comme un bulldog : Winston Churchill. Elle avait du courage et la volonté de se battre jusqu'au bout. Elle avait aussi la chance d'être une île protégée par la mer contre les divisions blindées de Hitler : le Pas de Calais était un fossé antichar large de trente kilomètres. Sa marine enfin, reine des océans depuis des siècles, pouvait empêcher un débarquement. Mais à une condition : que l'aviation allemande ne l'empêche pas d'intervenir.

La bataille d'Angleterre fut donc d'abord une formidable bataille aérienne. Hitler la perdit. C'était la première fois qu'il était vaincu. Le monde recommença à respirer après avoir retenu son souffle tandis que combattaient dans le ciel les Spitfire anglais et les Messerschmitt allemands. Un faible espoir s'éveilla dans le cœur des peuples vaincus, occupés, opprimés, car une poignée de jeunes aviateurs à cheveux longs avait prouvé que les guerriers à tête rasée de Hitler n'étaient pas invincibles.

Les mois passèrent sans que l'armée d'invasion rassemblée sur les côtes de la Manche osât s'embarquer pour l'Angleterre.

Les soldats allemands, magnifiques et bronzés, occupaient leur temps à défiler au pas en chantant : « Nous partons pour l'Angleterre ! », mais ils ne partaient toujours pas. Hitler avait peur de la marine anglaise. Alors, comme Napoléon avant lui, il fit faire demi-tour à son armée. Aidé par l'Italie, son alliée, il occupa encore la Yougoslavie et la Grèce, puis il se lança à l'attaque de l'Union soviétique. Cette fois, le monde respira tout à fait. Chacun savait que l'immense steppe russe avait été le tombeau de la Grande Armée de Napoléon et l'on espérait qu'elle serait de la même manière le gouffre où se perdraient les divisions blindées de Hitler.

Le choc fut terrifiant. Les Soviétiques plièrent d'abord sous l'assaut des Allemands et reculèrent jusqu'à Moscou. C'était en 1941. Mais l'hiver, l'épouvantable hiver russe, empêcha Hitler d'entrer dans Moscou tout comme le Pas de Calais lui avait interdit de débarquer en Angleterre. Il n'avait pas cru que les Soviétiques auraient la force de se battre jusqu'à l'hiver et n'avait pas équipé l'armée allemande des vêtements chauds indispensables. Ses soldats, par milliers, eurent les pieds et les mains gelés. Pour la première fois de la guerre, on vit reculer les fantassins allemands. Mais ils tinrent bon : ce ne fut pas une débandade. Eux aussi étaient courageux. Et au printemps suivant, ils repartirent à l'attaque.

Cette nuit, tandis qu'Anne Frank dort à Amsterdam dans un lit trop petit (il a fallu ajouter une chaise pour qu'elle puisse poser sa tête), on se bat toujours en Russie. Des millions d'hommes y sont tombés dans la neige de l'hiver, dans les champs de blé de l'été, dans les ruines des grandes villes. L'armée allemande continue de reculer, mais lentement, comme un sanglier blessé qui reste dangereux. Quand le forcera-t-on enfin à rentrer dans sa tanière ?

L'Europe occupée dort. Il y a maintenant près de quatre ans que la nuit nazie est tombée sur elle. Une nuit pleine de cauchemars, de peurs, de privations, de souffrances. Il y aura bientôt quatre ans que le grand Winston Churchill, parlant à la radio aux Français vaincus, leur a dit : « Rappelez-vous que nous ne nous arrêterons jamais, que notre peuple et ceux de l'Empire tout entier se sont voués à la tâche de débarrasser l'Europe de la peste nazie et d'épargner au monde un nouvel âge des ténèbres. Bonne nuit donc ; dormez bien pour être forts quand viendra le matin, car il se lèvera. »

Mais quand se lèverait-il ? On l'espérait, ce beau matin, depuis si longtemps...

En attendant, c'était toujours la nuit.

La nuit nazie.

« *Ils nous prennent tout !* »

A Paris, Jacques Auverpin vient de s'endormir. Il a treize ans — un an de moins qu'Anne Frank. Sur la petite table placée à la tête de son lit, il a posé ses lunettes, le livre de Jules Verne qu'il est en train de lire, la montre que sa mère lui a offerte pour sa première communion, et aussi la dernière lettre qu'il a reçue de son père. Il n'a pas vu son père depuis quatre ans : les Allemands l'ont fait prisonnier en 1940 et l'ont enfermé dans un camp. Trois millions de soldats français sont ainsi captifs en Allemagne. Le soir, avant de s'endormir, Jacques ferme les yeux et essaie de se rappeler comment était son père, comment il riait, le son de sa voix, la couleur exacte de ses yeux. Il n'y arrive pas toujours mais il le cache à sa mère pour ne pas lui faire de peine. Mme Auverpin travaille dans un bureau comme secrétaire. Elle gagne tout juste de quoi vivre. Quand Jacques tente de se rappeler comment elle était autrefois, avant la guerre, c'est presque aussi difficile que pour son père. Elle ne rit plus, elle a des rides profondes au coin des lèvres, elle ne parle que d'argent et de nourriture. Surtout de nourriture. Même quand il y a alerte aérienne, la nuit, et qu'ils descendent à la cave tandis qu'éclatent les premières bombes anglaises, Mme Auverpin continue à parler de nourriture avec les voisins de l'immeuble... Ils habitent pourtant rue Delambre, tout près de la gare Montparnasse qui pourrait bien être bombardée un jour ou l'autre, mais Mme Auverpin n'a pas l'air de se rendre compte de ce danger : sa seule crainte, c'est que son Jacques ne meure de faim. On n'en est quand même pas là ! Bien sûr qu'il a faim, mais pas plus que ses camarades de classe, et aucun n'en est encore mort.

Tout est rationné. Au début du mois, on distribue des tickets bleus, roses ou verts qui donnent droit à de la viande, à du pain noir, à du beurre — bref, à tout ce qu'il faut pour vivre. Mais en si petites quantités que ça ne suffit pas à calmer la faim. Sans compter qu'on n'obtient pas toujours la viande ou le beurre correspondant aux tickets. Jacques a souvent fait la queue pendant trois heures à la porte d'un magasin pour s'entendre dire par le commerçant qu'il n'avait plus rien à vendre. Le beurre, par exemple, a souvent manqué. Quant à certains produits, ils sont devenus introuvables. Il y a des années que Jacques n'a pas mangé une orange ou une banane.

Tout manque. On ne jette plus rien. Il faut donner un tube de dentifrice vide pour en obtenir un neuf ; l'ampoule électrique cassée doit être présentée au commerçant si l'on veut la remplacer. Dans les villes, les statues sont abattues et fondues pour récupérer leur bronze. Impossible de rouler en voiture si l'on n'est pas médecin — ou collaborateur, ami des Allemands. Les taxis ont disparu, remplacés par des vélo-taxis qui ressemblent aux pousse-pousse orientaux, à cette différence près qu'ils sont tirés par un robuste cycliste. Les passagers, assis dans la légère carriole à deux roues, sont surtout des trafiquants gros et gras, seuls capables de s'offrir ce luxe. Les bicyclettes, devenues le seul moyen de locomotion individuel, sont très recherchées, notamment par les voleurs, aussi beaucoup préfèrent-ils monter leur vélo dans leur appartement, le soir, pour l'y mettre à l'abri. Il n'y a pas assez de charbon ni de bois. On grelotte tout l'hiver. Les vieillards, qui ne peuvent même pas se réchauffer par l'exercice, vivent continuellement emmitouflés dans leurs couvertures.

Mais c'est encore le manque de nourriture qui est le plus cruel. La faim pousse beaucoup de malheureux à voler des chats pour les manger. Les journaux publient des avertissements : « Attention ! Les chats mangent les rats, porteurs de microbes mortels. Si vous mangez les chats, vous risquez la mort ! » Rien n'y fait : la faim est la plus forte et les minets continuent de passer à la broche. De même que les pigeons des villes... Le soir, au crépuscule, des affamés s'approchent des pauvres bêtes, jettent sur elles un filet et les capturent. Il y avait à peu près 5 000 pigeons sur la place Pierre-Laffite, à Bordeaux : ils ne sont bientôt plus que 89. Et il en est ainsi dans toutes les grandes villes. Les corbeaux, dont la chair est pourtant coriace, se vendent aussi cher qu'une grosse dinde avant-guerre. Pour tous ceux qui n'ont pas la chance de vivre à la campagne, le grand problème et l'éternel sujet de conversation est : « Que va-t-on manger demain ? »

Pourquoi cette misère dans un pays aussi riche que la France ? L'explication, Jacques l'entend sans cesse quand il fait la queue devant les magasins d'alimentation : « Ils nous prennent tout ! » Et il est bien vrai que les Allemands prennent beaucoup, sinon tout. Chaque année, ils confisquent la moitié de la récolte de blé, plus de cinquante millions d'œufs, des montagnes de beurre, de fruits, de légumes. Tout cela part pour l'Allemagne. C'est du pillage, mais le maréchal nazi Goering, devenu obèse à force de s'empiffrer, a été précisément chargé par Hitler de piller les pays conquis. Il a déclaré à ses hommes : « Vous n'êtes pas envoyés là-bas pour travailler au bien-être des peuples, mais pour en retirer le maximum... Moi, je songe à piller, et rondement !... Il m'est absolument indifférent de vous entendre dire que les habitants meurent de faim. » Ses ordres furent exécutés. La France eut faim. Si elle n'en mourut pas, c'est que les paysans dissimulèrent une partie de leur récolte et abattirent leurs bêtes en cachette pour ne pas livrer la viande aux Allemands. Mais la nourriture ainsi sauvée du pillage ne fut pas distribuée entre tous les Français : elle fut vendue aux plus riches, qui pouvaient la payer à des prix incroyables. On appelait cela le marché noir, par opposition au marché officiel, celui des tickets. Mme Auverpin ne gagnait pas assez pour s'approvisionner au marché noir. Elle essayait de se débrouiller autrement. Le soir, elle copiait dans le journal des recettes de cuisine bizarres qui faisaient faire la grimace à Jacques : gâteaux de pommes de terre, soupes d'orties, racines de chardons bouillies, salades de fougères. Mais où trouver des orties et des fougères à Paris ?

Heureusement, la tante Léonie, qui vivait en Normandie, envoyait de temps en temps un colis de ravitaillement. C'était chaque fois une fête, même si le beurre avait ranci et si la moitié des œufs étaient cassés. La vieille tante Léonie avait très mauvais caractère et Jacques, avant la guerre, se contentait de lui envoyer une carte de vœux au Nouvel An. A présent, il lui écrivait chaque semaine et il passait toutes ses vacances dans la petite ferme proche d'Évreux où il y avait du pain blanc (celui de Paris était noir) et autant de beurre qu'on voulait pour le petit déjeuner. Environ une fois par mois, Mme Auverpin prenait le train pour Évreux et en revenait avec du ravitaillement. Chaque famille française, ou presque, avait ainsi sa tante Léonie grâce à qui elle ne mourait pas tout à fait de faim. Mais cela n'empêchait pas les drames, petits ou grands... Au sixième étage de la maison de Jacques vivait un vieux monsieur, ancien professeur, dont la chambre était encombrée de livres. Il ne parlait jamais de ravitaillement, contrairement aux autres habitants de l'immeuble. D'ailleurs, il ne parlait presque pas, sinon pour dire qu'il fallait garder espoir et que la liberté reviendrait. A l'entendre, on avait l'impression que l'Allemagne allait être battue la semaine suivante. Mais les semaines passaient et le vieux professeur, qui n'avait pas assez d'argent pour le marché noir ni de tante Léonie à la campagne, devenait de plus en plus maigre. Lorsque Jacques le rencontrait dans l'escalier, il avait l'impression de croiser un fantôme. Un jour, la concierge avait dit à Mme Auverpin qu'elle n'avait pas vu le professeur Ouvrard descendre et qu'il ne répondait pas quand on frappait à sa porte. Elles étaient allées toutes les deux prévenir le commissaire de police. Un serrurier avait ouvert la porte. Le professeur était étendu sur son lit. On aurait pu croire qu'il dormait mais il était mort. Mort de faim.

Jacques, qui n'avait alors que onze ans, n'avait pas compris l'émotion de sa mère et des voisins : il lui semblait normal qu'un si vieux monsieur finisse par mourir. Le drame de Cady l'avait beaucoup plus touché. Cady était un petit lapin que sa mère avait rapporté de chez la tante Léonie. On l'avait installé dans une cage, sur le rebord d'une fenêtre, et Jacques le nourrissait d'épluchures de pommes de terre ou de rutabagas (le rutabaga était une sorte de betterave fade dont aucun Parisien n'avait entendu parler avant la guerre. Les paysans le donnaient à manger à leurs bêtes. On en nourrissait maintenant les hommes...). Jacques aimait Cady comme d'autres garçons aiment leur chien ou leur chat. Dès qu'il rentrait de classe, il se précipitait à la fenêtre pour le caresser et lui donner des épluchures. Cady aimait tout, même les rutabagas. Il grossissait tant que sa cage devenait trop étroite et que Jacques avait demandé à sa mère de lui en donner une plus grande. Mme Auverpin avait répondu que ce n'était pas la peine : on n'allait pas tarder à manger Cady. Elle avait dit cela d'un ton très naturel, comme elle aurait annoncé un gâteau de pommes de terre au menu du soir. Le lendemain était un jeudi, jour de congé. Jacques était seul à la maison. Il avait fourré Cady dans son cartable et était allé dans le jardin du Luxembourg, où l'on avait supprimé les pelouses pour faire pousser des légumes. Là, il avait sorti Cady du cartable, l'avait embrassé sur le museau et l'avait lâché au milieu des plants de pommes de terre. Personne ne s'était aperçu de rien. Il était rentré à la maison avec l'impression d'avoir accompli un exploit : il avait sauvé son ami. Mais Mme Auverpin, après lui avoir fait tout avouer, s'était mise dans une colère effrayante. Il ne l'avait jamais vue comme ça. A croire qu'elle était devenue folle. Elle s'était jetée sur lui en le giflant à tour de bras (sa tête valsait de gauche à droite, il avait même saigné du nez), en criant des gros mots comme un homme et en injuriant les gardiens du Luxembourg qui allaient se régaler avec Cady. Puis elle s'était calmée d'un seul coup et, prenant Jacques dans ses bras, elle avait pleuré avec lui pendant de longues minutes. A ce moment-là, il était si triste pour elle qu'il avait presque regretté d'avoir lâché Cady dans le jardin. Finalement, chacun avait essuyé les larmes de l'autre avec un mouchoir et Mme Auverpin avait décidé de finir le dernier colis de la tante Léonie, de sorte que la soirée s'était terminée joyeusement. Il y avait du chocolat que la tante avait dû obtenir en l'échangeant contre des œufs.

Jacques dort. Demain matin, il retournera en classe. Sa mère, comme chaque soir, a préparé ses vêtements. Sa culotte courte a été retaillée dans un pantalon qui appartenait à M. Auverpin. Sa veste est presque neuve mais elle est faite d'un tissu si médiocre qu'elle est déjà usée aux coudes. Il n'y a plus ni laine ni coton. Chez les coiffeurs, on ramasse les cheveux coupés pour en faire du tissu. Les chaussures de Jacques ont des semelles de bois car il n'y a plus de cuir. Ce n'est pas très commode pour courir et ça fait un bruit de sabot sur le trottoir. Mais on est au printemps et le problème de l'habillement n'est pas aussi grave qu'en hiver. En janvier dernier, Mme Auverpin a obligé Jacques à aller en classe avec, sous sa veste, de vieux journaux pour se protéger du froid... Ainsi font les enfants dont les parents ne sont pas assez riches pour acheter des vêtements au marché noir. On se débrouille comme on peut. Personne, au lycée, n'aurait songé à se moquer de Jacques à cause de son matelas de journaux, pas plus que l'on ne trouvait ridicule Maurice Lamarque avec son manteau râpé qui lui tombait jusqu'aux chevilles (il avait appartenu à son grand-père et on l'avait retrouvé dans un grenier. Par miracle, il n'était pas mité).

Mais Jean-Marc Lévy, lui, s'était senti ridicule, ou pire encore. Jacques n'avait jamais osé lui poser la question. Jean-Marc était son plus ancien camarade : ils étaient entrés à l'école communale ensemble et s'étaient toujours retrouvés dans les mêmes classes au lycée. Ils échangeaient des livres et des timbres. Jacques allait quelquefois passer le jeudi après-midi chez Jean-Marc. Or, un matin de 1942, Jean-Marc était arrivé au lycée avec, cousu sur sa veste, à l'emplacement du cœur, un étrange insigne : une étoile jaune à l'intérieur de laquelle était inscrit le mot « Juif ». Mme Auverpin avait déjà dit à Jacques que son ami était juif mais ça faisait tout de même un choc de voir le mot inscrit sur sa poitrine. Ce matin-là, Jean-Marc était resté à l'entrée de la cour de récréation, tête basse, comme s'il avait honte, et Jacques n'avait pas osé aller à sa rencontre. Le petit Grunenbaum était arrivé à son tour avec une étoile jaune cousue sur sa veste et était resté planté à côté de Jean-Marc ; on voyait bien à ses yeux qu'il avait pleuré. Tous les élèves les regardaient comme des bêtes curieuses. Finalement, le surveillant général, M. Podlac, surnommé Podvache, avait pris Jean-Marc et Grunenbaum par le bras et s'était promené de long en large dans la cour. Au passage, il interpellait d'autres élèves, tant et si bien qu'ils s'étaient retrouvés au moins une quinzaine à l'écouter raconter des histoires drôles. Podvache racontant des histoires drôles : il fallait l'entendre pour le croire ! C'était si extraordinaire que personne n'avait plus pensé aux étoiles jaunes.

On avait donc, sur l'ordre des Allemands, marqué les Juifs comme du bétail. Puis on leur avait interdit l'entrée des restaurants, des piscines, des cafés, des bibliothèques, des jardins publics. Dans le métro ou dans le tramway, ils devaient obligatoirement monter dans le dernier wagon. On leur infligeait le même traitement qu'aux lépreux du Moyen Age et on les tenait à l'écart comme s'ils pouvaient transmettre leur maladie par simple contact. Mais ce n'était encore qu'un début. Le jour arriva où ni Jean-Marc ni le petit Grunenbaum ne vinrent au lycée. Des policiers français aux ordres de l'Allemagne les avaient arrêtés, eux et leur famille, et remis à la police nazie, la cruelle Gestapo. On racontait qu'ils avaient été emmenés en

Allemagne pour y travailler. Mme Auverpin avait dit à Jacques : « Ne t'inquiète donc pas pour eux : ils sauront toujours se débrouiller. »

Les parents d'Anne, M. et Mme Frank, savaient qu'on n'emmenait pas les Juifs en Allemagne pour y travailler mais pour les tuer. Même Anne l'avait appris et elle avait noté sur le cahier où elle inscrivait chaque jour ses réflexions, ses pensées, ses joies et ses tristesses : « La radio anglaise parle de chambres à gaz. Peut-être est-ce encore le meilleur moyen de mourir rapidement. J'en suis malade. » Les Frank n'ont pas attendu comme les Lévy et les Grunenbaum qu'on vienne les arrêter. Ils se sont préparé une cachette, dans la maison du canal, et y ont entassé assez de nourriture pour vivre pendant des mois et des mois. M. Frank est heureusement assez riche pour acheter au marché noir. Et quand on a commencé à arrêter les Juifs d'Amsterdam, toute la famille est partie se réfugier dans la cachette. Impossible d'emporter des valises : on se serait fait remarquer. « Chacun de nous, écrit Anne Frank, s'était habillé comme pour une expédition au pôle Nord afin d'emporter le plus de vêtements possible (c'était pourtant l'été et il faisait une chaleur écrasante !). Je portais sur moi deux chemises, trois culottes, une robe, là-dessus une jupe, une veste, un manteau d'été, deux paires de bas, de gros souliers, un béret, un foulard et d'autres choses encore. J'étouffais avant de partir mais personne ne s'en souciait. » Elle avait fait ses adieux à son petit chat, Mauret, à qui elle avait laissé une livre de viande dans la cuisine. Une livre de viande pour un chat ! Mme Auverpin aurait été très scandalisée si elle l'avait su...

On s'était donc entassés dans la cachette, on ne sortait plus, on manquait d'air, on s'ennuyait, on se disputait, on se nourrissait de choux pourris (ils sentaient si mauvais qu'Anne ne pouvait les manger qu'en se bouchant le nez avec un mouchoir imprégné de parfum) mais on survivait, et c'était l'essentiel. Parfois, le soir, Anne regardait à la fenêtre en écartant de quelques millimètres les rideaux toujours tirés, et elle voyait passer dans la rue les Juifs qui n'avaient pas pu se cacher et que l'on emmenait en Allemagne. Elle notait sur son cahier : « Je les vois souvent défiler, ces hordes d'innocents, avec leurs enfants en larmes, se traînant sous le commandement de quelques brutes qui les fouettent et les torturent jusqu'à les faire tomber. Ils ne ménagent personne, ni les vieillards, ni les bébés, ni les femmes enceintes, ni les malades — tous sont bons pour le voyage vers la mort. »

Comment se plaindre du manque d'air et des choux pourris quand des millions de Juifs, à travers l'Europe, sont ainsi envoyés dans les chambres à gaz des camps d'extermination ? Tout ce que demandent Anne et les siens, c'est qu'on ne découvre pas leur cachette et qu'ils puissent y attendre l'aube de la libération promise par Churchill.

Mais tiendront-ils jusqu'à ce Grand Jour tant désiré ?

Anne se retourne nerveusement dans son lit. Un cauchemar, sans doute. La peur trouble son sommeil comme celui de ses parents, de sa sœur et des quatre autres personnes entassées avec eux. Ils connaissent la peur depuis deux ans. Peur des bombardements : quand les sirènes annoncent une alerte, les habitants d'Amsterdam descendent se mettre à l'abri dans les caves, mais les prisonniers volontaires ne peuvent pas bouger, même si les bombes éclatent tout près de l'immeuble. Peur de la maladie : il serait impossible de faire venir un médecin car il pourrait dénoncer la cachette à la Gestapo, qui donne une somme d'argent à ceux qui lui livrent des Juifs. On s'est habitués tant bien que mal à ces peurs-là. Mais il y a plus grave. Le mois dernier, des cambrioleurs sont entrés dans les bureaux du rez-de-chaussée, juste au-dessous de la cachette, et ils ont découvert que la maison était habitée. Que vont-ils faire ? Préviendront-ils la police allemande pour toucher la prime de dénonciation ?

Chacun dans la cachette sait qu'une course de vitesse est engagée, dont sa vie est l'enjeu. Si les Alliés ne débarquent pas très vite, c'est la Gestapo qui arrivera la première et qui déportera Anne et les siens vers les chambres à gaz des camps nazis...

Désormais, chaque jour compte.

Une balle de moins dans le revolver

André Kirschen dort. Toutes les heures, un homme vient surveiller son sommeil. André n'est pourtant pas sur un lit d'hôpital ou dans le dortoir d'un pensionnat : il est prisonnier dans une cellule de la prison d'Anrath, en Allemagne. Il n'avait que seize ans quand on l'y a enfermé. André est probablement le plus jeune prisonnier français. On l'a condamné à dix ans de prison pour terrorisme. Les Allemands appellent « terroristes » les habitants des pays occupés qui continuent à se battre contre eux.

Anne Frank ne se bat pas : comment pourrait-elle le faire ? Son seul espoir est de pouvoir rester cachée jusqu'au débarquement. Jacques Auverpin ne songe même pas à se battre. Pourquoi le ferait-il ? Le gouvernement français installé à Vichy après la défaite recommande de collaborer avec les Allemands et d'obéir à leurs ordres. Ce gouvernement est dirigé par le maréchal Pétain, qui a été un grand chef militaire pendant la guerre de 1914-1918. Mme Auverpin admire profondément le vieux maréchal. Pour elle, il est le sauveur de la France. Elle a placé sa photo encadrée sur le buffet, à côté de celle de M. Auverpin, et chaque année, au Nouvel An, elle oblige Jacques à écrire au maréchal une carte de vœux. Mme Auverpin déteste ceux que les Allemands appellent « terroristes ». Si elle en connaissait, elle n'irait sans doute pas jusqu'à les dénoncer à la Gestapo mais elle refuserait certainement de les aider. A son avis, ils ne font qu'augmenter le gâchis et attirer de nouveaux malheurs. Les choses sont très simples pour Mme Auverpin : la France a été vaincue en 1940 et elle a signé un armistice avec les Allemands. Il faut donc attendre patiemment la fin de la guerre en s'efforçant de souffrir le moins possible de la faim et du froid. Quant à Jacques, il pense davantage à l'avenir qu'au présent. Et il sait déjà ce qu'il fera plus tard : il deviendra riche. Car qui mange à sa faim et qui n'a jamais froid ? Les riches, ceux qui peuvent acheter au marché noir. Jacques ne s'intéresse pas aux combats qui ensanglantent le monde. Ce n'est pas son affaire. Lui, il va en classe, il fait la queue pendant des heures devant les magasins d'alimentation, il attend les colis de la tante Léonie. Se battre contre les Allemands ? Ce serait désobéir au maréchal Pétain et ce serait surtout ridicule. Ils sont trop nombreux et trop puissants. Ils occupent toute l'Europe et tiennent tête aux Anglais, aux Américains et aux Russes alliés contre eux. Que pourrait faire un Jacques Auverpin ?

Mais tous ne pensent pas comme lui. Des hommes et des femmes, jeunes ou vieux, ont repris les armes. Ils n'obéissent pas au vieux maréchal Pétain mais au général de Gaulle qui, installé en Angleterre, a appelé les Français à le rejoindre pour former une nouvelle armée ou à se battre sur place, en France, contre l'occupant. Jean-Amaury Saladin, qui n'avait que quinze ans et demi, a choisi la première solution. Il a volé de l'essence dans un dépôt allemand et, par une nuit sans lune, il s'est embarqué avec deux autres garçons sur un vieux bateau à moteur amarré à Morlaix, en Bretagne. C'était un coup de folie. Ils n'avaient pour se nourrir que deux douzaines de crêpes. Mais la chance était avec eux. Elle leur fit éviter les navires de guerre allemands qui surveillaient la côte et les mena à bon port, c'est-à-dire dans un port anglais. L'aventure finissait bien. Pour d'autres garçons de leur âge, elle se termina devant un peloton d'exécution allemand : ils avaient été rejoints en mer, capturés et condamnés à mort...

André Kirschen, le prisonnier d'Anrath, est resté en France. Mais pour s'y battre avec ces résistants que les Allemands nomment terroristes. Il n'a que haine et mépris pour le maréchal Pétain et son gouvernement. Il refuse la collaboration avec les Allemands. Et il a certainement raison puisque le maréchal Goering, le chef pillard, avait déclaré lui-même à ses hommes, dans le langage grossier qu'il affectionnait : « La collaboration de messieurs les Français, je la vois seulement de la façon suivante : qu'ils livrent tout ce qu'ils peuvent jusqu'à ce qu'ils n'en puissent plus. S'ils le font volontairement, je dirai que je collabore. S'ils bouffent tout eux-mêmes, alors ils ne collaborent pas. Il faut que les Français s'en rendent compte... »

André, qui a faim comme les autres, ne se bat pas seulement pour éviter à la France d'être pillée. Il croit que le nazisme est une maladie mortelle qui menace l'humanité (la « peste nazie » dont parlait Churchill). Il veut construire un monde meilleur, plus fraternel, débarrassé de ce racisme qui prétend que les uns sont des surhommes et les autres des esclaves ou des êtres nuisibles qu'il faut exterminer. Son devoir est donc de se battre contre les nazis. Il n'est certes qu'un garçon de quinze ans lorsqu'il prend cette grave décision. Il ne peut espérer vaincre à lui seul la formidable armée allemande, avec ses milliers d'avions, ses divisions blindées et ses sous-marins. Mais il peut y aider. Chaque coup compte et prépare la victoire.

Le 8 mars 1942, André descend l'avenue de Wagram, à Paris, une valise à la main. Il se dirige vers une grande salle dans laquelle les Allemands viennent d'ouvrir une exposition de propagande. L'entrée est surveillée par plusieurs dizaines de policiers français en civil aux ordres de l'occupant : on redoute les attentats de la Résistance. Mais pourquoi les policiers se méfieraient-ils d'un garçon aussi jeune qu'André ? Ils le laissent entrer sans même lui demander d'ouvrir sa valise. André se promène quelques minutes dans l'exposition, pose sa valise dans un coin et ressort devant les policiers qui n'ont rien remarqué. Même si l'un d'eux, plus attentif que les autres, s'était inquiété de voir André ressortir sans sa valise, le danger ne serait pas grand : la fameuse valise ne contient que du linge sale. La mission d'André consiste à vérifier si la surveillance est sévère, si l'on fouille les visiteurs à l'entrée et si l'on peut ressortir en laissant une valise à l'intérieur sans éveiller les soupçons des gardiens. L'expérience paraît concluante. André n'a pas été interpellé. Le voici maintenant qui remonte l'avenue de Wagram. Deux garçons qui ont attentivement observé la scène se dirigent à leur tour vers la salle d'exposition. L'un d'eux porte une valise. Elle est bourrée d'explosifs.

Les gardiens les laissent entrer. Ces gardiens seraient à coup sûr stupéfaits s'ils savaient que l'un des « terroristes » qui leur passent sous le nez est allemand. Oui, Karl Schoenhaar, dix-sept ans, est allemand. Il est né à Edelfingen, près de Stuttgart. Son père a lutté pour empêcher l'arrivée au pouvoir des nazis et, après leur victoire, ceux-ci l'ont assassiné sans même prendre la peine de le juger. Karl et sa mère sont venus s'installer en France, tout comme Anne Frank et sa famille ont fui en Hollande. Et, tout comme les Frank, ils ont été rattrapés par les nazis après la défaite française. Alors, Karl a suivi l'exemple de son père : il a décidé de se battre. Il n'a pas de haine pour l'Allemagne : comment le pourrait-il, puisqu'il est allemand ? Mais il veut abattre le nazisme, rejoignant ainsi ses compatriotes qui luttent contre Hitler et dont 250 000 sont enfermés dans des camps de concentration. Voilà pourquoi il pénètre aujourd'hui dans la salle d'exposition de l'avenue de Wagram, une lourde valise à la main, avec son camarade français Georges Tondelier.

Les deux garçons choisissent le meilleur endroit pour déposer leur fardeau. Ils sont très calmes car, malgré leur jeune âge, ils ont déjà participé à plusieurs actions : attaques de postes de garde ou d'hôtels réquisitionnés par les Allemands. Ils ont lancé des grenades et tiré des coups de feu. Ils savent ce qu'est la peur mais ont appris à la vaincre. La valise est en place. Karl et Georges allument le cordon qui fera exploser la charge, puis se dirigent vers la sortie. Mais un policier les interpelle : « Hep ! Vous oubliez votre valise ! » Les deux garçons partent en courant. Ils sont rattrapés, ceinturés, tandis que d'autres policiers découvrent la valise et éteignent le cordon. L'attentat a échoué. Karl et Georges vont être affreusement torturés. Le lendemain, André Kirschen est arrêté à son tour.

Ils sont jugés tous les trois. André échappe à la mort « à cause de son jeune âge » : il n'a que quinze ans. Mais, Georges, vingt ans, est condamné à être fusillé, et Karl aussi, qui n'a que dix-sept ans. Lorsqu'il entend sa condamnation, l'Allemand Karl Schoenhaar se lève et lance au tribunal nazi : « Je mourrai comme mon père : pour la liberté, pour la France et pour l'Allemagne ! »

Le lendemain, Georges, Karl et vingt et un de leurs camarades sont conduits au mont Valérien, face au peloton allemand. Ils vont au supplice en chantant « La Marseillaise » et meurent en criant : « Vive la France ! » Tous, sauf un, sont communistes. Tous sont tombés dans le même combat et liés au même poteau que tant d'autres qui ne partageaient pas leurs idées politiques mais qui se battaient contre un même ennemi : le nazisme.

On attachera bientôt à ce poteau le frère aîné d'André, Bob Kirschen. 30 000 résistants mourront ainsi face aux fusils allemands.

André dort dans sa cellule d'Anrath, prisonnier depuis bientôt deux ans. Il a été épargné par le tribunal mais sa vie reste en danger car les nazis ne respectent pas leurs propres lois. Ainsi avaient-ils gracié Simone Schloss, une jeune fille qui avait été jugée en même temps qu'André et condamnée à mort. Mais cette grâce ne les a pas empêchés, un an plus tard, de décapiter Simone à la hache... Pourquoi la Gestapo ne viendrait-elle pas, un matin, arracher André à sa cellule pour le conduire au supplice ?

Elle le pourrait d'autant plus qu'André a fait bien davantage que transporter une valise de linge sale. Il a tué un officier allemand. Seul, à quinze ans, il a braqué un revolver sur un homme revêtu de l'uniforme ennemi et l'a abattu d'une balle dans le dos. Cela s'est passé le 10 septembre 1941 à la station de métro Porte Dauphine. L'ordre était venu d'abattre des officiers allemands dans les rues de Paris pour faire comprendre aux autres que la France restait un champ de bataille et non pas une oasis de paix où ils pouvaient se reposer des fatigues de la guerre. On ne tue pas un homme de gaieté de cœur, surtout en le frappant dans le dos. Cela ressemble trop à un assassinat. André et ses camarades ont beaucoup hésité. Plusieurs fois, ils ont reculé au dernier moment. L'officier en promenade paraissait tellement sans défense... Mais Jean-Marc Lévy et le petit Grunenbaum ont-ils eu la possibilité de se défendre quand on est venu les arrêter ? Anne Frank le pourra-t-elle si la Gestapo découvre sa cachette ? Et les milliers d'innocents qui meurent chaque jour, victimes du nazisme et de son instrument, l'armée allemande ? Allons, il faut tirer ! André appuie sur la détente de son revolver. La détonation résonne dans le tunnel. L'Allemand tombe lentement. André le contemple quelques secondes, puis s'enfuit en courant, le cœur battant à se rompre. Il a tué. C'est la guerre. Demain, peut-être, les Allemands prendront vingt Français en otages et les fusilleront pour venger leur mort. Mais cent Français se lèveront alors pour venger leurs vingt fusillés. Terrible arithmétique ! C'est à cause de ces exécutions d'otages que Mme Auverpin déteste les « terroristes ». Même parmi les résistants, beaucoup ne sont pas d'accord avec les attentats : ils estiment que le prix à payer est trop lourd. Mais on continuera cependant à tirer sur les officiers allemands dans les rues de Paris, dans les villes de province, sur les routes de campagne. C'est la guerre. Et qui l'a voulue ? Eux ou nous ?

André a réussi à s'enfuir. Il retrouve ses deux camarades Tourette et Laurent, qui seront bientôt fusillés. Il rend à Tourette l'arme qu'il lui avait empruntée et dit simplement : « Il y a une balle de moins dans le revolver. »

On espère et on désespère

Ils dorment, l'un à Anrath, l'autre à Amsterdam, le troisième à Paris. Le plus beau rêve qu'ils pourraient faire, c'est que les Anglais et les Américains débarquent. Car seul le débarquement amènera la fin du cauchemar nazi. Tout le monde en est convaincu. Jacques l'entend dire chaque fois qu'il fait la queue. Anne, bien souvent, note avec tristesse dans son cahier : « Le débarquement n'a pas encore eu lieu. » Et elle ajoute : « Je puis dire en toute certitude que tout Amsterdam, toute la Hollande, oui, toute la côte occidentale de l'Europe jusqu'en Espagne, ne fait que parler et discuter du débarquement, parler et... espérer. »

Espérer... ou désespérer. On a tant cru que les Alliés viendraient à l'automne 1943. Churchill avait annoncé à la radio : « Avant la chute des feuilles, les Allemands seront attaqués sur de nouveaux fronts. » Mais les feuilles étaient tombées, puis l'hiver était venu, puis encore un printemps : toujours rien... Le seul front important continuait d'être celui de l'Est, où l'Armée rouge se battait bravement depuis trois ans contre les divisions blindées et les meilleures troupes de Hitler. Anglais, Américains et Français libres de De Gaulle ont bien débarqué en Italie, alliée de l'Allemagne, mais le relief montagneux facilite la défense et ils n'avancent qu'à une allure d'escargot. La propagande nazie a d'ailleurs placardé sur les murs de Paris une affiche que Jacques Auverpin voit chaque jour sur le chemin du lycée : elle représente un escargot portant les drapeaux alliés qui remonte péniblement le long de l'Italie... Au sud, l'escargot allié ; à l'est, l'ours soviétique qui est encore à des centaines de kilomètres de l'Allemagne... Non, il n'y a qu'un débarquement à l'ouest qui puisse porter aux Allemands un coup décisif.

Le temps presse. Chaque jour, on arrête des résistants et on les fusille. Chaque jour, le ravitaillement est plus difficile. Si les Alliés ne se décident pas à débarquer, la Résistance sera anéantie, André ne sortira de sa prison que pour être fusillé, Anne sera découverte par la Gestapo et jetée dans une chambre à gaz avec tous les Juifs d'Europe, Jacques connaîtra la vraie famine — celle dont on meurt.

Cette nuit, la 1 739ᵉ de la guerre, est celle du 5 au 6 juin 1944.

LA FORTERESSE EUROPE

Un blockhaus sur la falaise

Le soldat allemand Heinz Tiebler n'a pas de chance : il a été désigné pour monter la garde de minuit à deux heures du matin. Allongé sur son lit, Heinz attend patiemment les douze coups de minuit. Ses camarades dorment. Ils sont cinq à vivre dans un abri creusé à six mètres sous terre. Le plafond est fait de poutres épaisses. Au-dessus de ce plafond, une couche de terre, une couche de pierres, puis encore une nouvelle rangée de poutres, et encore de la terre et des pierres. Ce n'est pas aussi solide que du béton mais suffisant pour résister à des bombes ou à des obus de calibre moyen. Les cinq camarades ont beaucoup travaillé pour aménager leur abri. Ils se sont transformés en menuisiers, ont installé des lits, des armoires, de sorte que ce caveau froid et humide a fini par ressembler à une vraie chambrée de soldats.

Heinz est un garçon de taille moyenne. Son visage aux pommettes saillantes pourrait être celui d'un jeune Russe. Il a les yeux bleus, les cheveux blonds et coupés en brosse, le nez assez court. Il ne boit pas et n'a jamais fumé. Deux jours plus tôt, le 3 juin, il a fêté ses dix-huit ans.

L'abri est creusé dans la falaise normande de Colleville, face à la mer, et Heinz a dit plus d'une fois à ses camarades : « Si on détruisait le mur du côté de la mer, on tomberait tous à l'eau ! » Mais il y a une telle épaisseur de terre que le mur ne risque pas d'être détruit.

Viendront-ils ? Débarqueront-ils ? On ne sait plus. Le lieutenant Wagner, chef de la compagnie de Heinz, avait annoncé que l'attaque ennemie aurait lieu entre le 1er et le 15 mai. Mais les Alliés n'étaient pas venus, malgré le temps splendide, et il fait à présent un temps épouvantable. Ce 5 juin, le vent souffle en bourrasque, la mer est recouverte de furieuses crêtes blanches. Non, ils ne viendront sûrement pas cette nuit. Le tour de garde de Heinz sera sans histoire et ce n'est pas encore cette fois qu'il saura ce qu'est la guerre.

Heinz ne s'est pas encore battu, de même que la plupart de ses camarades qui sont aussi jeunes que lui. Les sous-officiers, par contre, sont des hommes âgés, pères de famille, qui ont connu l'enfer du front de l'Est. Une inspection des régiments qui attendent le débarquement depuis le nord de la Norvège jusqu'au sud de la France conduirait à la même constatation : les soldats sont très jeunes ou très âgés. Où sont donc les hommes aguerris de vingt à trente ans ? En Russie, avec le meilleur matériel. Beaucoup — des centaines de milliers — y dorment pour toujours au fond d'une tombe. Les autres s'efforcent de freiner le bulldozer soviétique dans sa marche vers l'Allemagne. Là sont les troupes d'élite de Hitler. Et comme l'Allemagne n'est pas un réservoir humain inépuisable, il ne reste plus, pour s'opposer au débarquement, que les trop jeunes ou les trop vieux, les infirmes, les soldats qui ont eu les pieds gelés en Russie. Une division entière est ainsi composée de malades de l'estomac qui doivent suivre un régime alimentaire spécial : on l'appelle « la division du pain blanc » ! Mieux encore : pour boucher les trous, on a enrôlé sous l'uniforme allemand des étrangers, notamment des prisonniers soviétiques à qui l'on donnait le choix entre mourir de faim ou combattre pour Hitler. Beaucoup de ces pauvres diables ont choisi la seconde solution : on en compte vingt-trois bataillons sur la côte française. L'Allemagne, si fière de sa « pureté raciale » et qui a voulu la guerre pour faire régner sur le monde le soi-disant surhomme allemand — l'Allemagne en est réduite, après cinq années de combats épuisants, à enrôler pour sa défense des Arméniens, des Tartares, des Français, des Arabes...

Heinz, avec ses dix-huit ans, est d'ailleurs considéré comme un vieux soldat par certains de ses camarades. A quelques kilomètres de son abri se trouve le château de Maupertuis, réquisitionné par l'armée allemande. Un jour s'y est installé un nouveau contingent de soldats. Ils s'entraînaient au combat à la baïonnette mais, entre deux exercices, jouaient au chat et à la souris : ils n'avaient pas plus de quatorze ans. Pourra-t-on compter sur eux quand viendra le Grand Jour ? Tout le monde n'a pas, à cet âge, le courage et la force d'âme d'un André Kirschen.

Mais il y a le Mur. Le Mur de l'Atlantique. En deux ans, des millions de travailleurs forcés ont construit sur la côte ouest de l'Europe la ligne de fortifications la plus redoutable que l'on ait jamais vue : blockhaus souterrains, casemates d'artillerie, abris fortifiés pour l'infanterie. Toutes les villes du bord de mer, depuis le grand port jusqu'à la petite station balnéaire, ont été transformées en forteresses. On a obstrué les fenêtres et les portes des maisons, coupé les rues de murs en béton et de réseaux de fil de fer barbelé, creusé des souterrains reliant entre elles les caves des habitations afin que les défenseurs puissent passer de l'une à l'autre et surgir sur les arrières de l'assaillant. Aussi le chef nazi Goebbels a-t-il pu proclamer fièrement : « Nous avons fortifié les côtes d'Europe depuis le cap Nord jusqu'à la Méditerranée et nous les avons dotées des armes les plus meurtrières que peut produire le vingtième siècle. C'est pourquoi toute attaque ennemie, même la plus puissante et la plus acharnée qu'il soit possible d'imaginer, est vouée à l'échec. »

C'est en partie vrai. Heinz et ses camarades sont artilleurs. L'abri où ils dorment est un simple trou recouvert de pierres et de terre, mais à l'heure du combat ils gagneront un blockhaus d'observation également situé au bord de la falaise. Le lieutenant Wagner, grâce à des instruments optiques, situera exactement la position des navires ennemis et donnera les indications de tir à la batterie de canons embusquée dans la campagne, à cinq kilomètres derrière la plage. Heinz transmettra ses ordres par téléphone ou par radio. Si les bateaux réussissent à franchir le tir de barrage des canons, les fantassins alliés devront encore escalader la falaise, où les attend l'infanterie allemande. Elle est installée dans de puissants blockhaus, tel celui que l'on a construit tout près de l'abri de Heinz : profond de trois étages, avec des monte-charge pour hisser les munitions jusqu'aux tireurs, il est équipé d'un groupe électrogène fournissant l'électricité, d'une pompe amenant l'eau, et il est invulnérable dans ses profondeurs aux obus les plus puissants. Un bon endroit pour livrer bataille. La falaise de six kilomètres qui surplombe la plage est ainsi truffée de fortifications hérissées d'armes : 8 casemates d'artillerie fixe, 35 blockhaus pour canons légers et mitrailleuses, 18 canons antichars, 4 batteries d'artillerie, 6 mortiers, 35 lance-fusées à tubes quadruples, 85 nids de mitrailleuses...

Et cela pour une seule plage !

Mais celle-ci, que les Américains appelleront Omaha, est l'une des mieux fortifiées de la côte européenne. Le Mur de l'Atlantique n'offre pas partout un aspect aussi effrayant. Comment le pourrait-il ? Il n'est tout simplement pas possible de fortifier chaque kilomètre d'une côte qui s'étend de l'extrémité nord de la Norvège jusqu'aux Pyrénées. Tout le béton du monde n'y suffirait pas. D'ailleurs, à quoi bon des blockhaus si l'on n'a pas de canons à mettre dedans ? L'armée allemande manque de canons. Les meilleurs, les plus modernes servent sur le front de l'Est. A l'Ouest, elle n'est équipée que de vieux modèles et de canons récupérés sur les armées vaincues. Le général allemand commandant le secteur de Heinz dispose ainsi d'un invraisemblable bric-à-brac : des canons de 92 modèles différents. Excellent pour ouvrir un musée de l'artillerie mais déplorable pour faire la guerre. Ses canons utilisent 252 sortes de munitions, dont 47 ne sont plus fabriquées. Il est donc interdit de gaspiller les obus en exercices de tir... Ces exercices sont pourtant bien nécessaires car beaucoup de canonniers sont des lycéens qui poursuivent leurs études par correspondance et n'ont aucune expérience de la guerre.

Le Mur ? Il est parfois véritable muraille et souvent simple parapet. Muraille face à l'Angleterre, dans le Pas-de-Calais, là où le détroit est si peu large que, par beau temps, on aperçoit de la côte française les blanches falaises de Douvres. C'est à cet endroit que les généraux allemands ont prévu que les Alliés tenteraient de débarquer, aussi y ont-ils accumulé fortifications, armes et soldats. Mais en Normandie, le Mur est déjà moins redoutable, sauf face à quelques plages comme celle de Heinz. En Bretagne, on ne trouve parfois qu'un seul blockhaus sur plusieurs kilomètres. Il est vrai que la Bretagne et même la Normandie sont si loin de l'Angleterre qu'il paraît raisonnable de les dégarnir pour concentrer le maximum de forces dans le Pas-de-Calais.

Et puis, même là où le Mur est faible, il a en tout cas le mérite d'exister. Les Américains ont tenté deux débarquements en Italie. Chaque fois, ils ont frôlé l'échec et il n'y avait pourtant pas de Mur pour les bloquer. Les Canadiens ont essayé de débarquer à Dieppe en 1942. Presque tous ont été tués ou capturés. Aussi Goebbels peut-il proclamer avec assurance : « A Dieppe, ils ont tenu neuf heures et il n'y avait pas encore de Mur. S'ils tiennent neuf heures la prochaine fois, ce sera beau. »

S'ils ne se décident pas à venir, le temps travaille contre eux. Les savants allemands mettent au point des armes secrètes qui donneront la victoire à l'Allemagne. Ils achèvent la construction du V 1, bombe volante qui pulvérisera les villes anglaises. Ils préparent le premier chasseur à réaction dont la vitesse jamais atteinte fera un gibier facile des avions alliés à hélice. Ils équipent les sous-marins allemands d'un système qui leur permettra d'échapper à la détection des radars ennemis. Pourvue de ces armes incomparables, l'armée allemande retrouvera le chemin du succès jusqu'à la victoire finale.

Minuit. Il est temps de partir. Heinz n'a pas à s'habiller : depuis quelques jours, les soldats de son régiment ont ordre de dormir dans leur uniforme de drap vert-de-gris. Il ne lui reste qu'à enfiler ses bottes, à boucler son ceinturon, auquel est accroché un pistolet, à passer en bandoulière son masque à gaz et sa musette, et à coiffer sa casquette. Il a dans sa musette une ration de combat : une boîte de viande en conserve (250 grammes) et quelques cubes d'un pain si dur qu'il faut, pour le manger, le ramollir d'abord dans de l'eau ou du lait, aussi les soldats l'ont-ils surnommé « la ration de fer ». La musette contient encore deux bandages pour le cas où il serait blessé.

Heinz sort de l'abri, qu'on a recouvert de filets de camouflage verts. Une tranchée également camouflée conduit au blockhaus d'observation. Le camarade de l'infanterie est déjà là. Le règlement prévoit qu'un artilleur et un fantassin montent la garde en même temps. L'un surveille à droite et l'autre à gauche. La nuit est noire. Un vent vif pénètre dans le blockhaus par la fente d'observation. Devant, sur la mer, rien d'anormal. Mais dans le ciel, au-dessus des nuages, un ronronnement sourd et continu, comme si une usine, là-haut, faisait tourner ses mille moteurs. C'est l'aviation alliée. Elle a attaqué cet après-midi Port-en-Bessin, un petit port de pêcheurs situé à cinq kilomètres du blockhaus de Heinz. Le bombardement a été si violent que Heinz et ses camarades ont pensé qu'aucun habitant ne survivrait. Les avions continuent de passer. Ils doivent être des milliers. « Il y a quelque chose d'anormal... » se dit Heinz. Est-ce pour cette nuit ? Juste pendant son tour de garde ? Ce serait bien sa chance ! Un frôlement contre sa jambe le fait sursauter. C'est le petit chien adopté par le blockhaus et qui leur tient compagnie pendant les heures de garde. Allons, du calme ! Ne pas s'énerver. Surveiller attentivement la plage et la mer en ne fixant jamais son regard, comme l'a recommandé le lieutenant Wagner.

Les deux garçons, l'artilleur et le fantassin, ont devant eux, sur la plage, des alignements de formes noires, à peine distinctes dans la nuit, comme si une armée était rangée au garde-à-vous, attendant de pied ferme l'assaut des Alliés.

Cette armée est faite de bois, de fer et de béton. Elle a été inventée par le maréchal Rommel.

Un seigneur de la guerre

Le maréchal Rommel est alors le plus célèbre des chefs militaires allemands. Soldat depuis l'âge de dix-neuf ans, il a courageusement combattu pendant la Première Guerre mondiale. Au cours de la Seconde, il s'est illustré contre la France à la tête d'une division blindée qui avançait si vite et surprenait si bien l'état-major français qu'on l'avait surnommée « la division fantôme ». Mais c'est sur la terre africaine que Erwin Rommel devait se couvrir de gloire et gagner le bâton de maréchal. Il s'y bat en Égypte et en Libye contre les troupes anglaises. Dans ces immenses déserts, la guerre est avant tout une bataille de chars. Rommel mène les siens avec la fougue d'un officier de cavalerie. Il est toujours en tête, conduisant l'assaut dans une voiture blindée prise aux Anglais qu'il a appelée »Mammut ». Son courage devient vite légendaire, et aussi son prodigieux sang-froid. Un jour, il s'égare et arrive devant un hôpital de campagne... anglais. Il n'a que quelques officiers avec lui et devrait donc être fait prisonnier. Mais son assurance est telle que les Anglais croient qu'il est suivi par des escadrons de chars et qu'ils sont eux-mêmes sur le point d'être capturés. Rommel, impassible, passe l'inspection des blessés anglais, les encourage, demande aux médecins de quels médicaments ils ont besoin, promet de les leur envoyer et remonte dans sa voiture de commandement, salué par le personnel de l'hôpital. Une autre fois, sa fougue le mène si loin qu'il débouche en voiture sur un aérodrome anglais... Son véhicule, reconnu, est pris en chasse par les Britanniques. Rommel, qui tient le volant, parvient à leur échapper de justesse et à regagner ses lignes. Il fit encore mieux au cours d'une mission de reconnaissance qu'il avait tenu à exécuter lui-même. Sa témérité le mena au beau milieu des troupes ennemies. Toute une nuit, il roula flanc contre flanc avec les colonnes de blindés anglais. Par miracle, nul ne le remarqua et il put rentrer à l'aube à son quartier général. Ce chef impétueux avait la « baraka », comme disent les Arabes : une chance inouïe semblait le protéger jusque dans ses audaces les plus folles.

Mais Rommel n'était pas seulement un chef militaire remarquable et un soldat courageux : c'était aussi et surtout un homme chevaleresque. Jamais il ne donna un ordre inhumain. Bien au contraire, il témoignait d'une constante générosité envers les prisonniers et les blessés ennemis. Il faisait la guerre, et il la faisait rudement, mais à la manière de ces chevaliers du Moyen Age qui saluaient l'adversaire vaincu et auraient préféré perdre plutôt que de gagner en usant de cruauté ou de perfidie. Rommel était en somme le contraire des généraux S.S. qui entouraient Hitler. Ses adversaires, les généraux anglais, auraient été fiers de le compter parmi eux. Quant aux simples soldats britanniques, ils vouaient à Rommel une admiration sans bornes et ils avaient même inventé l'expression « faire un rommel » pour désigner une action d'éclat. Rommel était à leurs yeux « un type dans le genre de Napoléon ». Tant et si bien que leurs chefs, inquiets d'une pareille popularité, demandèrent officiellement que l'on ne prononçât pas le nom de Rommel dans l'armée anglaise !

Ce preux chevalier, ce combattant légendaire, était cependant un général de Hitler. Il était aussi différent que possible des assassins S.S. mais il combattait dans le même camp qu'eux. Il méprisait l'obèse Goering qui voulait affamer l'Europe mais il obéissait à ses ordres. Chacune de ses victoires retardait la défaite allemande et permettait d'exterminer encore plus de Juifs, de réduire à la famine encore plus d'enfants, d'enfoncer un peu plus les peuples asservis dans la misère et l'humiliation. Et si son génie militaire avait été à lui seul suffisant pour donner la victoire définitive à son pays, il aurait du même coup fait triompher la « peste nazie » et plongé l'Europe dans cet « âge des ténèbres » dont parlait Winston Churchill.

Il n'était pas nazi. Il admirait Hitler, dont il avait commandé la garde du corps, mais se souciait peu de ses idées politiques. Il aimait l'Allemagne, son pays, et la voulait victorieuse et puissante. Ancien combattant de 14-18, humilié par la défaite, il souhaitait une revanche. Le reste n'était pas son problème. Anne Frank cachée dans son grenier et promise à la mort si elle est découverte ? C'est l'affaire de la Gestapo et non de Rommel, qui se bat proprement dans le désert d'Afrique. André Kirschen dans sa cellule d'Anrath, son frère Bob fusillé au mont Valérien ? Ce sont des histoires de terroristes qui ne concernent pas Rommel : lui, il ne fusille personne. Jacques Auverpin et sa mère à la limite de la famine, comme presque tous les habitants des villes occupées ? Rommel n'en est pas responsable. Il n'a d'ailleurs pas à faire face aux ennuyeux problèmes que les populations civiles posent aux guerriers puisque le désert africain, son champ de bataille, est pratiquement vide.

Rommel sait que des horreurs se déroulent chaque jour en Europe. Il connaît les crimes nazis. Des Allemands antihitlériens sont venus à son quartier général pour lui en dresser l'effrayant tableau. Il leur a répondu qu'il n'avait pas à s'en mêler : « Je suis un soldat et je fais mon devoir de soldat. » C'est aussi en Afrique que vivent les autruches, qui s'enfoncent la tête dans le sable pour ne pas voir ce qui leur déplaît.

Du célèbre maréchal Rommel au simple soldat Heinz Tiebler, la distance est immense mais leur état d'esprit est le même. Heinz ne se pose pas de questions. Il considère que son devoir de patriote est de se battre pour son pays jusqu'à la mort. Le reste ne le concerne pas. Ils sont des milliers comme lui dans l'armée allemande, comme dans toutes les armées de tous les temps et de tous les pays. Les vrais criminels sont rares, mais l'aveuglement de leurs concitoyens leur permet d'accomplir des forfaits. Anne Frank a écrit un jour dans son cahier : « Je ne croirai jamais que seuls les hommes puissants, les gouvernants et les capitalistes soient responsables de la guerre. Non, l'homme de la rue est tout aussi content de la faire, autrement les peuples se seraient révoltés depuis longtemps !... Oh ! pourquoi les hommes sont-ils si fous ? »

Les yeux du maréchal Rommel ont cependant fini par s'ouvrir. Mais il a fallu pour cela qu'il soit chassé d'Afrique par l'armée anglaise de Montgomery, que les Alliés débarquent en Italie, que l'Armée rouge remporte victoire sur victoire. Alors, Rommel a compris que Hitler menait l'Allemagne à la catastrophe et qu'il fallait s'en débarrasser pour signer la paix. Il a notamment protesté contre l'enrôlement dans l'armée de jeunes Allemands qui sont encore des enfants : « C'est folie de sacrifier toute cette jeunesse ! » On ne l'a pas écouté. Il a donc accepté de prendre contact avec certains généraux allemands qui préparent un complot. En même temps, il a accepté de Hitler le commandement des cinq cent mille soldats chargés de tenir la côte de la Hollande jusqu'à la Bretagne. Est-ce dans le but secret de faciliter le débarquement allié pour en finir plus vite avec le régime nazi ? Pas du tout. Rommel ne voit et ne cherche que l'intérêt de l'Allemagne. Il veut la paix, mais une paix aussi avantageuse que possible. Son raisonnement est le suivant : si nous infligeons aux Anglo-Américains une défaite sanglante sur les plages de l'Ouest, ils accepteront une paix séparée laissant à l'Allemagne certaines de ses conquêtes et nous pourrons nous retourner avec toutes nos forces contre les Russes.

Erwin Rommel arrive donc sur le futur front de l'Ouest, en janvier 1944, avec la ferme intention de se battre et de gagner.

Le Mur de l'Atlantique ? Il en voit les forces et les faiblesses. Les troupes placées sous son commandement ? Il sait qu'elles sont composées de soldats trop vieux ou trop jeunes, fatigués de combattre ou au contraire sans expérience de la guerre. Il ne peut pas rajeunir ses vieux soldats et transformer par un coup de baguette magique des garçons comme Heinz Tiebler en guerriers expérimentés. On lui refuse même le matériel indispensable pour une bataille moderne car ce matériel est réservé au front de l'Est. C'est ainsi que les canons de la division de Heinz sont traînés par des chevaux et non par des camions ! Rommel s'est plaint à Hitler du manque de mobilité de ses divisions, mais le Führer lui a répondu sèchement : « Leur rôle est de se faire tuer derrière leurs fortifications. Elles n'ont donc pas besoin d'être mobiles. » Réponse imbécile, mais réponse d'un Führer que personne n'ose contredire — même pas son maréchal favori.

Cependant, contemplant de ses yeux bleu clair le sable des plages qui lui rappelle le désert d'Afrique, Rommel pense qu'avec un peu d'imagination et beaucoup de travail il peut transformer ces plages où jouaient jadis les enfants en un piège mortel pour les fantassins alliés.

Le maréchal bricoleur

Erwin Rommel a toujours été un extraordinaire bricoleur. Quand ses parents lui ont offert sa première motocylette, il a commencé par la démonter entièrement, puis il l'a remontée pièce par pièce. Plus tard, devenu officier, il a appliqué à la guerre ses dons pour le bricolage, joints à une astuce redoutable.

C'est ainsi qu'en Afrique il avait trompé ses adversaires en faisant souder une hélice à l'arrière de quelques camions. Ceux-ci, lancés à toute vitesse, soulevaient avec leur hélice un tel nuage de sable que les Anglais croyaient qu'il s'agissait d'une division blindée. Ils tombaient dans le piège, lançaient leurs chars à l'attaque, et se faisaient battre par Rommel qui avait massé ses propres chars un peu plus loin. Ses ruses lui avaient vite mérité le surnom de « Renard du désert ». Quant aux mines, elles étaient pour Rommel une vraie passion. Il ne se lassait pas de perfectionner leur efficacité. Les Anglais, comme les Allemands, avaient naturellement des équipes de spécialistes qui ouvraient la voie à l'infanterie en repérant l'emplacement des mines enterrées grâce à un instrument surnommé « la poêle à frire », et en les désamorçant à la main. Mais Rommel imagina de superposer deux mines. Quand le sapeur britannique avait désamorcé la première et la retirait de son trou, la seconde lui explosait au visage et le tuait. Les champs de mines dont il parsemait le désert devinrent vite si meurtriers que les Anglais les appelèrent « les jardins de l'enfer »...

Il va appliquer la même astuce diabolique aux plages de l'Ouest dont il assume la défense.

Bricoleur, il utilisera des matériaux bon marché : poteaux en bois, rails d'acier, cubes de béton. Mais son imagination saura en faire des pièges meurtriers.

Il a d'abord l'idée d'employer les vieux obstacles antichars fabriqués au début de la guerre mais que les blindés les plus récents écrasent sous leur masse : inoffensifs sur terre, ils rede-viendront efficaces dans l'eau car la coque d'une barge de débar-quement n'a pas l'épaisseur d'un blindage de tank. On rassemble sur ses ordres des milliers de hérissons tchèques. Un hérisson est fait de trois morceaux de rail de chemin de fer, longs d'un peu plus d'un mètre, et soudés par leur milieu à angle droit. On « hérissonne » les plages. Mais après quelques jours, mauvaise surprise : les hérissons s'enfoncent dans le sable mou... Rommel ordonne alors de fixer chacune de leurs trois pattes dans un socle en béton. Cette fois, les obstacles tiennent.

Les portes belges sont, elles aussi, récupérées par Rommel. Ainsi nommées parce qu'elles ont l'apparence d'un portail et qu'elles étaient utilisées par l'armée belge, ce sont d'énormes engins métalliques hauts de deux mètres et pesant plusieurs tonnes. Mais si lourdes qu'elles soient elles résistent assez mal aux tempêtes et beaucoup sont balayées. Il faudrait inventer des obstacles qui offrent moins de prise à la mer. Rommel trouve la réponse : des poteaux en bois.

Ils arrivent par dizaines de mille sur les côtes et les soldats allemands, exténués, les mains couvertes d'ampoules, passent leurs journées à les planter dans le sable, pointés vers le large. Le travail progresse trop lentement pour Rommel : il faut en moyenne trois quarts d'heure pour mettre un poteau en place. Or, le temps presse. Les Alliés peuvent débarquer demain ou la semaine prochaine. C'est alors que le maréchal bricoleur a une idée géniale : on va creuser des trous avec des lances à incen-die. De fait, l'eau sous forte pression creuse facilement le sable mou. Il ne faut plus que trois minutes pour planter un poteau. Rommel est satisfait.

Un pieu pointé vers le large, c'est bien. Mais causera-t-il des dommages suffisants aux barges de débarquement ? Rom-mel, une fois de plus, apporte la réponse : il ordonne de fixer au bout du poteau un énorme ouvre-boîtes en acier qui éventrera les barges. Mieux encore : il imagine d'y placer un obus piégé ou une mine explosant au moindre effleurement et que ses soldats ont tôt fait de surnommer « casse-noisettes ».

Est-ce enfin la solution idéale ? Non, pas tout à fait. Chaque pieu ne tient qu'une place infime dans la mer et les embarcations pourront les éviter, soit par chance, soit grâce à l'adresse du matelot barreur qui les apercevra juste à temps. Il faudrait trouver un système qui oblige la barge à se jeter sur l'ouvre-boîtes ou sur la mine casse-noisettes. Ce système, Rommel l'invente. Il consiste à grouper les poteaux par trois. Deux d'entre eux, placés en V, prennent appui sur le troisième. Le V est ouvert vers le large, de sorte que les embarcations, une fois entrées dans les pinces du piège, ne pourront plus manœuvrer pour s'en sortir et seront guidées par les deux poteaux en V vers l'ouvre-boîtes, l'obus piégé ou la mine casse-noisettes fixés au sommet du troisième pieu.

Les soldats allemands, transformés en bûcherons, doivent encore faire les maçons. Rommel a inventé un nouvel obstacle : la dent de dragon. C'est une pyramide en béton à base triangulaire. Son avantage est que, même bousculée par un bateau lancé à pleine vitesse, elle continue de présenter pour le suivant un danger redoutable puisque, de par sa forme, elle a toujours l'une de ses pointes en l'air.

Hérissons tchèques, portes belges, poteaux simples, poteaux en V, dents de dragon : ce sont leurs formes sombres que Heinz Tiebler aperçoit par la fente de son blockhaus d'observation. Que de sueur et de fatigue pour réaliser les projets nés de l'imagination inlassable du maréchal Rommel ! Les soldats avaient d'abord été fiers d'être placés sous les ordres d'un chef aussi célèbre. Chacun connaissait sa légende africaine. Mais ils finissaient par croire qu'on leur avait changé leur Rommel. L'homme qui cavalcadait jadis à la tête de ses chars s'était transformé en contremaître de chantier. Toujours sur les routes, il multipliait les tournées d'inspection qui étaient la terreur des généraux et des colonels. Lorsqu'il arrivait sans prévenir dans une unité, il commençait par ordonner à tous, officiers compris, de présenter leurs mains. Si elles étaient calleuses, déchirées par les échardes ou pleines d'ampoules, le visage du maréchal s'éclairait d'un mince sourire de satisfaction. Il faisait alors un signe de tête à son chauffeur, Daniel, et celui-ci allait prendre un accordéon dans le coffre de la Horch décapotable. C'était le cadeau réservé à ceux qui travaillaient bien. Les autres... Eh bien, les autres gardaient le souvenir d'une colère monumentale accompagnée d'une pluie de punitions. Si les officiers tentaient de le calmer en invoquant la fatigue de leurs hommes, Rommel hurlait : « Mieux vaut des vivants fatigués que des morts reposés ! »

Le fait est que cette nuit, avec le grondement sourd des avions alliés qui continuent de survoler les nuages, Heinz Tiebler et son camarade de l'infanterie ne regrettent pas leurs efforts. Ces formes noires alignées sur la plage sont pour eux bien rassurantes. Si les Alliés veulent s'y frotter (« Est-ce pour cette nuit ? Il n'y a jamais eu tant d'avions dans le ciel ! »), ils auront du mal à se dépêtrer de cette forêt d'obstacles. Leurs embarcations s'écraseront sur les massives portes belges, auront leur coque crevée par le rail des hérissons tchèques ou par la dent de dragon, s'empaleront sur les ouvre-boîtes, exploseront au contact des obus et des mines casse-noisettes. La mer deviendra en quelques minutes un cimetière d'épaves disloquées. Quant aux bateaux qui se faufileraient par miracle entre les obstacles, il leur faudra encore éviter ces épaves avant d'arriver à la plage. Le lieutenant Wagner donnera les ordres de tir que Heinz transmettra par téléphone, et les batteries de canons, bien camouflées à l'intérieur du pays, feront tomber sur l'adversaire une pluie serrée d'obus. Quel jeu de massacre !

Combien seront-ils, les fantassins alliés qui auront la chance d'arriver indemnes sur la plage ?

Heinz, en tout cas, ne voudrait pas échanger sa place contre la leur. Ils ne seront pas au bout de leur peine. La plage, nue et rase, n'offre aucun abri, si ce n'est un petit remblai de galets accumulés par les marées successives (mais il est si bas qu'on ne peut s'y abriter qu'en restant à plat ventre). C'est donc un vrai champ de tir balayé par les mitrailleuses allemandes que les soldats alliés devront traverser au pas de course. Les survivants arriveront alors au pied de la falaise. Haute d'une quarantaine de mètres, elle est infranchissable pour un tank. Les blindés alliés ne pourraient sortir de la plage que par quatre vallées minuscules encadrées de blockhaus et barrées par un mur de béton large d'un mètre et haut de deux. Sans doute les fantassins tenteront-ils, eux, d'escalader la falaise, mais Rommel a su en rendre l'ascension périlleuse : le sol est farci de mines. Certaines d'entre elles, placées dans une coque en bois, sont indétectables. D'autres ressemblent à un pot à confiture rempli de billes en verre et sont également indétectables. Au simple contact d'un pied, l'explosion fait jaillir du sol ces billes mortelles. Mais Rommel, qui pense à tout, connaît la tradition héroïque des sapeurs alliés : si une mine explose sous les pieds de l'un d'eux, il se laisse tomber sur elle pour protéger les camarades qui le suivent. Le maréchal a donc fait enfouir des milliers de mines sauteuses qui fonctionnent en deux temps : elles jaillissent d'abord du sol et sont projetées à la hauteur de la ceinture, de sorte que le sapeur ne peut se coucher sur elles, puis explosent en expédiant leurs éclats meurtriers sur cinquante mètres de diamètre.

Il est probable que les Alliés, qui connaissent leur Rommel, s'attendent à trouver ces nouveaux « jardins de l'enfer ». Le maréchal leur a cependant préparé quelques surprises inédites. Peut-être est-ce Hitler qui lui en a donné l'idée ? Le Führer, dans ses discours, proclamait que jamais les Alliés ne parviendraient à pénétrer dans la « Forteresse Europe ». Une forteresse, cela évoque les châteaux du Moyen Age, le plomb fondu, l'eau bouillante et les énormes pierres que les défenseurs jetaient sur les agresseurs s'efforçant d'escalader la muraille. Rommel a remplacé le plomb et l'eau bouillante par du pétrole. Çà et là, d'énormes réservoirs sont enfouis dans la terre, à l'abri des obus. Leurs canalisations aboutissent à des lance-flammes bien dissimulés. Il suffit à l'officier allemand qui en a la charge d'appuyer sur un bouton pour déverser sur l'assaillant un fleuve de pétrole en feu. Quant aux pierres, Rommel les a avantageusement remplacées par des obus déjà amorcés, c'est-à-dire prêts à exploser, qui pendent au bout d'une corde le long des falaises : un coup de couteau dans la corde et l'obus tombera sur les fantassins alliés en train d'escalader la pente.

Non, décidément, Heinz Tiebler ne souhaiterait pas être à leur place... Décimés en mer par les obstacles, fauchés sur la plage par le feu des canons et des mitrailleuses, déchiquetés par les mines, brûlés au lance-flammes, combien seront-ils — et dans quel état — quand il leur faudra enfin engager le combat contre l'infanterie allemande bien abritée dans ses blockhaus ?

Chaque jour qui passe diminue d'ailleurs leurs chances de survie car Rommel mène tambour battant construction d'obstacles et pose de mines. C'est à croire qu'il ignore la fatigue. Il ne fume pas, ne boit pas, mange à peine. Le sommeil ? Jamais plus de cinq heures par nuit : il considère que c'est du temps perdu. Debout avant quatre heures du matin, il bondit dans sa Horch au coffre rempli d'accordéons, et en route pour l'inspection des travaux ! On a déjà installé un demi-million d'obstacles dans le secteur qu'il commande ? Il en veut le double. Cinq millions de mines déjà en place ? Il en veut *deux cents millions* !

Les soldats en viennent à se demander si le soleil africain ne lui aurait pas un peu tapé sur le crâne. Beaucoup souhaitent même que les Alliés débarquent pour qu'on en finisse avec le bûcheronnage et la maçonnerie. Quant à leurs officiers, dès que Rommel a le dos tourné, ils ricanent sur ce maréchal qui bouscule les traditions, examine les mains de ses soldats et passe son temps à inventer des obstacles qui ne figurent dans aucun manuel de l'École de guerre. Ils appellent Rommel « le maréchal-gosse ». C'est le surnom que lui a trouvé le vieux maréchal von Rundstedt, qui commande toutes les armées allemandes de l'Ouest, et qui est un peu jaloux de l'avancement éclair du jeune Rommel (il a quand même cinquante ans), passé en trois ans du grade de colonel à celui de maréchal.

Mais que répondre au maréchal-gosse quand il lance sa fameuse phrase aux soldats épuisés et aux officiers renfrognés : « Mieux vaut des vivants fatigués que des morts reposés » ?

Cette nuit, tandis que le regard de Heinz passe et repasse sur les obstacles inventés et imposés par Rommel, ce dernier n'est pas, comme de coutume, en train d'étudier ses cartes dans son quartier général. La veille, la Horch conduite par Daniel a pris la route d'Allemagne. Rommel allait rejoindre sa femme, Lucie-Maria, dont c'était l'anniversaire le 6 juin. Il lui apportait en cadeau une paire de chaussures en antilope grise. Trois semaines plus tôt, le 15 mai, il lui avait écrit avec confiance : « Le travail accompli au cours des dernières semaines est considérable. Je suis convaincu que l'ennemi en subira les conséquences, s'il attaque, et qu'en définitive, il n'obtiendra pas le succès qu'il espère. » Dans sa maison de Herrlingen, Rommel retrouverait aussi son fils Manfred, un garçon de quinze ans qui, tout en poursuivant ses études, servait comme tant de jeunes Allemands de son âge dans une batterie antiaérienne.

Les avions qui survolent la falaise d'Omaha ne vont pas bombarder l'Allemagne : Heinz entend derrière lui la déflagration sourde des bombes. Ça doit tomber sur Bayeux, à moins de dix kilomètres de la côte. On a l'habitude de ces bombardements. Non, ce ne sont pas les bombes qui inquiètent Heinz, mais ce grondement qui n'en finit pas, là-haut dans le ciel. Certain de n'avoir jamais entendu autant d'avions, il pense avec un malaise qui n'est pas encore de la peur mais déjà de l'inquiétude : « Ça ne va pas. Il y a quelque chose. » Discipliné, il continue d'observer la mer noire ourlée de crêtes blanches et la plage hérissée d'obstacles.

« Il y a quelque chose d'anormal... » : c'est aussi l'avis de Franz Gebauer. Il a dix-huit ans, comme Heinz Tiebler, et il est comme lui radio d'artillerie dans le secteur d'Omaha. Mais tandis que Heinz est sur la falaise, dans un blockhaus d'observation, le poste de Franz est à la batterie de canons qui est en position à l'intérieur des terres. Lorsque le combat s'engagera, il recevra les ordres de tir donnés par les observateurs avancés et les transmettra au lieutenant Giesing, qui commande le feu des quatre canons de la batterie. Est-ce pour cette nuit ? Franz n'est pas de garde mais il ne parvient pas à dormir. Le bruit est aussi assourdissant que sur un quai de gare, quand un rapide passe à toute vitesse. Mais ce rapide-là n'en finit pas de passer... Combien sont-ils dans le ciel ? Sûrement des centaines, peut-être des milliers...

Reinhold Wagner, canonnier de vingt ans, monte la garde à quelques centaines de mètres, près d'une autre batterie d'obusiers. Lui aussi est inquiet. Que faire ? Son chef, le capitaine Müller, dort dans la ferme toute proche. Faut-il le réveiller ? Et si le capitaine, furieux d'avoir été tiré du lit pour rien, lui infligeait une punition ? Reinhold décide d'attendre encore cinq minutes. Puis cinq encore. Le vacarme, là-haut, n'a pas diminué. Allons, il faut y aller... Reinhold se dirige vers la ferme où dort son capitaine.

Que se passe-t-il ? Où vont ces avions innombrables qui ne sont certainement pas tous des bombardiers ? Heinz, Franz et Reinhold sont en proie à un même malaise. Ce n'est pas seulement l'angoisse d'avoir peut-être à affronter bientôt l'épreuve de la guerre : c'est aussi la sensation désagréable que les choses ne se déroulent pas comme prévu. Depuis qu'ils sont en position sur cette plage de France, on leur a répété que l'assaillant sortirait de l'eau. C'est vers la mer que sont braqués leurs canons, c'est vers elle que sont pointés les obstacles inventés par Rommel, c'est pour décimer les fantassins venus de la plage que les sapeurs allemands ont enfoui des milliers de mines. Or, voici que le danger n'est pas sur mer, mais en l'air. Il n'est plus devant eux, mais dans leur dos, là où les escadres aériennes vont déverser de mystérieuses cargaisons...

Que se passe-t-il ?

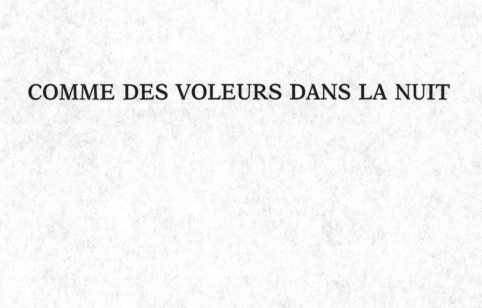

COMME DES VOLEURS DANS LA NUIT

Les planeurs s'écrasent sur l'objectif

Les six planeurs, tirés par des bombardiers anglais Albermale, arrivent au-dessus de la côte française. Chacun de leurs pilotes actionne alors le levier rouge placé devant lui. Le câble de remorquage se décroche et les bombardiers, libérés, virent sur l'aile pour retourner en Angleterre. Leur mission est terminée.

Celle du major anglais Howard et de ses cent quatre-vingts soldats d'élite, tous volontaires, va commencer dans sept minutes.

Ils sont trente par planeur. Assis sur la banquette qui longe chaque paroi, les hommes écoutent le prodigieux silence qui a succédé au vacarme des moteurs des bombardiers lancés à plein régime. Les planeurs aux ailes immenses descendent dans l'ombre avec un chargement de guerriers bardés d'armes mais leur vol, tel celui des chauve-souris, ne fait pas plus de bruit qu'un froissement d'air.

La D.C.A. allemande ne les repère pas.

Thomas Waring est dans l'un des trois planeurs de tête. Comme ses camarades, il a le visage noirci au bouchon brûlé pour mieux se confondre avec la nuit. Il a peur. Non pas peur des Allemands, car il se sait assez entraîné pour se mesurer à eux, mais de l'atterrissage imminent. Atterrissage ? Ce sera plutôt un écrasement au sol. Le planeur va se poser dans un champ étroit et, si le pilote commet la moindre maladresse, le choc sera meurtrier pour ses trente passagers impuissants. Il est vrai que les six pilotes sont dignes de confiance. On les a soigneusement sélectionnés et entraînés. Ils sont assistés d'un copilote assis à leur droite, prêt à prendre les commandes au cas où son camarade serait tué ou blessé par la Flak, la redoutable D.C.A. allemande. Le sergent Ainsworth, copilote du premier planeur, est l'un de ces hommes d'acier avec qui il est rassurant d'aller au combat. Lors du débarquement en Sicile qui avait précédé l'invasion de l'Italie, le sergent Ainsworth a été parachuté en pleine mer, à trois kilomètres du rivage. Erreur du pilote... Il réussit à rejoindre la côte à la nage en tirant l'un de ses camarades blessé. La plage qu'il atteint à bout de forces est surveillée par trois sentinelles ennemies. Ainsworth s'est débarrassé en mer de sa mitraillette et de son pistolet ; il ne lui reste que son poignard. Rampant sur le sable, il s'approche de la première sentinelle et lui plonge sa lame dans le cœur. L'homme s'écroule sans crier. La deuxième sentinelle meurt de la même façon quelques minutes plus tard. La troisième, Ainsworth se contente de la désarmer. Puis il disparaît à l'intérieur des terres après avoir installé son compagnon blessé dans une cachette. Quelques heures plus tard, les fantassins alliés progressant à travers la campagne découvriront, ébahis, le sergent surveillant vingt soldats ennemis qu'il a fait prisonniers à lui seul...

Mais Ainsworth, comme les autres, est à la merci du moindre obstacle qui peut déchiqueter son planeur. La carlingue en est si fragile... Elle est faite d'un mince contre-plaqué que chaque trou d'air fait vibrer comme feuille au vent. Un coup de couteau la transpercerait aisément. Le plancher est ondulé pour empêcher les hommes de glisser. Il y a deux portes, l'une à l'avant et l'autre à l'arrière, qui s'ouvrent de bas en haut. Le fuselage ne comporte aucun hublot, de sorte que les passagers enfermés dans ce long cigare volant ne savent rien de son altitude ni de sa vitesse. Un cri du pilote les avertira qu'ils atterrissent. Ils devront alors se prendre par les coudes et soulever les pieds pour limiter autant que possible la violence du choc. Puis les survivants jailliront du planeur et engageront le combat.

Leur mission est capitale pour le succès du débarquement. Ils doivent s'emparer de deux ponts. L'un traverse le canal qui mène de Caen à la mer ; l'autre, situé à quelques centaines de mètres du premier, permet de franchir l'Orne. Leur capture empêchera d'abord l'ennemi d'amener des renforts contre les troupes débarquées et rendra ensuite possible la progression des régiments alliés. Or, le commandement allemand, qui a très bien compris l'importance des deux ponts, les a fait miner par des sapeurs qui ont ordre de les faire sauter en cas d'attaque ennemie. On ne peut donc espérer les prendre intacts que par surprise. Même des parachutistes, spécialistes de la surprise, manqueraient leur coup, car il leur faut au moins quelques minutes pour se libérer de leur parachute, se rassembler et partir à l'assaut : les soldats allemands de garde, alertés, auraient le temps de mettre les explosifs à feu. Les chefs alliés, après maintes réflexions, ont choisi finalement une solution périlleuse : un commando atterrira en planeur directement sur l'objectif, maîtrisera le poste de garde et se retranchera sur place pour repousser les contre-attaques allemandes jusqu'à l'arrivée des troupes alliées venues des plages.

Une fois de plus, Rommel a tout compliqué.

Le Renard du désert avait prévu que l'assaillant viendrait à la fois de la mer et du ciel. Il savait que les Alliés entraînaient depuis des mois des dizaines de milliers de parachutistes, soldats d'élite qui, grâce à l'aviation, pourraient jouer à saute-mouton par-dessus le Mur de l'Atlantique. A quoi bon la « Forteresse Europe » et sa façade hérissée de canons si les paras alliés y pénètrent par la porte de derrière, comme des voleurs dans la nuit ?

Rommel, qui s'était déjà souvenu du plomb fondu et de l'eau bouillante des châteaux forts moyenâgeux, se souvint alors des douves remplies d'eau qui ceinturaient leurs murailles et qu'on ne franchissait que sur un pont-levis. Sur son ordre, toutes les écluses placées au voisinage des côtes furent fermées, accumulant des masses d'eau qui recouvrirent les champs et les prairies. Ainsi revit-on marais et marécages que le travail patient des hommes avait asséchés au cours des siècles. Leur profondeur dépassait rarement un mètre mais c'était suffisant pour que s'y noie un parachutiste gêné par son harnachement et alourdi de tout son équipement. Un pays célèbre pour ses digues pouvait même disparaître en partie sous les flots : la Hollande, patrie d'adoption d'Anne Frank. Aussi Rommel donna-t-il l'ordre de préparer l'inondation pour le cas où les Alliés choisiraient d'y débarquer. Il suffirait de quelques brèches ouvertes par explosif pour que la mer reconquît les terres péniblement gagnées sur elle. Même Anne, du fond de sa cachette, avait eu connaissance de ce plan aux conséquences dramatiques. Quatre mois plus tôt, le 3 février 1944, elle avait noté dans son Journal : « Le débarquement rend les gens complètement fous. On lit des articles tels que : "En cas de débarquement des Anglais en Hollande, les autorités allemandes prendront toutes mesures pour la défense du pays ; si c'est nécessaire, on aura recours à l'inondation." Ils distribuent des petites cartes géographiques de Hollande avec les régions à inonder. Amsterdam se trouvant dans cette zone, on se demandait ce qu'on allait devenir avec un mètre d'eau dans les rues. » Que deviendront en effet les Frank si la population d'Amsterdam est évacuée ? Rester sur place ? Ils mourraient vite de faim sans le ravitaillement que leur apportent leurs amis hollandais. Partir avec les autres ? Mais la Gestapo n'en profitera-t-elle pas pour les arrêter ? Anne, qui aime plaisanter, propose une solution : « On va partir à la nage. Tout le monde va se mettre en costume de bain, ne pas oublier le bonnet, et nous allons nager sous l'eau autant que possible, alors personne ne verra que nous sommes Juifs. »

L'inondation n'est pas le seul moyen imaginé par Rommel pour se défendre contre les parachutistes. Lui qui a déjà fait abattre des forêts entières pour garnir les plages d'obstacles, il ordonne de nouvelles coupes. Le Renard du désert se transforme de plus en plus en inlassable castor ! Cette fois, il s'agit de planter dans les prairies des millions de poteaux affûtés comme des crayons sur lesquels les parachutistes tombant du ciel viendront s'empaler. Les soldats allemands étant déjà occupés sur les plages, Rommel réquisitionne la population civile pour cette nouvelle entreprise. Le maréchal espère que les Français planteront de bon cœur ses poteaux, qu'ils baptisent vite « cierges de Rommel » (les soldats allemands les appelaient « asperges de Rommel »). Il envoie même une instruction recommandant : « Faites-les chanter en se rendant au travail. Persuadez-les que les travaux sont nécessaires pour leur propre sécurité. »

Pauvre Rommel ! Un grand soldat, sans aucun doute, mais un homme que sa naïveté aveugle... Comme si les Français allaient installer de bon cœur les obstacles destinés à tuer leurs libérateurs ! « Leur propre sécurité », écrit Rommel. Mais ce sont justement les Alliés qui apporteront aux Français la sécurité, la paix, le bonheur, en les débarrassant de l'occupant allemand et de sa Gestapo. Aussi le travail n'avance-t-il pas aussi vite que l'avait espéré le brave maréchal. Ses officiers ont beau multiplier menaces et punitions, allant jusqu'à jeter en prison les récalcitrants, rien n'y fait : les Français vont à la corvée en traînant les pieds au lieu de chanter et ils mettent un temps fou à planter chaque pieu.

Si peu qu'ils fassent, cela suffit, avec le temps, à multiplier les pieux dressés vers le ciel comme des lances menaçantes. A Londres, les chefs alliés examinent avec consternation les photos aériennes rapportées par les avions de reconnaissance. Leur vieil ennemi Rommel a su repérer les vastes prairies favorables à l'atterrissage des parachutistes ou des planeurs : elles sont à présent plantées d'asperges. Sans compter que le maréchal bricoleur ne cesse d'améliorer son invention. Il fait tendre entre les poteaux des fils de fer barbelés : le para qui aurait la chance de tomber entre deux asperges risquerait encore de se blesser aux barbelés. Enfin, suprême astuce, Rommel fait fixer un obus amorcé à la pointe de chaque asperge. Il ne sera même pas nécessaire que le planeur ou le parachutiste touche directement le pieu pour faire exploser l'obus : un simple choc sur le réseau barbelé suffit à déclencher l'explosion.

C'est vers cette forêt d'obstacles que descendent les six planeurs. C'est aux pieux meurtriers de Rommel que pensent avec angoisse Thomas Waring et ses camarades. Leur vie repose désormais sur l'habileté des pilotes. Les chefs alliés ont montré à ceux-ci les photos aériennes prises cinq jours plus tôt. Les pilotes ont reconnu les deux ponts qui sont leur objectif, mais ils ont aussi vu des dizaines de trous creusés aux alentours et qui ne figuraient pas sur les photos précédentes. Tout était prêt pour une plantation d'asperges et les Allemands, en cinq jours, avaient eu largement le temps de mettre les pieux en place. Le sergent Ainsworth et ses amis n'ont pas hésité : « Très bien, ont-ils dit avec sang-froid, les poteaux casseront les ailes : ça nous ralentira et ça nous évitera de nous casser le nez sur le pont... »

Un choc violent : c'est l'atterrissage ! Le planeur laboure le sol dans un fracas de bois brisé, rebondit deux fois. Par les portes ouvertes, Thomas Waring aperçoit un feu d'artifice qui illumine la nuit : les Allemands tirent ! Non, il se trompe : ce ne sont pas des balles traçantes mais les gerbes d'étincelles jaillissant du contact des ailes et des barbelés. Car c'est dans un buisson de fils barbelés que le planeur termine sa course folle. Il y pique du nez et son élan est tel que toute la queue se soulève. Va-t-il se briser en deux ? La carlingue résiste de justesse, puis s'abat au sol avec un énorme craquement. Un homme s'écroule sur le plancher, tué net.

L'Allemand Wilhelm Fürtner est de garde sur le pont. Il écoute, comme ses camarades de la côte, le grondement sourd des escadres aériennes qui sillonnent le ciel. Les bombes tombent sur Caen, à quelques kilomètres du pont. Des fusées éclairantes descendent lentement. La Flak allemande tire à jet continu obus et balles traçantes. Soudain, Fürtner voit arriver sur lui une masse sombre qui émerge de la nuit. C'est un avion. « Un bombardier ennemi qui a eu son compte », pense-t-il. L'appareil touche le sol si près que Fürtner craint un instant d'être écrasé par lui. C'est le planeur de tête, immatriculé PF 800 — celui du sergent Ainsworth — que son extraordinaire pilote a réussi à poser à quarante-trois mètres du pont. Fürtner arme son fusil et l'épaule. Pas un bruit. L'équipage doit être mort. Rassuré, il s'apprête à remettre son fusil en bandoulière quand vingt-neuf diables au visage noir jaillissent de la carlingue brisée en hurlant : « Able ! Able ! Able ! » Leur cri de ralliement. Fürtner est blessé et mis hors de combat avant d'être revenu de sa surprise. Les deux autres planeurs s'écrasent à leur tour devant le pont et leurs passagers se ruent à l'assaut en criant : « Baker ! Baker ! » et « Charly ! Charly ! » A l'entrée du pont, défendant son accès, un blockhaus bétonné. Ses défenseurs allemands, arrachés brutalement au sommeil, se précipitent vers la mitrailleuse. Ils n'ont que le temps de tirer une rafale : deux grenades anglaises lancées par l'embrasure les exterminent. Au pont, maintenant ! Thomas Waring et ses camarades s'y engagent au pas de course, mitraillette à la hanche. Au milieu du pont, une sentinelle allemande affolée s'apprête à lancer une fusée d'alarme. Dix mitraillettes tirent en même temps et l'homme s'abat, sa fusée inutile au poing. Quelques secondes plus tard, le pont du canal de Caen est tout entier aux mains des Britanniques. Celui de l'Orne, un peu plus loin, est tombé pareillement, submergé par les aéroportés jaillis de leur planeur comme des diables de leur boîte.

Mission accomplie. Le radio Tappenden émet les mots convenus avec les chefs alliés : « Ham and jam... Ham and jam » (« Jambon et confiture »). Ils leur apprendront le succès d'une opération qui leur avait donné bien du souci. Ainsi se trouvaient justifiés les préparatifs minutieux qui l'avaient précédée. Là comme ailleurs, l'état-major allié n'avait pas ménagé ses efforts. Il avait fait prendre par les avions de reconnaissance des milliers de photos des deux ponts, puis il avait fait construire par des soldats du Génie, sur une rivière anglaise, la réplique exacte de chacun d'eux et aussi des blockhaus qui les protégeaient. Des mois d'entraînement fastidieux avaient suivi. A force de répéter nuit après nuit l'attaque de ces fichus ponts, Thomas et ses camarades en étaient venus à les haïr plus que tout au monde. Mais ils avaient acquis, grâce à ces répétitions, une précision d'automate. Si deux grenades bien placées ont suffi, cette nuit, à museler la mitrailleuse allemande, c'est que ceux qui les ont lancées avaient répété maintes fois ce geste à l'entraînement et savaient exactement où était l'embrasure.

Pour Thomas Waring, épuisé mais heureux, tout va bien.

Cinq ponts à faire sauter

Pour le parachutiste anglais Bill Irving, tout va mal.

Il a atterri au mauvais endroit. Il est seul, perdu dans la nuit. Courbé sous le poids de son équipement, il s'éloigne lentement du champ dans lequel il est tombé. Autour de lui, le fracas de la bataille. Au-dessus, le fleuve intarissable des balles traçantes de la Flak et l'éclat laiteux des fusées éclairantes. Mais sur terre, tout n'est que ténèbres. Non, voici une lumière. Bill s'approche. C'est une fenêtre éclairée. La maison est petite, isolée dans la campagne. Bill avance lentement, prêt à tirer. Le voici au pied du mur. Il se redresse. Il se dit : « Sûr et certain que je vais être tué. » Mais c'est plus fort que lui : il faut qu'il sache qui est dans la pièce. Ses yeux écarquillés arrivent au niveau de la fenêtre. Stupéfait, il voit une jeune femme à genoux près d'un lit où dorment deux enfants. Elle a les mains jointes. Elle prie. Bill se retire sans bruit. Plus tard, beaucoup plus tard, chaque fois qu'il repensera au Grand Jour, c'est cette femme qu'il reverra, priant pour ses petits : « Je n'ai jamais pu l'oublier... »

Mais l'heure des souvenirs heureux n'est pas encore venue. Il s'agit pour l'instant de retrouver le major Roseveare, chef de l'unité de Bill.

Où est John Roseveare ?

Il cherche ses hommes et il pense, lui aussi, que tout a très mal commencé. A peine son avion avait-il franchi le rivage français que la Flak le prenait pour cible. Roseveare, assis près de la porte du Dakota, a vu s'allumer la lampe rouge qui signifie : « Préparez-vous à sauter. » Il a été surpris. Normalement, le signal aurait dû être donné plus tard. Il s'est levé, ainsi que ses hommes, et s'est placé face à la porte. Lumière verte. Il faut sauter. Avant de plonger dans la nuit, Roseveare actionne les leviers qui ouvrent la soute du Dakota. Elle ne contient pas les bombes habituelles mais de gros cylindres bourrés d'explosifs. Roseveare saute. Un choc brutal aux épaules : son parachute s'est ouvert. Comme à chaque saut, il n'a pas la sensation de tomber : il lui semble que c'est la terre qui monte vers lui. Elle monte vite. C'est que le major et ses hommes sont lourdement chargés. Dix kilos d'équipement personnel (armes et munitions) plus trente-cinq kilos d'explosifs contenus dans un sac attaché à sa jambe. Le sac touche terre le premier. Roseveare, surpris, n'a pas le temps de préparer son atterrissage et d'amorcer un roulé-boulé : il tombe sur le dos. Le choc est rude. Son harnais l'empêche de se relever. Il tire sa dague de sa botte et tranche au hasard dans le cuir. Dans sa précipitation, il se blesse profondément au doigt... Des planeurs s'écrasent autour de lui dans les champs. Une boule de feu passe au-dessus de sa tête. C'est un bombardier anglais abattu par la Flak. Roseveare, qui a enfin réussi à se dépêtrer de ses courroies, se redresse et contemple ce chaos. « J'ai pensé que j'allais être tué. J'étais résigné. Je me suis dit : "Dans quelques minutes, tu seras mort." Ça fait d'abord très peur et puis on s'habitue à cette peur et on finit par ne plus y penser. »

Le major Roseveare ne pense désormais qu'à sa mission.

Elle est essentielle. Il doit détruire cinq ponts qui permettent de franchir la Dive. Si ces ponts ne sautent pas avant l'aube, les Allemands pourront y faire passer les blindés qui iront écraser les troupes alliées venues par mer. Leur destruction est indispensable. Roseveare sait qu'il n'a pas le droit d'échouer.

Mais comment réussir ?

Les pilotes, gênés et sans doute affolés par la Flak, ont allumé la lumière verte beaucoup trop tôt. Roseveare et les quelques hommes qu'il a pu rassembler sont à des kilomètres de leurs objectifs. Ils ne trouvent pas les jeeps avec lesquelles ils devaient rejoindre rapidement les ponts : les grands planeurs Horsa qui les transportaient ont été, eux aussi, largués au hasard par les avions remorqueurs pourchassés par la Flak. Plus grave encore : le bataillon de parachutistes canadiens qui avait mission d'ouvrir la voie manque à l'appel. Ses hommes ont été éparpillés sur la campagne normande comme une poignée de confetti. Comment Roseveare pourra-t-il, sans eux, s'emparer des ponts qu'il doit faire sauter.

Le major n'hésite pas. Il rassemble ses sapeurs autour de lui. Ils sont une cinquantaine, dont Bill Irving qui a réussi à retrouver son chef. Roseveare s'adresse à eux : « Nous partons. La consigne est d'éviter le combat. Nous avons un travail à faire et nous le ferons. En avant ! »

La petite troupe se met en marche, transportant ses explosifs dans de petits chariots démontables. « Il y avait un gars qui tirait, raconte Ted Reynolds, caporal de dix-neuf ans, et deux qui poussaient à chaque roue. Ça n'avançait pas vite, mais ça avançait... » Plusieurs sapeurs, blessés à l'atterrissage, traînent la jambe et ralentissent encore l'allure. Il faut aussi contourner les secteurs où les paras anglais ont engagé le combat avec l'ennemi. Les rafales de mitrailleuse alternent avec les salves de mortier.

Après une heure et demie de cette progression épuisante, Roseveare découvre au bord de la route un panneau indicateur : le pont de Troarn est encore à dix kilomètres ! Il est déjà quatre heures. L'aube va se lever. Tant pis : on continue. Un bruit de moteur alerte les hommes. Mais ce n'est qu'une jeep égarée. Elle appartient au service de santé : sa remorque est pleine de bouteilles de sang pour les transfusions, de pansements et de remèdes. Roseveare la réquisitionne d'autorité. Les ponts sont pour l'instant plus importants que les blessés. Précédée de la jeep, la troupe traverse des villages si calmes qu'on les dirait abandonnés. Seuls les chiens aboient furieusement. Elle pénètre enfin dans le bois de Bavent. Là, à un carrefour, Roseveare rassemble une dernière fois ses hommes : « Nous allons nous séparer et former cinq groupes qui auront chacun un pont pour objectif. Répartissez-vous les explosifs. Et bonne chance à tous ! »

« Ce sont des amis ! »

Le sergent parachutiste William Poole a eu un saut mouvementé. Un obus de la Flak a éclaté devant la porte de son avion au moment précis où le douzième soldat la franchissait. La déflagration a précipité les autres sur le plancher et ils ont perdu plusieurs secondes avant de se jeter dans le vide. En avion, plusieurs secondes signifient plusieurs kilomètres... L'objectif est donc manqué. Ce n'est pas tout : William a la macabre surprise d'atterrir exactement sur le mur d'enceinte d'un cimetière. Il en perd l'équilibre et s'affale sur une tombe recouverte d'une plaque de verre qui se brise en mille morceaux. Ahuri, plus mort que vif, il se redresse et aperçoit le canon d'un fusil braqué dans sa direction. « Ce fut, avoue-t-il, un moment extrêmement pénible. » Les yeux écarquillés, il reconnaît juste à temps le soldat qui s'apprête à tirer : c'est le parachutiste qui a sauté après lui. Les deux hommes quittent ensemble le cimetière.

Ils appartiennent à l'unité du major Roseveare mais ils sont isolés. L'obus allemand a empêché un saut groupé. Leurs camarades ont atterri à plusieurs kilomètres. Que faire ? La réponse est tout aussi évidente pour le sergent Poole que pour le major Roseveare : tenter d'exécuter sa mission, qui consiste à faire sauter l'un des cinq ponts assignés à l'unité. Poole ne songe pas un instant à se mettre à l'abri ou à attendre des renforts. Il sait que chaque minute compte. On l'a chargé de détruire un pont : il va le faire. Ou essayer...

Mais où est-il, ce fameux pont ? Les deux compagnons, errant dans la campagne, arrivent à un village. Un Français leur fait signe d'entrer chez lui. Il les rassure : leur objectif est proche. Mais attention : l'ennemi est dans les parages.

Poole et son compagnon repartent. Ils récupèrent en chemin un troisième parachutiste de leur avion. Le trio avance sur une route bordée de fossés profonds. Soudain, ils se jettent à terre : le pont est en vue. Il n'est pas vide. Poole aperçoit de nombreuses silhouettes. Des Allemands, sans aucun doute. « Comme je ne suis pas particulièrement courageux, dit-il avec une modestie excessive, j'ai conseillé aux deux autres d'avancer dans le fossé de gauche tandis que je progresserais dans celui de droite. On verrait bien si on pouvait faire quelque chose. Il s'est alors passé un truc extraordinaire. J'étais au fond de mon fossé, pas très rassuré, quand j'ai senti deux mains se poser doucement sur mes épaules. C'était une jeune femme, une Française. Je ne l'avais même pas entendue arriver. Elle m'a dit : "Vous pouvez y aller. Ce sont des amis." Je me suis relevé et j'ai avancé jusqu'au pont. Effectivement, c'étaient des Canadiens que cette femme merveilleuse avait conduits jusqu'à notre pont. Je n'ai jamais su son nom mais je l'admire beaucoup. Elle a pris des risques. »

« Quant à faire sauter le pont, c'était une autre histoire. Les containers d'explosifs étaient perdus. J'ai fait la quête auprès des Canadiens : chacun d'eux portait un kilo de plastic. Avec ce que nous avions sur nous, je suis arrivé à un total de quinze kilos. La charge prévue était de cent cinquante kilos... Nous étions loin du compte. J'ai placé mes quinze kilos et, sans trop y croire, j'ai actionné le détonateur. A mon énorme surprise, le pont a sauté en l'air. »

Lorsque le groupe détaché par le major Roseveare arrivera, il trouvera la besogne faite. Envers et contre tout, le sergent Poole a rempli sa mission.

Western à Troarn

Roseveare s'est chargé du pont de Troarn, qui est à la fois le plus éloigné, le plus important et le mieux défendu. Sur son ordre, la jeep et sa remorque sont vidées de leurs remèdes et chargées d'explosifs. Il prend le volant, embarque avec lui un officier et six hommes, dont Bill Irving, et démarre vers Troarn qui est encore distant de huit kilomètres. Roseveare lance à ses hommes la même phrase que Poole à ses deux compagnons : « On va toujours aller voir ce qu'on peut faire. »

Une jeep et huit hommes, alors que le plan prévoyait un bataillon de paras pour nettoyer Troarn et quarante sapeurs pour faire sauter le pont...

La jeep surchargée avance péniblement. Comble de malchance, elle s'empêtre dans le réseau barbelé qui protège un passage à niveau et que Roseveare n'a pas vu. Un coup de feu troue la nuit. C'est la sentinelle allemande. Elle déguerpit sans demander son reste. Bill Irving et ses camarades s'affairent fiévreusement à dégager la jeep. Il leur faut vingt minutes pour lui ouvrir un passage. La sentinelle a eu largement le temps de donner l'alarme. On repart. Quelques maisons au bord de la route : c'est enfin Troarn. Roseveare envoie deux éclaireurs reconnaître la petite ville. Ils avancent, rasant les murs. Un Allemand à bicyclette surgit devant eux et se met à hurler. Les éclaireurs l'abattent à la mitraillette. Cette fois, pas de doute, toute la garnison allemande est alertée. Le major Roseveare démarre, récupère au passage ses deux éclaireurs et fonce droit devant lui.

La scène qui suit est digne d'un western, même si John Roseveare ressemble aussi peu que possible à un cow-boy :

avec sa petite moustache blonde, ses yeux bleus et son teint rose, il a l'air anglais comme il n'est pas permis.

Il écrase l'accélérateur mais la vitesse ne dépasse pas cinquante kilomètres à l'heure : « Nous traînions au moins une demi-tonne d'explosifs et nous étions sept dans la jeep, plus un autre gars juché sur la remorque et qui s'accrochait comme il pouvait. » Les Allemands tirés du sommeil apparaissent aux portes et aux fenêtres des maisons, braquent leurs armes, lâchent rafale sur rafale. Personne n'est touché. La jeep débouche dans la grande rue de Troarn. Par chance, cette rue descend sur un kilomètre et demi jusqu'au fameux pont. Grâce à la pente, la jeep prend de la vitesse. Elle est si chargée que Roseveare ne parvient pas à maîtriser sa direction : le véhicule part en oscillations dangereuses mais qui ont au moins le mérite d'empêcher les Allemands d'ajuster leur tir. Le feu est infernal. Chaque fenêtre, chaque porte paraît avoir un tireur à l'affût. Les hommes de Roseveare ripostent comme des enragés. « Pas le temps d'avoir peur, raconte Bill, il n'y avait qu'à tirer, tirer et tirer. C'était fabuleusement excitant ! » La jeep fonce maintenant à toute allure. L'homme qui s'est installé sur la remorque a épaulé un fusil-mitrailleur et vide chargeur sur chargeur. Hélas ! une oscillation plus forte lui fait perdre l'équilibre : il roule sur la chaussée, assommé. Il sera fait prisonnier. Devant, un nouveau danger : un soldat allemand a traîné une mitrailleuse au milieu de la rue et la met en batterie. Si on lui laisse le temps de tirer... Roseveare accélère tant qu'il peut. L'homme prend peur et saute à l'abri d'une porte. La jeep fait voler la mitrailleuse à dix mètres.

C'est gagné. La traversée infernale se termine sans qu'un seul des huit sapeurs ait été touché par les balles allemandes. Un vrai miracle... Voici que Roseveare et ses hommes atteignent le pont qui, toute la nuit, avait semblé devoir leur échapper mais qu'ils ont réussi à rejoindre, surmontant malchance et contretemps, à force d'acharnement. Il n'est pas gardé : toute la garnison allemande était dans Troarn. Roseveare et son équipe mettent en place les charges d'explosifs et font sauter une arche. L'ouvrage s'écroule. Mission accomplie. Les tanks allemands ne pourront pas passer par là. Quatre explosions lointaines annoncent que les autres groupes ont eux aussi fait du bon travail.

C'est alors que Bill Irving, stupéfait, découvre que son uniforme et ses musettes ont été déchiquetés par les balles allemandes. Dans la furie du combat, il ne s'en était même pas rendu compte...

Au son des cors de chasse

Ils étaient 4 255 à sauter sur la terre de France. Ils venaient de tous les pays de l'Empire britannique, de toutes les parties du monde. Comme leurs camarades des régiments aéroportés américains, ils avaient choisi d'être parachutistes, sachant qu'on les lâcherait au milieu des armées ennemies avec, pour seule défense, une carabine ou une mitraillette, quelques chargeurs et une dague. Ils étaient l'avant-garde du monde libre lancée dans les ténèbres pour préparer l'aube de la libération promise quatre ans plus tôt par Winston Churchill. Jeunes et souples, résistants à la fatigue, d'une bravoure indomptable, ils étaient l'élite de l'armée alliée et même les prétendus surhommes de Hitler, les tristement célèbres S.S., ne leur faisaient pas peur. Leur entraînement avait été long, minutieux, exténuant. Leurs instructeurs auraient pu leur dire ce que disait à ses fils le vieux guerrier légendaire Tamberlaine :

« Je vais vous apprendre à dormir à même le sol
A marcher revêtus de vos lourdes armures dans les marais bourbeux
A supporter la chaleur brûlante ou bien le froid de glace
A endurer la faim et à résister à la soif, ces souffrances inséparables des guerres
A escalader les remparts des châteaux
A assiéger les forteresses et à saper les enceintes des villes
A faire voler en éclats des cités entières. »

Cet entraînement impitoyable avait duré des mois, tant et si bien que beaucoup d'entre eux souhaitaient ardemment que vînt le Grand Jour pour en finir une bonne fois. Mais le 5 juin, lorsqu'on rassembla sur les aérodromes d'Angleterre les paras britanniques que des dizaines d'avions allaient déverser sur la France, bien des visages étaient graves, tendus. Ces hommes savaient qu'ils allaient à une bataille difficile. Le maréchal de l'Air Leigh-Mallory, qui les vit monter dans leurs avions, dit : « Ils n'étaient pas particulièrement gais, mais je n'avais aucun doute sur leur détermination à accomplir leur tâche. » Un autre officier qui assista à l'embarquement confirme ce jugement : « Un état d'esprit sombre mais déterminé. » Ils savaient qu'on leur avait donné un travail dangereux et ils étaient décidés à l'exécuter.

Les avions décollèrent l'un après l'autre, puis, en formation serrée, mirent le cap sur la France. Au-dessus d'eux volaient les escadres de bombardiers lourds qui allaient lâcher leurs cargaisons mortelles sur les défenses ennemies. Plus haut encore, des escadrilles de chasseurs de nuit étendaient sur les mastodontes un parapluie protecteur. Jamais le ciel n'avait vibré comme cette nuit-là, où trente mille aviateurs furent en l'air en même temps.

Les habitants de Londres s'apprêtaient à dormir quand la flotte aérienne survola leur ville. Beaucoup se mirent à leur fenêtre, mais une couche de nuages masquait les avions. Que se passait-il donc ? D'habitude, les escadres qui allaient bombarder l'Allemagne évitaient Londres pour ne pas risquer d'être victimes d'une erreur de la D.C.A. anglaise. Ce déferlement d'avions signifiait-il que l'événement tant attendu était pour demain ?

Betty Bryan n'entendit rien : elle dormait avec ses parents au fond d'un abri creusé dans le jardin de leur villa de banlieue. Presque tous leurs voisins faisaient comme eux depuis que deux maisons de la rue avaient été brûlées par des bombes incendiaires tandis que cinq autres étaient rasées d'un coup par une énorme bombe. Les habitants du centre de Londres qui ne disposaient pas d'une cave solide passaient leurs nuits dans les stations les plus profondes du métro. Sans doute les attaques aériennes avaient-elles beaucoup diminué depuis que la chasse alliée était maîtresse du ciel, mais il y avait encore fréquemment des alertes, surtout à l'aube, et les Bryan avaient décidé d'aller s'installer chaque soir dans leur abri pour éviter d'être surpris en plein sommeil par les sirènes. C'était un abri confortable, avec quatre couchettes, des lampes, des livres, un fourneau portatif pour faire le thé indispensable à toute famille anglaise. Les adultes, hommes et femmes, montaient la garde à tour de rôle dans la rue, veillant à ce que les rideaux soient bien tirés pour qu'aucune lumière ne guidât les pilotes allemands. En cas de bombardement, ils dégageaient les blessés et luttaient contre les incendies en attendant les pompiers.

Betty a seize ans. Elle est blonde, avec des yeux verts, plutôt petite, bien en chair. Elle travaille comme vendeuse dans un magasin de lingerie pour dames. Elle dort d'un sommeil paisible que ne trouble pas le passage des milliers d'avions qui survolent son abri. A bord de l'un d'eux se trouve un garçon de vingt ans, le parachutiste Sidney Capon, qui deviendra plus tard le mari de Betty.

La traversée de la Manche fut sans histoire. Dans les avions, les hommes étaient en général silencieux. Ils ne pensaient guère à leur famille ou à la fiancée qu'ils avaient laissée derrière eux. Ils allaient à la bataille, dit l'un d'eux, dans le même état d'esprit qu'un boxeur professionnel montant sur le ring pour un combat difficile.

Leur chef, le général Gale, avait prévenu les paras anglais : « Ne vous affolez pas si le chaos règne : ce sera sûrement le cas. » Il avait raison. L'armada aérienne trouva au-dessus de la France des paquets de brume qui égarèrent les pilotes. Quant à la Flak allemande, elle eut tôt fait de rompre l'impeccable formation des escadres. Les pilotes piquaient ou viraient sur l'aile pour échapper aux projecteurs qui tentaient de les épingler dans le ciel et aux salves d'obus qui les pourchassaient. « Dans l'avion, raconte Sidney Capon, c'était vraiment le chaos. On était tous les uns sur les autres. Personnellement, j'étais fou furieux. Aucun chef ne nous avait dit qu'il y aurait de la Flak. Si on avait été prévenus, on se serait mieux préparés à la danse. »

Certains pilotes, persuadés qu'ils allaient être abattus, allumèrent aussitôt la lumière verte ordonnant le saut pour sauver au moins leurs paras. Beaucoup d'autres cherchèrent en vain leurs repères et larguèrent les hommes au hasard. Les bombardiers remorquant les planeurs étaient pour la Flak des cibles particulièrement faciles car ils ne pouvaient ni piquer ni virer brutalement. Aussi les pilotes, traqués par les projecteurs, encadrés par les salves d'obus, donnèrent-ils à leurs camarades des planeurs l'ordre de se décrocher avant d'être arrivés sur l'objectif (un fil téléphonique, fixé le long du câble de remor-

quage, permettait aux deux pilotes de communiquer entre eux).
Les planeurs, dépourvus de moteur, pouvaient encore moins
manœuvrer pour éviter la Flak. Ils cherchèrent à atterrir le plus
vite possible sans trop se soucier de précision géographique.
On avait pourtant soumis leurs pilotes à un entraînement
remarquable. Des avions de reconnaissance avaient filmé l'itinéraire qu'ils devraient suivre et l'on avait présenté ce film aux
pilotes des planeurs jusqu'à ce qu'ils en connaissent tous les
détails. Les projections étaient d'abord faites à lumière normale
— celle du jour — puis avec un écran bleuté qui mettait sur le
paysage les ombres de la nuit. Mais ces séances de cinéma
avaient un inévitable défaut : la Flak ne figurait pas au programme. Les spectateurs, devenus acteurs, en faisaient la brutale découverte.

Le soldat Édouard Rousseau se trouvait dans l'un de ces
planeurs secoués par la déflagration des obus allemands. Ils
n'étaient que huit hommes à bord car l'appareil, plus grand
qu'un bombardier, était conçu pour transporter du matériel : il
était chargé de bulldozers. On raserait avec eux les asperges de
Rommel et les autres planeurs pourraient atterrir sans
encombre. Édouard Rousseau et ses camarades, enfermés dans
la carlingue sans hublot, eurent soudain l'impression que le
planeur stoppait net : leur pilote venait de se décrocher du
bombardier. Puis l'appareil amorça sa descente en vol plané et
ils se préparèrent à l'atterrissage avec un coup d'œil inquiet
vers les bulldozers monstrueux qui pouvaient les écraser tous si
leurs amarres se rompaient. Le choc les stupéfia par sa violence
et ils entendirent l'énorme craquement d'une aile qui se brisait.
Rousseau se précipita à la portière pour sauter à terre et, le
souffle coupé, se retrouva... barbotant dans la mer ! Ils avaient
amerri à quelques centaines de mètres de la côte. Les passagers
des planeurs n'avaient pas de parachute, ce que regrettaient la
plupart d'entre eux, mais ils étaient équipés d'une ceinture de
sauvetage surnommée Mae West. « Je lui dois d'être encore en
vie », reconnaît aujourd'hui Édouard Rousseau. Il suffisait de
tirer une poignée pour qu'elle se gonfle automatiquement autour de la poitrine du naufragé (Mae West était une star de
cinéma américaine célèbre pour sa magnifique poitrine...).
Rousseau et les trois autres soldats survivants se débarras-
sèrent de leurs bottes et de leur équipement, puis gagnèrent la
côte à la nage. Rousseau perdit ses camarades et aborda seul

sur une plage infectée de mines. Les Allemands l'y attendaient. Lorsqu'ils surent son nom, ils furent persuadés qu'il était l'un des Français libres du général de Gaulle, Rousseau jura qu'il était anglais. Les autres le frappèrent pour qu'il avoue, mais il tint bon. Il savait que les Allemands, souvent, fusillaient les soldats de De Gaulle tout comme ils fusillaient les « terroristes » de la Résistance. En fait, Édouard Rousseau habitait l'île anglaise de Jersey, au large du Cotentin, mais ses ancêtres lointains étaient des Normands venus de France. C'est pourquoi il s'était fait tatouer sur un bras les drapeaux anglais et français entrecroisés. Il devait finir par convaincre ses gardiens de sa bonne foi.

Beaucoup d'autres parachutistes, largués au hasard, eurent des atterrissages surprenants. L'un d'eux arriva sur une serre qu'il brisa en mille morceaux. Un autre eut l'incroyable malchance de tomber tout droit dans un puits. Par bonheur, la coupole de son parachute s'étala doucement sur la margelle et il resta suspendu à quelques mètres de l'eau. Après quelques secondes de stupeur, le parachutiste retrouva ses esprits, se hissa en tirant sur les suspentes et sortit du puits. L'adjoint du major Rosevaere, Jack Allen, atterrit dans le jardin d'une maison de Rouenville où était installé un état-major allemand. Le malheureux se trouva bloqué par son parachute, qui était retombé de l'autre côté du mur du jardin. Les Allemands vinrent le cueillir et le poussèrent dans la maison. « C'était un spectacle vraiment comique, raconta Allen. Ils étaient complètement affolés. Il y avait des téléphones qui sonnaient dans tous les coins et ces Allemands répondaient en hurlant. Ils hurlaient à leurs correspondants de ne pas hurler ! » La captivité de Jack Allen allait être courte : deux heures plus tard, une troupe de parachutistes capturerait ses rugissants gardiens.

Ainsi, rien ne semblait se passer comme prévu. Les paras s'étaient attendus à de furieux combats dès leur arrivée mais, bien souvent, ils n'étaient accueillis que par le meuglement des vaches troublées dans leur sommeil. C'était une bonne surprise. Il y en eut de moins bonnes, et la pire de toutes était cet éparpillement dû à la Flak allemande.

Les marais de Rommel avaient fait leur sale besogne : nombreux étaient les parachutistes qui s'y étaient noyés, entraînés au fond de l'eau par leur équipement. Les plus chargés sautaient avec un leg-bag, ou « sac de jambe ». Ce sac avait à sa base une bretelle dans laquelle le para insérait son pied droit. Il avançait péniblement jusqu'à la porte de l'avion, serrant le sac contre lui et le soulevant avec son pied, puis se lançait dans le vide. Pendant la descente, il laissait filer son fardeau au bout d'une corde fixée au harnais du parachute, longue d'une dizaine de mètres. Le leg-bag, qui touchait donc terre avant le parachutiste, pouvait contenir un tube de mortier pesant cinquante kilos, ou un émetteur-récepteur plus lourd encore, des charges de plastic ou des obus. De plus, chaque para avait sur lui son arme personnelle, ses munitions, des grenades, une dague, un kilo de plastic et les divers instruments ou ustensiles conformes à sa spécialisation. Le tout était maintenu en place par des courroies et recouvert par la combinaison de saut camouflée, à l'exception de l'arme personnelle — carabine, fusil ou mitraillette — qui était fixée au harnais du parachute, par-dessus la combinaison, afin que le para pût s'en servir sans délai. Cet arsenal ambulant comportait même des cartouches agrafées à l'intérieur du casque d'acier, entre le sommet du crâne et le casque. L'ensemble représentait un tel poids que des hommes s'engloutirent d'un seul coup dans la vase qui tapissait le fond des marais. Au moins leur agonie fut-elle plus rapide que celle de leurs camarades qui s'enlisèrent lentement sans pouvoir s'extraire de la boue liquide qui les aspirait.

Un officier anglais, le capitaine Kerr, réussit de justesse à s'arracher à la vase et partit à la recherche de ses hommes. Il en trouva quatre, réfugiés dans une ferme. Leurs cartes, déchirées, trempées et couvertes de boue, étaient inutilisables. Le fils des fermiers, qui n'avait pas quinze ans, proposa courageusement de les conduire à leur objectif. Ils le suivirent en file indienne. On se battait tout autour d'eux et ils entendaient des cris et des appels au secours lancés en anglais, en français, en allemand et même en russe. Ils traversaient un bois quand ils se trouvèrent nez à nez avec une patrouille allemande. Kerr et ses hommes ouvrirent le feu et les Allemands répliquèrent à la grenade avant d'abandonner le champ de bataille aux paras. Mais ceux-ci appelèrent en vain leur petit guide. Ils découvrirent son corps ensanglanté. Il avait été tué par une grenade allemande. Sans un mot, le cœur lourd, Kerr et ses quatre compagnons se remirent en route.

Le général Gale, qui avait prévu le chaos, avait aussi pensé à un moyen d'y remédier. La campagne normande retentit cette nuit-là du son des cors de chasse qu'il avait fait emporter pour rallier ses hommes. Les cors les appelèrent aux lieux de rassemblement et pour plus d'un para perdu dans les prairies, étreint par la peur et la solitude, leurs sonneries romantiques marquèrent la fin du cauchemar.

La mission de la division aéroportée de Gale était d'une conception simple mais d'une exécution extraordinairement difficile. Lâchée à l'arrière du Mur, elle devait supporter le poids de la contre-offensive que les Allemands déclencheraient dès l'aube et permettre ainsi le débarquement des troupes venues par mer. Le principal danger viendrait des blindés de Rommel. C'est pour leur barrer le passage que les deux ponts du canal de Caen et de l'Orne ont été attaqués par les planeurs de Howard, tandis que le major Roseveare et ses sapeurs faisaient sauter cinq ponts sur la Dives. Mais si les blindés allemands stationnés au nord seront ainsi bloqués, ceux qui sont en position près de Caen attaqueront par le sud et les paras de Gale ne pourront éviter le combat. Pour qu'ils puissent le livrer avec quelque chance de succès, il leur faut autre chose que des mitraillettes et des dagues. Aussi soixante-douze planeurs doivent-ils, dans la nuit, leur apporter les canons antichars indispensables. La première tâche des paras consiste donc à occuper le terrain, puis à déblayer les zones d'atterrissage nécessaires aux gigantesques planeurs Hamilcar dont tout l'avant s'ouvre comme une porte pour laisser passage aux jeeps et aux canons.

Ils s'y employèrent de leur mieux malgré le désordre, les tirs allemands, l'absence de nombreux bulldozers rompus à l'atterrissage ou, comme ceux de Rousseau, perdus en mer. Ils n'avaient que quelques heures pour abattre les milliers d'asperges de Rommel, combler les fossés, raser les haies à coups d'explosif. Leur vie dépendait de leur rapidité et de leur efficacité. Sans canons antichars, ils seraient écrasés à l'aube sous les chenilles des blindés allemands.

Au milieu de cette activité fiévreuse, une petite troupe se hâte vers la côte. Les généraux alliés ont déclaré à son chef, le lieutenant-colonel Otway, que le succès du débarquement dépendait de la réussite de sa mission. Il s'agit de capturer et de faire sauter la batterie côtière de Merville, qui peut prendre sous le feu de ses canons lourds les plages où vont arriver dans moins de quatre heures les troupes d'assaut britanniques. On a dit à Otway : « Votre état d'esprit doit être le suivant : un échec est impensable. »

« On leur a lancé des briques ! »

La nuit avait merveilleusement commencé pour Terence Otway, jeune lieutenant-colonel de vingt-neuf ans. Il avait dormi comme un loir jusqu'à sept heures du soir et, en arrivant vers onze heures à l'aérodrome où trente-huit Dakota faisaient chauffer leurs moteurs, il avait eu la joie de retrouver, venus lui souhaiter bonne chance, les soldats de son ancien bataillon du Royal Ulster Rifles. Les sept cent cinquante paras d'Otway embarquèrent dans les Dakota salués par eux et par tout le personnel de l'aérodrome. C'était un beau départ. La nuit tomba pendant que les pilotes se mettaient en formation mais elle était si claire que Terence Otway, assis près de la porte ouverte de son avion, vit parfaitement les centaines de bateaux qui avaient mis le cap sur la côte française. « En regardant tous ces gars dans leurs bateaux, dit-il, je pensais : "Leurs vies sont entre tes mains et c'est une responsabilité sacrément sérieuse." Alors, j'ai cessé de regarder, j'ai sorti le flacon de whisky que j'avais glissé dans ma poche revolver, j'ai bu un bon coup et je me suis aussitôt endormi. »

Son voisin dut le secouer : ils arrivaient au-dessus de la France. La Flak, déclenchant un feu d'enfer sur les Dakota, se chargea de réveiller tout à fait Otway. Les pilotes rompirent leur formation et entamèrent, chacun pour soi, les manœuvres acrobatiques qui leur éviteraient d'être épinglés par les projecteurs. « Le ciel était aussi embouteillé que Piccadilly Circus, raconte Otway. Il y avait des avions partout. Certains avaient manqué la zone de saut et tournaient en rond pour la retrouver, mais la plupart lâchaient mes paras au hasard. J'étais debout à la porte quand le Dakota fut atteint de plein fouet par un obus.

J'ai sauté juste au moment où un bombardier Stirling passait au-dessous de nous, à croire que j'allais m'écraser sur lui. Mon parachute s'est ouvert. En voyant toutes ces balles traçantes qui montaient vers moi, je me suis dit que j'allais être sûrement touché, ou qu'elles allaient mettre mon parachute en lambeaux. J'étais furieux, vraiment furieux. Pour tout arranger, le vent m'a poussé droit sur une maison. J'ai mis les pieds en avant et, quand j'ai percuté le mur, j'ai poussé de toutes mes forces avec mes deux jambes, ce qui m'a évité de m'écraser contre ce fichu mur. Je suis retombé sur le dos et j'ai senti se briser mon flacon de whisky. C'était une perte importante. J'avais mal partout mais pas le temps d'y penser : la maison servait de quartier général à un régiment ennemi et je voyais des Allemands armés à toutes les fenêtres. Deux de mes paras étaient tombés dans le jardin. Les Allemands ont commencé à tirer sur nous. Personnellement, j'avais un pistolet, une mitraillette et des grenades, mais nous étions empêtrés dans nos courroies, les deux paras et moi, et il fallait réagir tout de suite. Nous avons ramassé des briques et des pierres qui traînaient par terre et nous les avons lancées dans les fenêtres. Je suppose que les Allemands ont dû être ahuris, toujours est-il qu'ils nous ont manqués. Nous avons décampé sans demander notre reste. »

Otway et ses deux parachutistes mirent une heure et demie à rejoindre le lieu du rendez-vous. Ils durent traverser des haies, franchir des fossés pleins d'eau, barboter dans les marécages. Chemin faisant, ils sauvèrent plusieurs de leurs camarades qui, enlisés jusqu'à mi-corps, étaient incapables de s'arracher à l'étreinte mortelle de la vase. Le groupe sans cesse grossi parvint enfin à une route et put accélérer l'allure. Ils capturèrent sans tirer un coup de feu quelques soldats allemands ébahis qui, même prisonniers, ne voulaient pas croire qu'ils étaient aux mains des Alliés : ils s'entêtaient à affirmer qu'Otway et ses hommes étaient des S.S. en manœuvre qui leur faisaient une blague ! Les paras — garçons de vingt ans en pleine forme — furent eux-mêmes très surpris par l'âge des prisonniers, dont les uns auraient pu être leurs pères tandis que les autres, à peine adolescents, faisaient figure de petits frères.

Cet épisode comique ne diminua pas l'anxiété de Terence Otway. « Un échec est impensable », lui avaient dit ses chefs. En cette nuit de chaos où ses hommes avaient été dispersés comme par une énorme salière, l'échec devenait non seulement

pensable, mais probable. Au point de rendez-vous, ils se retrouvèrent à cent au lieu de sept cent cinquante. Les planeurs
contenant le matériel d'assaut étaient introuvables. Or,
l'attaque sur Merville avait été organisée avec la précision d'un
mécanisme d'horlogerie. Chaque para, chaque arme avait son
rôle. Donner l'assaut avec cent hommes seulement et sans
matériel paraissait aussi impossible que de faire fonctionner
une montre avec la moitié de ses rouages.

Une mission-suicide

Les Allemands avaient transformé la batterie de Merville en une formidable forteresse. L'agresseur devait d'abord franchir un champ de mines large de cent mètres et recouvert de barbelés. Il tombait alors sur un réseau de barbelés beaucoup plus épais qui ne pouvait être traversé qu'à l'aide de cisailles. S'il y parvenait, il avait à franchir un nouveau champ de mines large de dix mètres, puis un véritable mur de barbelés haut d'un mètre cinquante et large de cinq mètres. Deux cents soldats allemands, protégés par les coupoles bétonnées, tiendraient sous le feu de leurs mitrailleuses les candidats au suicide empêtrés dans les barbelés et bloqués par les mines. Il y avait même, installé sur un blockhaus, un canon automatique prêt à cracher ses obus.

L'état-major allemand croyait la batterie de Merville imprenable. Les chefs alliés en étaient eux-mêmes si bien persuadés qu'ils n'envisagèrent d'abord que de l'écraser sous les bombes. L'opération fut un échec total. Sur les mille bombes lâchées par les bombardiers alliés, cinquante tombèrent dans le périmètre défensif de la batterie et deux seulement touchèrent les coupoles bétonnées, ne parvenant d'ailleurs qu'à les égratigner tant elles étaient épaisses. Les quatre casemates restaient intactes et leurs canons étaient toujours en mesure de tirer sur les plages de débarquement anglaises.

C'est alors qu'on fit appel au lieutenant-colonel Otway et à son bataillon de parachutistes.

Terence Otway comprit immédiatement qu'on lui proposait une mission-suicide. Il l'accepta, mais à condition de pouvoir faire de cette opération la mieux préparée de toutes celles du Grand Jour. On lui promit carte blanche. Alors, Otway annonça calmement qu'il voulait qu'on construise immédiatement en Angleterre une réplique fidèle de la batterie. Une maquette ? Non pas : un Merville grandeur nature...

Dix bulldozers bouleversèrent un coin de la campagne anglaise pour lui donner le relief et l'exacte configuration du paysage de Merville. Ils défoncèrent les champs couverts de moisson et rasèrent des bois. On travailla même de nuit, à la lueur des projecteurs. Un cordon de police entourait la région et l'on ne pouvait le franchir qu'avec un laissez-passer signé de Otway en personne. Au bout d'une semaine, tout était à l'image de Merville : les chemins, les ondulations du terrain, les bouquets d'arbres. Seuls les canons étaient faux : on les avait remplacés par des tubes. Mais les mitrailleuses étaient vraies et tiraient à trente centimètres de hauteur des balles réelles sur les paras qu'Otway entraînait inlassablement à cisailler les barbelés et à désamorcer les mines. Les hommes, collés au sol, apprirent à ramper jusqu'à s'en user la peau du ventre.

Chaque groupe s'entraîna d'abord isolément puis il y eut cinq répétitions générales de jour et quatre de nuit. Otway exigea enfin de chaque parachutiste qu'il dessinât de mémoire le plan de la batterie en indiquant son itinéraire d'assaut, avec indication précise des actions qu'il devait accomplir au cours des phases successives de l'attaque. Les sept cent cinquante paras remirent leurs copies. Elles étaient très satisfaisantes. Tout paraissait au point.

Le plan prévoyait en premier lieu un bombardement massif de la batterie. Il n'était pas destiné à écraser les casemates (l'expérience avait prouvé que c'était impossible) mais à effrayer la garnison et surtout à faire sauter les mines. Cent neuf bombardiers s'y emploieraient en lâchant des bombes dont certaines pesaient plus de deux tonnes. Le groupe des cisailleurs s'enfoncerait alors dans les barbelés, suivi par les sapeurs chargés de la détection des mines. Ces derniers dérouleraient derrière eux des rubans blancs indiquant les passages libres. Lorsque les deux groupes seraient parvenus au mur barbelé, si épais qu'on ne pouvait le cisailler, ils glisseraient sous lui des torpilles explosives Bangalore destinées à les déchiqueter. Le gros du bataillon s'élancerait alors à l'assaut, couvert par le tir des mortiers et des canons antichars. Ceux-ci seraient déposés par planeurs à quelques kilomètres de la bat-

terie et tirés ensuite par des jeeps. Les planeurs devaient également apporter une ambulance, des lance-flammes, des radios
et des échelles en aluminium que les paras jetteraient sur les
barbelés restés intacts.

Mais Otway n'était pas satisfait. Il n'avait pas la certitude
que cet assaut minutieusement organisé suffirait à faire tomber
la forteresse. Aussi ajouta-t-il à son plan un détail d'une extraordinaire audace : au moment précis de l'attaque, trois planeurs atterriraient *directement sur les casemates* et leurs
soixante passagers grenaderaient les embrasures.

Tous les paras britanniques étaient des volontaires, mais la
mission confiée aux hommes des planeurs était si dangereuse
qu'Otway décida de demander des volontaires parmi les volontaires. Il rassembla son bataillon, expliqua ce qu'on attendait
du commando amené par planeur et pria les volontaires de
faire un pas en avant. D'un seul mouvement, tous les hommes
firent ce pas.

Les défenseurs de Merville allaient avoir affaire à l'élite de
l'armée britannique.

Mais cette élite était réduite à cent cinquante hommes au
lieu de sept cent cinquante quand Otway donna le signal du
départ, et elle n'avait ni canons antichars, ni mortiers, ni jeeps,
ni lance-flammes, ni détecteurs de mines, ni échelles d'escalade...

La montre lumineuse
brillait dans la nuit

Plaqué au sol, face contre terre, Dusty Miller a peur, ce qui n'est pas dans ses habitudes. Il est l'un des trois éclaireurs parachutés près de la batterie pour reconnaître les lieux en attendant Otway et son bataillon. Ils ont sauté d'un bombardier Albermale. Sur ce type d'appareil, le saut s'opère, non par la porte, mais par un trou rectangulaire ouvert dans le plancher de la carlingue et auquel Dusty trouve une ressemblance désagréable avec un cercueil. Les trois paras ont commencé par avoir de la chance : leur pilote les a largués à l'endroit prévu et ils n'ont eu aucune peine à s'orienter. Conformément aux instructions, ils ont attendu à l'écart de la batterie l'arrivée des cent neuf bombardiers qui allaient déverser leurs quatre cents tonnes de bombes sur les défenses allemandes. C'est ici que la chance a brutalement tourné. Les bombardiers ont manqué leur cible et les bombes éclatent autour des trois paras terrorisés.

Dusty n'est certes pas un homme facile à impressionner. A vingt-huit ans, il fait figure de vieux soldat parmi les garçons de vingt ans qui composent la troupe d'Otway. Les sourcils épais, le nez recourbé comme le bec d'un oiseau de proie, il fait la guerre avec le même plaisir qu'il a fait du sport en temps de paix. Mais sous la pluie de bombes qui s'abat autour de lui, il se dit amèrement que le match est perdu avant d'avoir vraiment commencé : il va mourir par la faute de ses compatriotes.

Soudain, le silence et le calme succèdent à la tempête. Le sol cesse de rebondir comme un matelas élastique sous l'impact des bombes. Les avions ont disparu. Dusty et ses deux compagnons se redressent, incrédules : comment peuvent-ils être encore vivants ? Ils regardent autour d'eux les cratères énormes creusés par les bombes, puis se mettent en marche vers la batterie. La route est bordée de fossés. Parvenus à proximité de leur objectif, les trois paras s'assoient pour se concerter. Un bruit de bottes... Une patrouille allemande ! Ils plongent au creux du fossé. Mais ils ont laissé sur le bas-côté les caissettes contenant leur matériel. La patrouille approche. Dusty jette un coup d'œil. Il n'y a pas que les caissettes pour attirer le regard de l'ennemi : le cadran lumineux de la montre d'un de ses camarades dessine dans l'ombre un rond laiteux. Dusty tend le bras, atteint le poignet de son compagnon et fait tourner le bracelet. Mais les caissettes ? Trop tard : les Allemands sont là. Ils défilent au pas cadencé. Le claquement sec de leurs bottes cloutées s'éloigne. Ils n'ont rien vu...

Dusty et le major George Smith rampent à l'intérieur de la batterie, fouillant de la dague chaque centimètre de sol pour détecter les mines, et parviennent sans encombre au premier réseau de barbelés. Là, recroquevillés contre terre, ils entendent les Allemands remuer et parler à voix basse. Le major donne l'ordre de repli. Les deux hommes retraversent le champ de mines et retrouvent le troisième para qu'ils avaient laissé sur la route. Le bataillon devrait être là depuis long-temps. Dusty, qui avait bien cru mourir sous les bombes anglaises, commence à se demander s'il n'est pas destiné à être tué par un obus américain. Les chefs alliés ont prévenu Otway : s'il n'a pas envoyé à cinq heures trente le signal annonçant la prise de la batterie, le croiseur lourd *Arethusa* ouvrira le feu sur Merville.

Le major Smith décide de partir à la recherche d'Otway avec le troisième para. Dusty reste sur place. Il s'installe dans un cratère de bombe et allume une cigarette. Les minutes passent. Que faire ? Attendre au fond de ce trou ? C'est perdre son temps. Il serait plus utile de retourner dans la batterie et de cisailler ces fichus barbelés. Dusty empoigne ses pinces coupantes et rampe silencieusement vers les deux cents Allemands tapis sous leurs coupoles bétonnées.

Le capitaine Greenway
garde le moral

Le capitaine Greenway se hâte vers la batterie, suivi d'un sergent, d'un caporal et de quelques hommes. Leur rôle consiste à préparer l'assaut du bataillon en déminant trois couloirs d'attaque et en pratiquant des brèches profondes dans le mur barbelé si épais que des cisailles ne pourraient en venir à bout. L'équipe de Greenway devrait disposer de six détecteurs de mines, de torpilles explosives et de rubans blancs pour délimiter les couloirs déminés. Elle n'a pu récupérer qu'un seul détecteur et un seul rouleau de ruban.

La bonne humeur du capitaine Greenway ne s'en trouve pas entamée pour autant. Il est ravi. Cet aristocrate anglais a un don particulier pour ne voir que le bon côté des choses. Son saut d'avion au milieu des tirs meurtriers de la Flak ? « Vous savez, explique-t-il, c'était plutôt un soulagement de sortir de cet avion si inconfortable où l'on attrapait des crampes. De toute façon, je me considérais comme très chanceux d'arriver en France par air et non par mer. J'aurais détesté arriver mouillé au combat. J'ai eu un saut splendide. La nuit était magnifique, très claire, et j'étais ravi de descendre sur cette côte française que je connaissais bien car, avant la guerre, j'allais chaque année passer mes vacances à Deauville, où j'avais d'excellents amis. Bien sûr, je suis tombé dans un champ de choux, au milieu de quelques Allemands, mais ils ont eu probablement très peur et ils se sont enfuis dès qu'ils m'ont vu. »

Les champs de mines ? Les réseaux de barbelés ? On verra sur place. Le capitaine Greenway, futur lord d'Angleterre, n'a peut-être pas le matériel indispensable à l'accomplissement de sa mission, mais il dispose en revanche d'une inépuisable réserve d'optimisme.

Et il a raison. Lorsqu'il arrive à la batterie, Dusty Miller lui fait un compte rendu encourageant de sa seconde reconnaissance dans le périmètre de la batterie, qui l'a mené jusque sous le nez des sentinelles allemandes. Sans doute le bombardement a-t-il été raté, mais quelques bombes sont cependant tombées dans le champ de mines et en ont fait exploser un bon nombre. Il doit être possible, même avec un seul détecteur au lieu de six, de déblayer un couloir d'attaque que l'on signalera tant bien que mal avec l'unique ruban dont on dispose. Greenway et ses hommes se mettent immédiatement au travail.

Sous les coupoles bétonnées, dans les tranchées et dans les abris individuels, la garnison allemande est sur le qui-vive. Son chef a reçu par téléphone l'ordre de se préparer au combat. Il a fait doubler les sentinelles. Derrière chaque mitrailleuse, des soldats scrutent les ténèbres, prêts à ouvrir le feu.

« *On va prendre* cette sacrée batterie ! »

La petite troupe du lieutenant-colonel Otway progresse vers la batterie à travers les prairies. Soudain, les hommes se jettent à terre, le doigt sur la détente de leur arme : des masses noires foncent sur eux. Ce ne sont que des vaches normandes rendues folles par le fracas des avions et des bombes... Les paras se relèvent et les dispersent à coups de crosse. Les pauvres bêtes meuglent lamentablement tandis que Sidney Capon, fou furieux, leur crie des injures. « Taisez-vous donc ! » lui ordonne le lieutenant Jefferson. « Et elles, elles se taisent ? » réplique Sid Capon.

Le capitaine Greenway fit à son tour son rapport à Otway. Il avait déminé un couloir d'attaque mais le mur barbelé restait intact. Par bonheur, la troupe d'Otway avait pu récupérer quelques torpilles explosives Bangalore qui suffiraient peut-être à ouvrir une brèche. « Que faisons-nous, sir ? demanda Dusty Miller. On y va ? » Otway ne répondit pas mais consulta sa montre. Les trois planeurs n'allaient plus tarder à arriver. S'ils atterrissaient comme prévu droit sur les casemates allemandes, il y avait encore une chance de capturer la batterie... Les paras s'accroupirent le long des haies, l'arme à la main, et guettèrent le ciel.

Les trois planeurs avaient bien décollé d'Angleterre mais l'un d'eux, son amarre aussitôt rompue, avait été obligé de se poser dans un champ. Les deux autres furent lâchés comme prévu au-dessus de la côte française par les avions remorqueurs et leurs pilotes commencèrent à descendre en vol plané, attendant le signal que devait leur lancer Otway.

Le plan avait été minutieusement mis au point. De toutes les centaines d'opérations que comportait la gigantesque entreprise du débarquement, celle-ci était probablement la mieux minutée. Les remorqueurs devaient lâcher leurs planeurs à 3 h 24. A terre, un clairon de la troupe d'Otway jouerait alors l'air du « réveil ». A ce signal, un lance-grenades arroserait la batterie de grenades lumineuses pour faciliter leur repérage aux pilotes. A 3 h 30, le clairon sonnerait l'air du « repos ». Le lance-grenades cesserait son tir et, tandis que les trois planeurs s'abattraient sur la batterie, le bataillon donnerait l'assaut.

Mais Otway n'avait ni lance-grenades ni grenades lumineuses.

Là-haut, les deux grands oiseaux tournent en larges cercles, cherchant obstinément le signal lumineux. En bas, Otway et ses hommes suivent avec angoisse leurs lentes évolutions : vont-ils repérer la batterie ? Non ! Le premier glisse vers le village de Gauville que les bombardiers anglais ont mis en flammes. Le second arrive au-dessus de la batterie. La pièce de Flak en batterie sur un blockhaus ouvre le feu. Les paras voient les balles traçantes s'enfoncer dans la carlingue. Elles y blessent quatre hommes. L'oiseau désemparé vire sur l'aile et s'écrase dans un bois.

« Allons-y ! ordonne Otway. On va prendre cette sacrée batterie ! »

C'est l'assaut. Sid Capon fonce droit devant lui, la mitraillette à la hanche, hurlant et tirant. Vacarme assourdissant des torpilles qui ouvrent une large brèche dans le mur barbelé, des grenades qui éclatent, des mines qui explosent sous les pas des parachutistes. Et, au milieu de cette cacophonie, la sonnerie d'une trompe de chasse : c'est le lieutenant Jefferson qui, courant à droite de Sid, souffle à perdre haleine dans son instrument. Des fusées rouges partent soudain des casemates. A ce signal, les Allemands ouvrent le feu. Mitrailleuses et fusils-mitrailleurs crachent la mort par toutes les embrasures. Sid voit, sur sa droite, le lieutenant Jefferson exécuter un petit saut en l'air, puis s'affaler au sol. Il a marché sur une mine. Sid se précipite vers lui mais le blessé le repousse : « Non ! En avant ! » Jefferson, ancien danseur de ballet aux jambes désormais mutilées, Jefferson reprend sa trompe de chasse et souffle à plein gosier, comme si le succès de l'attaque était suspendu à cette sonnerie. « Il avait bien raison, dit Sid. Ça peut paraître idiot mais c'est ce truc qui nous a poussés en avant. On voyait les gars tomber mais on entendait la trompe à Jefferson et on savait qu'on ne pouvait pas s'arrêter. »

Pliés en deux, toujours hurlant, toujours tirant, les paras approchent des coupoles dont les masses sombres et menaçantes se découpent sur le ciel. Un réseau de tranchées les défend. Balayés à coups de grenades, leurs occupants se rendent. Un soldat à lunettes surgit devant Sid Capon et crie en pleurant : « Russki ! » C'est un prisonnier russe engagé de force par l'armée allemande. Plusieurs de ses camarades sortent à leur tour de la tranchée, bras en l'air. Autour d'eux, le combat continue. Dusty Miller lâche rafale sur rafale. « Je me disais : "Autant tu en tueras, autant de tes copains qui ne seront pas tués !" » Les tranchées allemandes sont submergées. Mais voici que des obus éclatent un peu partout, ajoutant encore à la confusion. Qui tire ? Une batterie allemande voisine qui prête main-forte à celle de Merville en déclenchant un tir de barrage. Trop tard : les paras sont arrivés aux casemates. Ils lancent des grenades par les embrasures. Deux portes blindées sont miraculeusement restées ouvertes. Quelques rafales de mitraillettes Sten ont raison des défenseurs. Les survivants se rendent. L'une après l'autre, les quatre coupoles bétonnées sont conquises. Terence Otway et ses cent cinquante hommes ont tenu l'impossible pari : prendre une batterie fortifiée dont l'état-major allié n'était pas sûr que sept cent cinquante combattants suffiraient à la capturer.

Cent cinquante ? Ils ne sont plus que soixante-quinze. Les autres gisent à terre, morts ou blessés. La moitié de l'effectif... Pour les Allemands, cette mêlée brève et sauvage a été plus meurtrière encore : sur les deux cents défenseurs de Merville, il ne reste que vingt-deux survivants.

L'un des officiers d'Otway tire de son blouson une petite boule palpitante qui ne l'a pas quitté de tout l'assaut : un pigeon voyageur. Il fixe à la patte de l'oiseau le message annonçant la capture de la batterie. Le pigeon prend son vol mais tourne en rond. Que se passe-t-il ? « Certains, raconte Dusty Miller, commencèrent à faire des remarques désagréables sur ce volatile. » Mais le pigeon met enfin le cap sur l'Angleterre. Otway tire la fusée jaune annonçant au croiseur *Arethusa* qu'il n'est pas nécessaire d'ouvrir le feu sur Merville. Il est grand temps : quinze minutes de plus et les obus de marine s'abattaient sur les rescapés de son vaillant bataillon.

Ceux-ci, épuisés, quittent le champ de bataille. Les quatre canons allemands ont été mis hors d'usage. Ce ne sont pas des canons lourds de 150, comme le croyait l'état-major allié, mais de simples 75 qui n'auraient pas pu atteindre les plages de débarquement. Pourquoi cette erreur ? La Résistance, qui voyait tout et savait tout, s'est-elle trompée sur les canons de Merville ? Il est probable que l'erreur fut commise à Londres. Les spécialistes alliés de l'artillerie pouvaient difficilement croire que les énormes coupoles bétonnées et blindées de la batterie n'abritaient que des 75. C'était aussi stupide que de placer un moteur de 2 CV Citroën dans un châssis de Rolls-Royce. Ils préférèrent jouer la sécurité et considérer que le calibre des canons était supérieur à celui qu'indiquaient les agents de la Résistance.

Alors, morts pour rien, tous ces garçons venus d'Angleterre et dont les yeux grands ouverts fixent le ciel ? Blessé pour rien, le lieutenant Jefferson, dont la trompe s'est enfin tue et qui plus jamais ne dansera sur une scène de théâtre ? Leurs camarades ne le croient pas. On leur avait confié une mission. Ils l'ont accomplie. C'est tout.

Le jour se lève. Au nord de Caen, le major Howard et ses hommes tiennent solidement les deux ponts qu'ils ont capturés après s'être abattus sur eux comme des oiseaux de proie. Les sapeurs de Roseveare ont, conformément aux ordres, fait sauter les cinq ponts sur la Dives. La batterie de Merville vient d'être neutralisée par la troupe de Terence Otway. Au creux des fossés et le long des haies, plus de quatre mille soldats tombés du ciel se retranchent pour repousser la contre-attaque allemande.

Les troupes britanniques venues par mer allaient disposer du répit indispensable à leur débarquement. Malgré la Flak, les erreurs de lâcher, le désordre et la confusion, mais grâce à leur audace et à force de volonté têtue, les paras anglais, tels des voleurs dans la nuit, avaient fracturé la porte de la « Forteresse Europe ».

DES NAVIRES PAR MILLIERS

« C'est le métro à six heures du soir »

On n'avait jamais vu ça. Les pilotes des avions qui survolaient la mer le disaient à leur copilote. Les parachutistes placés près des hublots le répétaient à leurs camarades. C'était un spectacle tel que le monde n'en avait jamais connu et qu'il ne reverrait très probablement jamais plus : cinq mille navires fendant les flots gris de leur étrave.

Du ciel, on aurait dit une gigantesque passerelle, large de trente kilomètres, qui se déployait entre la côte d'Angleterre et le rivage de France. Au ras des vagues, c'était comme une formidable muraille d'acier fonçant à la rencontre du Mur de béton bâti par les Allemands.

Cinq mille navires. En tête et sur les flancs voguaient les bateaux de guerre, cuirassés et croiseurs, torpilleurs et destroyers. Hérissés de canons, ils protégeaient l'armada comme des chiens de berger leur troupeau. Il y avait là l'élite de la Royal Navy, les glorieux vétérans qui, en près de cinq années de batailles incessantes, avaient chassé des mers la flotte de surface allemande et envoyé par le fond les meutes de sous-marins lâchées par Hitler. Il y avait les mastodontes américains venus à travers l'Atlantique pour ouvrir la voie à l'armée de la libération. Mais l'escadre comptait aussi des navires français, hollandais, norvégiens, polonais, qui avaient échappé à la capture après la défaite de leur pays et qui avaient continué le combat aux côtés des Alliés. Leurs équipages allaient régler des comptes accumulés depuis des années. Après avoir dû fuir sous l'orage déchaîné par les nazis, ils revenaient pour livrer, face aux côtes françaises, la bataille décisive. Pour ceux-là, cette nuit de juin 1944 était la plus belle de la guerre.

Dans le sillage des navires de combat venaient les innombrables transports de troupe et de matériel. Tout ce qui pouvait flotter était là : paquebots majestueux faits pour les croisières de luxe, vieux cargos rouillés, pétroliers qui avaient jadis sillonné les mers chaudes, petits caboteurs faisant figure de bassets auprès des grands chiens de garde de la flotte de guerre. Leurs équipages, habitués aux courses solitaires, n'en revenaient pas de se retrouver en si nombreuse compagnie. « Ce n'est plus la mer, bougonnait un vieux marin, c'est le métro à six heures du soir !... »

La colossale armada comptait aussi des bateaux qu'aucun loup de mer n'avait vus sur aucune mer du monde. On les avait conçus et construits spécialement pour le débarquement. Ils n'étaient ni rapides ni beaux, avec leur coque à fond plat, et les marins leur trouvaient une ressemblance fâcheuse avec une boîte à sardines, mais ils n'étaient pas destinés à courir des régates. Leur rôle consistait à déposer aussi près que possible de la plage le maximum de troupes et de matériel dans le minimum de temps.

Certains mesuraient plus de cent mètres de long. Au lieu des chaloupes de sauvetage habituelles, ils transportaient des barges dont l'étrave s'abaissait vers l'avant et qui serviraient à jeter sur les plages les premières vagues d'assaut. Des dizaines d'autres barges transportaient les tanks, dont le canon pointait au-dessus du bastingage car il était prévu que les tankistes feraient feu dès qu'ils seraient à portée des défenses allemandes. Leur étrave s'ouvrait comme une porte à deux battants, ce qui facilitait une évacuation rapide des chars. Pour protéger leur descente et celle des fantassins, d'autres barges, chargées de pièces d'artillerie, s'approcheraient grâce à leur fond plat à proximité immédiate du rivage et tireraient à bout portant sur les blockhaus ennemis. Les plus redoutables étaient les barges équipées de lance-fusées : une seule de leurs salves avait la même puissance que les canons de quatre-vingts croiseurs légers. La chaleur dégagée était telle que des équipes spéciales, portant des combinaisons en amiante à l'épreuve du feu, devaient arroser le pont en permanence pour éviter qu'il se gondole.

Les bateaux les plus étranges étaient coiffés de centaines de petites cheminées. Leur tâche était pacifique : c'étaient les bateaux-cuisines où l'on préparerait, au moins pendant les premiers jours, les repas des dizaines de milliers d'hommes qu'on allait déverser sur les côtes françaises. Il y avait aussi des navires-hôpitaux avec leurs salles d'opérations fin prêtes, des navires-magasins bourrés de vêtements, et même un bateau équipé en bureau de poste pour trier et acheminer le courrier des soldats.

Tout était prévu. C'était en somme comme si un grand port s'était détaché du rivage et voguait sur la mer avec ses dépôts de vivres et de vêtements, ses restaurants, ses hôpitaux et sa grande poste centrale. Mais ses 237 000 habitants étaient des marins ou des soldats qui partaient pour la plus grande expédition militaire de tous les temps.

Le géant américain

Quatre années de travail acharné avaient été nécessaires pour en arriver là. On avait perdu un temps si précieux... Hitler, lui, préparait la guerre depuis qu'il était devenu le maître de l'Allemagne, en 1933. Grâce au matériel moderne qu'il avait ainsi accumulé, il avait pu écraser en 1940 la Pologne, le Danemark, la Norvège, la Hollande, la Belgique et la France. L'Angleterre s'était alors fiévreusement lancée dans la fabrication de matériel de guerre, mais avec quel retard ! Si Hitler avait pu débarquer ses divisions blindées sur la côte anglaise en 1940, il n'aurait trouvé en face de lui que des troupes presque désarmées. Il n'y avait alors que 40 mitraillettes pour toute l'armée anglaise, les garde-côtes étaient armés de gourdins et les vieux réservistes mobilisés s'entraînaient au maniement d'armes avec des manches à balai...

L'Angleterre n'aurait certainement jamais rattrapé son retard si les États-Unis n'étaient venus à la rescousse en 1941 avec leur énorme puissance économique. Entre ces pays libres et l'Allemagne nazie s'engagea un match industriel aussi important que les combats qu'ils se livraient sur le champ de bataille car la victoire finale irait au camp qui pourrait engager le plus de tanks, le plus d'avions et le plus de navires.

Les nazis étaient les maîtres de l'Europe. Ils réquisitionnèrent ses usines et les firent tourner pour leur armée. Ils contraignirent à venir travailler chez eux sept millions de jeunes gens et jeunes filles raflés dans les pays occupés. Ils construisirent, pour échapper aux bombardements alliés, des usines souterraines où les Juifs et les résistants déportés durent travailler sous les coups des S.S. jusqu'à ce que la mort les délivre de leur calvaire. L'Allemagne devint ainsi une prison où des millions d'esclaves fabriquaient les armes qui serviraient à assurer le triomphe de leurs maîtres. Les résultats furent impressionnants : en 1944, malgré les raids aériens, les usines de guerre allemandes battaient tous leurs records de production. Les chefs nazis étaient convaincus que leurs adversaires ne pourraient jamais les rattraper. Quand Rommel, revenu d'Afrique, déclara au maréchal Goering que les chars d'assaut américains étaient redoutables, le gros Goering répondit en éclatant de rire : « Allons donc, Rommel ! Les Américains ne sont capables que de fabriquer des lames de rasoir ! »

Ils fabriquaient en effet d'excellentes lames de rasoir, des voitures, des machines à écrire, des aspirateurs ou des machines à laver. Ce peuple alors pacifique, bien décidé à se tenir en dehors de toute guerre, ne voyait pas l'intérêt de fabriquer des armes coûteuses qui ne lui serviraient à rien. Beaucoup d'Américains, enfermés dans leur égoïsme, étaient partisans de laisser les pays d'Europe se déchirer entre eux comme ils le faisaient depuis des siècles. Ils ne voyaient pas, ces Américains, que la guerre déclenchée par Hitler n'était pas comme les autres, qu'elle représentait une menace pour le monde entier, que la peste nazie dont parlait Churchill pourrait un jour traverser l'Atlantique. Le président américain, Franklin Roosevelt, avait parfaitement conscience du danger. Il souhaitait de toutes ses forces rejoindre son ami Churchill dans la croisade antihitlérienne. Les Japonais lui en donnèrent la possibilité en 1941, lorsqu'ils attaquèrent la flotte américaine à Pearl Harbor, puisque l'Allemagne, alliée du Japon, déclara du même coup la guerre aux États-Unis.

On assista alors à un spectacle prodigieux. Le géant américain, tiré brutalement du sommeil, décida de faire la guerre comme il faisait toutes choses, c'est-à-dire à fond. Ses immenses ressources et le travail de ses innombrables ouvriers avaient fait du peuple américain le plus riche de la Terre. Il résolut de devenir le plus puissant. Ses usines ne fabriquèrent plus des automobiles, mais des chars d'assaut. Celles qui produisaient des machines à écrire fabriquèrent des mitrailleuses. De la côte Pacifique à la côte Atlantique, des millions d'ingénieurs et d'ouvriers travaillèrent nuit et jour pour donner aux armées alliées le matériel militaire qui leur permettrait de vaincre Hitler.

Les usines existantes ne suffisant pas, on en créa de nouvelles qui surgirent en quelques semaines dans des régions jusque-là désertes. Faute de logements, les travailleurs dormirent dans leur voiture ou dans des roulottes. Les ingénieurs s'efforcèrent de raccourcir les délais de fabrication et, grâce à leur esprit d'initiative et au génie inventif qui les a toujours caractérisés, ils trouvèrent souvent des solutions révolutionnaires. Leur principal souci était la construction navale. Une victoire alliée n'était possible que si des milliers de bateaux sortaient à un rythme accéléré des chantiers américains. Or, la construction navale n'avait guère évolué depuis un siècle. Elle consistait toujours à faire défiler l'une après l'autre dans une cale sèche les équipes de spécialistes qui s'occupaient successivement de la coque, des superstructures, des installations intérieures, de l'armement, etc. Les techniciens américains eurent, les premiers au monde, l'audace de faire travailler les équipes *simultanément* en décidant de construire les bateaux en série et par pièces détachées. Chaque chantier construisait une partie du bateau et des spécialistes assemblaient le tout dans la cale sèche. C'était une révolution. Il fallait avant-guerre 280 jours pour fabriquer un gros cargo. Grâce à cette révolution technique, le délai fut ramené à 80 jours en 1942, puis à 22 jours en 1944. Un cargo en trois semaines ! Les chiffres sont là : en trois ans, les États-Unis construisirent une flotte qui dépassait celles de leurs ennemis et de leurs alliés réunis. En 1944, dix mille avions sortaient chaque mois de leurs usines. Quant à la construction des chars légers, les chefs militaires eux-mêmes demandèrent aux industriels de la ralentir : on en fabriquait tant que l'armée n'arrivait plus à suivre le rythme et à former suffisamment de tankistes...

Telle était la réponse des ingénieurs et des ouvriers américains à l'imbécile Goering qui ne les croyait pas capables de fabriquer autre chose que des lames de rasoir.

Pour y parvenir, on s'était serré la ceinture. L'acier et le fer furent réservés à la production de guerre. On rationna le sucre, la viande, le café. Il fallait, comme en Europe, des tickets pour en obtenir. Mais les quantités attribuées à chaque Américain auraient certainement fait rêver Jacques Auverpin. Le rationnement visait seulement à éviter le gaspillage : il n'affamait personne. Aucune mère américaine ne songea à faire un civet du lapin favori de son petit garçon. Le plus dur, pour les adultes, fut le rationnement d'essence car ils avaient l'habitude d'en utiliser beaucoup. Les voitures restèrent au garage et les rues des villes furent abandonnées aux enfants qui jouaient à la guerre, chaque bande se disputant pour savoir à qui le tour de tenir le rôle des Allemands et des Japonais.

Les jeunes Américains ne firent pas que la guerre pour rire : ils aidèrent aussi à gagner la vraie en allant, de maison en maison, récupérer les vieux journaux et la ferraille inutilisée. Chaque école demanda à ses élèves de donner un peu de leur argent de poche pour aider à la victoire. Grâce à eux, on put fabriquer 2 900 avions, 33 000 jeeps, 11 690 parachutes. L'été, 700 000 jeunes gens firent la récolte à la place des fermiers mobilisés. Cet effort de tous était la condition de la victoire. Victoire sur l'Allemagne nazie, mais aussi sur le Japon, qui s'était lancé à la conquête de l'Asie et qui, comme son allié nazi, avait commencé par accumuler les succès, balayant devant lui les maigres troupes qu'on trouvait à lui opposer.

Le bulldog britannique

La petite Angleterre n'avait pas les ressources humaines et matérielles du géant américain. Elle se battait depuis le premier jour de la guerre et elle avait frôlé la défaite au moins à trois reprises : d'abord en 1940, quand elle s'était retrouvée seule face à la menace d'un débarquement allemand ; puis au cours de l'offensive aérienne de la Luftwaffe de Goering qui sema la ruine et la mort dans ses villes ; et enfin lors de l'offensive sous-marine allemande qui enserra l'île dans un filet mortel et coula par dizaines les bateaux qui apportaient le ravitaillement et les matières premières indispensables. Chaque fois, l'Angleterre avait survécu grâce au courage de ses aviateurs, de ses marins, mais aussi de ses civils qui tinrent bon sous les bombes. On comparait depuis toujours l'Anglais à un bulldog. Inébranlable, insensible au découragement, le bulldog avait tenu tête au loup nazi quand personne n'aurait osé parier sur ses chances de survie. Lorsque le danger de mort eut disparu avec l'entrée en guerre de l'Union soviétique et des États-Unis, il employa à préparer la victoire l'acharnement qu'il avait mis à éviter la défaite.

Cela signifiait encore et toujours du travail. Le peuple l'avait compris et ne ménagea pas sa peine. Les femmes surtout donnèrent l'exemple. Beaucoup avaient choisi de combattre directement l'ennemi en s'engageant dans la D.C.A. Mary, la fille de Winston Churchill, servait dans une batterie près de Londres et le général Eisenhower raconte qu'à chaque alerte aérienne, il fallait retenir son célèbre père qui voulait absolument aller la rejoindre. Mais c'est surtout par leur labeur que les femmes anglaises préparèrent la victoire. Elles furent plusieurs millions à remplacer dans les usines leurs maris mobilisés. Quelle différence avec l'Allemagne, où l'on préférait enchaîner aux machines des esclaves ramassés de force à travers l'Europe... Et quelle réponse au maréchal Rommel qui, prenant ses désirs pour des réalités, annonçait à sa femme, moins de deux mois avant le débarquement, que le moral anglais était brisé et que les travailleurs faisaient grève au cri de « A bas Churchill et les Juifs ! » Le maréchal bricoleur était décidément bien mauvais juge de l'état d'esprit des civils, lui qui croyait aussi que les Français travailleraient avec enthousiasme à ses fortifications...

On ne construisit pas en Angleterre des usines géantes autour desquelles s'agglutinaient les milliers de voitures et de roulottes qui servaient de dortoirs aux ouvriers. L'Angleterre était un vieux pays surpeuplé où chaque habitant avait sa place marquée de sa naissance à sa mort. Mais des ateliers se créèrent dans les villes, les bourgs, et jusque dans les villages les plus reculés. Chacun de ces ateliers fabriquait une pièce détachée de char d'assaut ou de barge de débarquement que l'on transportait ensuite par camion à l'usine centrale où des spécialistes assemblaient le tout. Grâce à ce système, la production fut multipliée et les armes de la victoire s'accumulèrent dans les entrepôts de l'armée et sur les quais des ports.

Ce fut bientôt la place qui manqua. Car arrivaient aussi par convois entiers les hommes et le matériel qu'envoyaient les États-Unis. Deux millions de soldats débarquèrent en Angleterre. On les logea d'abord dans les bâtiments disponibles (écoles, théâtres, cinémas) puis dans des camps qui ressemblèrent vite à de véritables villes. Le matériel arrivait par quantités tout simplement prodigieuses. Qu'aurait dit le maréchal Goering en voyant les longues files de véhicules neufs qui encombraient les champs ? 50 000 ambulances, des chars, des jeeps, des automitrailleuses, des centaines de milliers de camions... Les Alliés avaient même fait construire 1 000 locomotives et 20 000 wagons de marchandises pour remplacer le matériel ferroviaire français détruit par les bombardements. Dans les campagnes anglaises s'entassaient encore des aérodromes préfabriqués qui, embarqués sur les cargos, pourraient être rapidement mis en place sur la terre de France, et aussi des hôpitaux mobiles, des dépôts de pièces détachées. Les bois abritaient des centaines de millions d'obus. Toutes les citernes d'essence étaient pleines à ras bord.

Il y en avait tant et tant que les Anglais se répétaient avec humour que leur île surchargée allait s'enfoncer dans la mer et que seuls les ballons de barrage antiaérien la maintenaient encore à la surface !

On construisit des aérodromes jusqu'à ce que les spécialistes déclarent qu'aucun emplacement favorable n'était plus disponible. Les pilotes disaient que les pistes étaient si nombreuses qu'on pouvait aller en avion d'un bout à l'autre de l'Angleterre sans décoller...

L'encombrement était encore pire pour les bateaux : les ports britanniques, quoique nombreux et vastes, étaient bien incapables de recevoir les cinq mille navires de l'armada alliée. Comment faire pour embarquer les troupes et le matériel ? Le problème était le même qu'aujourd'hui dans les grandes villes, où il n'y a pas assez de places de stationnement le long des trottoirs pour garer toutes les voitures. On pouvait évidemment envisager que les bateaux et les barges fassent la queue à l'entrée des ports et viennent à tour de rôle se mettre à quai, mais cela prendrait des jours et des jours. L'imagination, là encore, résolut la difficulté. On réserva les ports aux gros bateaux et on construisit, sur les plages anglaises, des jetées en bois s'avançant sur la mer. Les barges s'aligneraient bord à bord, le nez sur la jetée, leur rampe d'accès baissée pour recevoir leur chargement d'hommes ou de matériel.

Telle était l'Angleterre à la veille du Grand Jour : un tremplin encombré de soldats et surchargé des armes que des millions d'ouvrières et d'ouvriers avaient forgées pour eux. Aux jours sombres de 1940, quand tout paraissait perdu, Winston Churchill avait affirmé à ses compatriotes que la victoire était au bout du chemin mais que ce chemin serait long et difficile. Il ne pouvait leur promettre que « du sang, de la sueur et des larmes ». Beaucoup de sang et de larmes restaient encore à verser, mais en 1944 la sueur des peuples libres avait accompli ce miracle : chassées du continent européen quatre ans plus tôt par les nazis, les armées de la liberté étaient maintenant assez puissantes pour y retourner.

L'énorme machine se mit en branle à la fin d'avril 1944. Au signal donné par le quartier général, un million d'hommes et deux cent mille véhicules se mirent en route vers les ports d'embarquement. Ce fut un remue-ménage tel que le pays n'en avait jamais connu. Pendant des heures et des heures, les convois firent trembler les maisons bâties au bord des voies ferrées et des routes. Londres, qui était bourrée de soldats, se vida d'un seul coup. La fourmilière humaine, abandonnant villes et campagnes, s'entassait sur les côtes.

Les soldats savaient maintenant que le débarquement était proche. Ils l'avaient baptisé « l'opération bain de mer ». Mais la plupart n'avaient pas le cœur à plaisanter. Les rapports signalaient à l'état-major que presque tous les hommes s'attendaient à être tués. Ils comprirent qu'ils allaient combattre en France quand on leur remit un peu d'argent français. Puis on leur distribua un manuel qui commençait par cette phrase : « Un nouveau corps expéditionnaire, dont vous faites partie, va partir pour la France. Vous allez aider personnellement à chasser les Allemands de France et à les reconduire chez eux. » On leur montra ensuite des photos ou des maquettes des objectifs qu'ils allaient attaquer. L'aspect leur en sembla familier : c'était sur des objectifs exactement semblables qu'on les entraînait depuis des mois.

Puis commença l'attente dans les camps spéciaux installés près des ports ou des plages d'embarquement. Nul n'avait le droit d'en sortir : le secret devait être préservé. Le soir, au crépuscule, on lâchait au-dessus des ports un brouillard artificiel destiné à empêcher les avions de reconnaissance allemands de découvrir les préparatifs à l'aide de fusées éclairantes. De jour, les chasseurs alliés suffisaient à écarter le danger.

Le 30 mai arriva l'ordre d'embarquement. Deux cent trente mille soldats montèrent dans les bateaux avec leurs tanks, leurs jeeps, leurs canons, et attendirent patiemment l'appareillage.

Ils sont à présent à mi-chemin entre l'Angleterre et la France.

Veillée d'armes en mer

La flotte progresse en convois massifs dans les couloirs que les dragueurs de mines ont soigneusement ratissés et qui sont délimités par des bouées lumineuses. Pourquoi tire-t-elle ces centaines de ballons aériens dont chacun est accroché à un navire par un câble d'acier ? Ils la protégeront des attaques de l'aviation ennemie en empêchant les pilotes allemands de manœuvrer à leur aise dans le fouillis des câbles : s'ils s'y aventurent, ils risqueront d'y briser leurs ailes. Les plus chanceux devront encore affronter le feu nourri de la D.C.A. des navires de guerre et des barges aménagées en batteries anti-aériennes. Mais en cette nuit du 5 au 6 juin 1944, le ciel est vide d'avions allemands. Il appartient tout entier aux escadres alliées qui vont déverser sur la France leurs parachutistes et leurs bombes.

La flotte navigue lentement car les puissants cuirassés et les rapides torpilleurs doivent régler leur allure sur celle de la plus petite barge. Mais sa lenteur même ajoute encore à sa majesté. Qui, en la voyant, ne la jugerait invincible ?

Sur le pont des bateaux et à l'intérieur des cales, le spectacle était beaucoup moins majestueux. Le vent qui soufflait en rafales creusait la mer. Les lourds paquebots eux-mêmes ressentaient les effets de la tempête. Quant aux barges, elles dansaient sur les vagues comme des bouchons de liège et plusieurs, parmi les plus petites, furent submergées par une lame et s'engloutirent avec leurs passagers.

Jamais autant d'hommes n'eurent en même temps le mal de mer. C'est un malaise affreux, né du roulis et du tangage, qui met ses victimes dans un état pire que bien des maladies graves, au point que beaucoup croient leur dernière heure venue. Le pauvre diable en proie au mal de mer vomit tous ses aliments, puis sa bile, et souffre de violentes migraines. Il est sans force, sans ressort, et son seul espoir est que la traversée se termine au plus vite. Tant et si bien que beaucoup de soldats, pliés en deux par les nausées, en vinrent à souhaiter ardemment l'arrivée sur cette plage de sable où les attendaient pourtant les pièges et le feu de l'ennemi.

Telle est la guerre. Ceux qui la dépeignent comme une épopée toujours héroïque mentent ou se trompent. Elle est tragique mais aussi pitoyablement comique. Elle n'est pas faite par des chevaliers de légende mais par des hommes à qui il arrive d'avoir le mal de mer. La guerre, en cette nuit de tempête, c'était la fière armada taillant superbement sa route vers la côte de France, mais c'était aussi, le long des bastingages, ces rangées de pauvres diables au teint vert qui vomissaient leur bile dans la mer et n'avaient absolument pas l'impression d'être des héros.

On avait bien sûr prévu le mal de mer, puisque tout était prévu, et chaque soldat embarqué avait reçu quelques pilules destinées à l'en préserver. Mais leur effet était très variable. Beaucoup ne constatèrent aucun résultat appréciable, sinon une très forte envie de dormir, ce qui était dangereux pour des hommes qui allaient bientôt devoir combattre. Chez quelques-uns, les pilules eurent même des conséquences franchement déplorables. Le correspondant de guerre Ernie Pyle, qui accompagnait les troupes pour raconter le débarquement dans les journaux américains, observa que des soldats avaient la gorge complètement desséchée après avoir pris les pilules et que leurs pupilles se dilataient au point de les rendre presque aveugles. C'était encore plus dangereux, si possible, que de débarquer en bâillant de sommeil.

Mais tout le monde n'eut pas le mal de mer. Le soldat Dominic Sparaco, un New-Yorkais de vingt ans, fit une traversée dont il garda le meilleur souvenir : « On n'a pas arrêté de s'amuser. J'ai d'abord joué aux cartes avec des copains et on s'est ensuite déguisés en femmes. Il y avait un type qui avait une guitare et un autre qui jouait de l'harmonica. Ils nous ont fait danser, on riait comme des fous. » Dominic, qui avait une belle voix, chanta ensuite quelques chansons italiennes. Ses parents étaient en effet italiens et avaient émigré aux États-

Unis. Dominic, né à New York, se considérait comme un Américain cent pour cent. Il n'éprouvait absolument aucune gêne à se battre contre des Allemands qui étaient alliés aux Italiens. Engagé dans l'armée depuis l'âge de dix-sept ans, il appartenait aux Rangers, unité d'élite à laquelle on avait confié une tâche infiniment périlleuse : la prise de la pointe du Hoc, où les Allemands avaient installé au sommet de falaises à pic une batterie d'artillerie lourde. Dominic et ses camarades s'étaient entraînés pendant des mois à escalader les falaises d'Angleterre à la force du poignet. Ils étaient convaincus que, si l'on avait superposé toutes les pentes escarpées qu'on leur avait fait grimper, la hauteur totale aurait dépassé celle de l'Himalaya. Ils se sentaient en pleine forme. « Ça peut paraître incroyable, affirme Dominic, mais on ne s'en faisait vraiment pas. Aucun d'entre nous ne se doutait de ce qui nous attendait... »

David Silva, par contre, se demandait avec angoisse s'il serait encore vivant le lendemain soir. Agé de dix-neuf ans, il avait des cheveux bruns et des yeux noirs au regard chaleureux qui exprimaient la bonté. Catholique, il assista à la messe qui fut célébrée sur le bateau et communia avec ferveur. Beaucoup de ses camarades l'imitèrent. « Ils savaient, explique-t-il, que l'heure était plutôt grave et ils voulaient être prêts. Chacun ressentait que le lendemain pourrait bien être son dernier jour sur cette terre. Après, on a essayé de ne plus penser à ça, mais c'était difficile. Certains lisaient, d'autres jouaient aux cartes, la plupart bavardaient à voix basse. Ils parlaient de tout et de n'importe quoi. Je n'ai pas pu dormir. Il me semblait qu'un gros nuage noir était fixé au-dessus de ma tête. »

David, dans quelques heures, débarquerait sur la plage dominée par le blockhaus de Heinz Tiebler.

Le sergent Anthony Errico, vingt ans, était lui aussi destiné à attaquer les casemates d'Omaha Beach sous le tir d'artillerie que Heinz déclencherait sur lui. Il ne souffrit pas du mal de mer mais avoue : « J'avais probablement bien trop peur pour ça. Je n'ai d'ailleurs rien mangé. On ne pense pas à manger quand on est mort de trouille. » Il joua au poker pour se changer les idées et gagna à ses partenaires trois cents dollars, ce qui était une belle somme. Il rangea soigneusement ses billets, puis s'étendit sur le pont et pensa à ses six frères et sœurs. Il avait la conviction qu'il ne les reverrait plus jamais. Cette certitude lui sembla d'abord intolérable mais il finit par s'y habituer et décida que puisque c'était comme ça, il ne lui restait qu'à aller de l'avant en faisant son boulot le mieux possible. De toute façon, il ne pouvait plus reculer.

On ne pouvait plus reculer. Chaque capitaine avait reçu des ordres formels : une fois franchie la moitié de la distance séparant l'Angleterre de la France, aucun navire, même endommagé par une torpille de sous-marin, n'avait le droit de faire demi-tour. On devait avancer ou couler. Toute manœuvre aurait en effet semé le désordre dans la progression des convois, réglée comme un mécanisme d'horlogerie. De même, aucun navire ne pouvait stopper ou dévier de sa route pour recueillir des naufragés, à l'exception des vedettes. Les malheureux devraient attendre patiemment qu'on vînt les repêcher. Mais les matelots du bateau d'Ernie Pyle prévinrent leurs passagers : dans une eau si froide, on s'évanouissait en un quart d'heure et la mort venait en moins de quatre heures. Les soldats firent grise mine jusqu'à ce que l'un d'eux montrât le ponton que traînait leur bateau : en cas de naufrage, on pourrait toujours se réfugier sur lui. Oui, mais le ponton ne serait-il pas entraîné au fond de l'eau par le câble qui le liait au navire ? Le soldat optimiste répondit qu'un marin armé d'une hache était certainement chargé de trancher le câble. On le crut, ou on fit semblant, mais ce n'était pas vrai...

Un souci commun à tous les soldats était l'incroyable fourniment dont ils étaient chargés. Chacun d'eux emportait son arme individuelle, deux cents cartouches et des grenades, un paquet de pansements, des rations alimentaires pour trois jours, un outil (pelle ou pioche), un masque à gaz et un gilet de sauvetage. A cela s'ajoutaient les équipements collectifs qu'on avait répartis entre eux. Ainsi David Silva, qui était servant de mitrailleuse, s'était-il vu confier des bandes de cartouches qu'il avait croisées autour de ses épaules, et encore des cordes qui serviraient à escalader la falaise d'Omaha. Le tout pesait au moins vingt-cinq kilos et David était persuadé qu'il coulerait à pic s'il avait la malchance de tomber à l'eau.

Le masque à gaz, si encombrant dans son étui que l'on portait en bandoulière, faisait alors partie de l'équipement de chaque soldat, qu'il fût allié ou allemand. Même les civils en étaient pourvus. Jacques Auverpin avait son masque, tout comme la petite Betty Bryan emportait le sien quand elle allait se coucher dans l'abri antiaérien du jardin. Tous les peuples d'Europe gardaient un souvenir horrifié de l'emploi des gaz asphyxiants lors de la Première Guerre mondiale. Les Allemands les avaient utilisés les premiers, en 1918, puis tout le monde s'y était mis et des dizaines de milliers d'hommes en étaient morts dans d'affreuses souffrances. Depuis, on avait inventé des gaz encore plus puissants — si puissants mais d'un emploi si périlleux que personne ne les avait encore utilisés. Mais qui pouvait savoir ce que réservait l'avenir ? Comment être sûr que les Allemands ne décideraient pas d'utiliser les gaz pour rejeter les Alliés à la mer ? Il était plus sage de se munir d'un masque. Et comme certains gaz récents tuaient par simple contact avec la peau, on avait distribué aux troupes d'assaut un uniforme spécial, imprégné d'un produit antigaz. De plus, l'étui du masque avait des poches contenant une cape imperméable, une pommade antigaz pour les yeux, une autre pour la peau, et un calot traité au même produit que la tenue spéciale. Même les chaussures avaient été cirées avec une crème empêchant les gaz de se fixer sur le cuir.

Tout était vraiment prévu.

Mais les hommes, en cette nuit d'attente et de tourment, n'avaient guère le cœur à s'extasier sur l'immense travail effectué par les techniciens qui avaient minutieusement préparé le débarquement. Ceux qu'on avait entassés dans les barges étaient les plus furieux. Secoués par les vagues, ils maudissaient les ingénieurs diaboliques qui avaient inventé ces boîtes à sardines incapables de tenir la mer. Les soldats rendus presque aveugles par les pilules vouaient à tous les diables les médecins militaires. Et le sergent Errico découvrait avec fureur, comme ses camarades, que le produit antigaz dont était imprégné le col de son uniforme lui brûlait le cou : encore un truc auquel les maudits bureaucrates n'avaient pas pensé !

Cet inconfort et ces désagréments avaient au moins l'avantage de distraire les soldats de l'angoisse qui leur serrait le cœur. La peur était leur compagne depuis qu'ils se savaient désignés pour l'assaut. La 29e division, dont un régiment allait attaquer Omaha, avait traversé une véritable crise de démoralisation. On lui avait prédit des pertes effrayantes : neuf hommes sur dix seraient tués sur la plage. Le général Bradley était venu la réconforter : « Ces histoires de pertes terribles, ce sont des bobards. Il y en a qui ne reviendront pas, mais il n'y en aura pas beaucoup. » Même la 1re division, qui devait elle aussi attaquer

Omaha, avait perdu le superbe moral qui en faisait la meilleure unité d'infanterie de l'armée américaine. Ses hommes avaient déjà à leur actif deux débarquements : en Afrique du Nord et en Sicile. Et voilà qu'on les forçait à remettre ça en France... Comptait-on par hasard sur la 1re division pour gagner la guerre à elle seule ? Les hommes en avaient assez. Ils voulaient tout simplement rentrer chez eux.

Les chefs alliés n'étaient pas plus rassurés que la troupe. Churchill répétait au général Eisenhower : « Prenons garde à ce que les vagues ne rougissent pas du sang de la jeunesse américaine et britannique, et que les corps de nos soldats ne s'amoncellent pas sur les plages. » Le chef d'état-major d'Eisenhower avouait que le débarquement n'avait qu'une chance sur deux de réussir. Et Montgomery avait conclu l'un de ses rapports par ces mots : « La bataille sera terrifiante. »

Ainsi s'écoulèrent lentement les heures de cette nuit du 5 au 6 juin 1944. Elle fut sans aucun doute la plus dure de toute leur vie pour les passagers des barges, transis de froid sous leurs couvertures, trempés par les embruns, vautrés dans leurs vomissures, torturés par les crampes. Mais ce fut aussi la nuit la plus longue pour les soldats qui avaient la chance d'être installés sur les gros transports. Ils l'occupèrent à jouer aux cartes, à chanter quand ils en avaient le courage ou l'inconscience, rarement à dormir, plus souvent à avoir peur, presque toujours à parler. Sur le bateau du lieutenant de vingt-trois ans Steve Phillips, qui allait lui aussi attaquer le lendemain la plage défendue par Heinz Tiebler, la moitié des hommes avaient le mal de mer et les autres, assis par petits groupes dans la cale et sur le pont, bavardaient à mi-voix. « Ils parlaient de leur mère, de leur père, de leur petite amie. » Ce fut la nuit des grandes confidences. Des soldats jusqu'alors réservés, et dont les camarades ignoraient la vie privée, racontèrent à des inconnus les mille bonheurs et les mille malheurs qui font une vie humaine. On parlait beaucoup des familles, comme si ces garçons dont la plupart n'avaient pas vingt ans voulaient, avant d'affronter l'enfer, évoquer une dernière fois le paradis perdu de leur enfance toute proche. Steve Phillips fit comme eux, puis décida de ne plus penser au passé, mais à l'avenir. Officier, il avait des responsabilités. Il rassembla ses sergents autour de lui et procéda avec eux à une sorte de répétition générale. Il voulait s'assurer une dernière fois que chacun savait exactement ce qu'il devait faire quand viendrait l'heure de donner l'assaut.

Étendus sur leur couchette ou sur le pont du bateau, assis à fond de cale, seuls ou en groupe, des centaines d'officiers tentent comme Steve d'échapper à l'appréhension en se récitant intérieurement leurs instructions. Les yeux fermés, ils revoient les cartes et les maquettes qu'on leur a montrées. Tous les détails de la défense allemande y étaient reportés : plan des blockhaus, angles de tir des mitrailleuses, emplacement des champs de mines, effectif des défenseurs. Chaque soldat a pu ainsi découvrir ce qui allait être son champ de bataille. Il a repéré les buissons qui le masqueraient à l'ennemi, le fossé qui le protégerait de son tir. Il connaît les points forts et les points faibles du dispositif adverse. Il sait précisément où frapper. C'est pour lui un immense réconfort car, de toutes les peurs qui assaillent le soldat à la veille de combattre, la pire est la peur de l'inconnu.

Ce réconfort, le soldat allié le doit à la Résistance.

Une carte longue de seize mètres

Il y a ceux qui tuent l'Allemand, comme André Kirschen et ses camarades. Il y a ceux qui mettent le feu à ses entrepôts, font sauter ses repaires, sabotent ses moyens de transport. Cette nuit même, tandis que la flotte alliée navigue vers la France, les sirènes mugissantes d'Ambérieu-en-Bugey annoncent une alerte aérienne. Ambérieu, dans le Jura, est un nœud ferroviaire important du réseau français. Son dépôt entretient des dizaines de locomotives. Une puissante garnison allemande le protège, mais ses soldats disciplinés gagnent les abris antiaériens dès que mugissent les sirènes. Seules quelques sentinelles restent en place. Le nez en l'air, guettant les avions, elles n'aperçoivent pas les ombres qui se glissent entre les locomotives. La Résistance attaque. Les saboteurs sont pour la plupart des garçons de seize et dix-sept ans que guident des cheminots. Ils posent leurs charges de plastic contre le flanc des machines. Un groupe débouche face à une sentinelle ; elle est liquidée sans bruit. Les garçons se retirent aussi silencieusement qu'ils étaient venus. Un seul d'entre eux a été blessé. Les charges explosent, tuant encore deux sentinelles et en blessant plusieurs. Cinquante-deux locomotives sont hors d'usage. Autant de trains qui n'amèneront pas en Normandie les renforts allemands...

Il y a ceux qui renseignent.

Ils sont innombrables. Aucun d'eux ne ressemble à un espion professionnel. Ils n'ont à leur disposition aucun matériel spécial : simplement leurs yeux pour voir et leurs oreilles pour entendre. Des yeux pour voir ? Arthur Poitevin n'a même pas cette chance : il est aveugle. Professeur de musique à Bayeux, petite ville située à dix kilomètres de la Falaise d'Omaha, il a, comme beaucoup d'aveugles, une mémoire exceptionnelle qu'il met au service de la Résistance. Le jeune professeur se promène au milieu des fortifications allemandes, accompagné de l'un de ses élèves, François Guérin, qui a tout juste seize ans. Quelle sentinelle s'inquiéterait de cet aveugle à canne blanche guidé par un enfant ? On les laisse passer. François Guérin décrit à son maître tout ce qu'il voit : les blockhaus, les nids de mitrailleuses, le réseau des tranchées. Il compte le nombre de pas séparant les ouvrages fortifiés. Arthur Poitevin enregistre chaque détail et chaque chiffre. Sa mémoire phénoménale lui permettra, de retour à Bayeux, de rédiger un rapport où figurera tout ce qu'ont vu les yeux de son jeune compagnon.

Le Mur de L'Atlantique, Robert Douin l'observe de haut. Sculpteur de grand talent, directeur de l'école des Beaux-Arts de Caen, à quelques kilomètres des plages de débarquement anglaises, il est chargé de l'entretien des monuments historiques. Pourquoi les sentinelles ennemies se méfieraient-elles de cet homme muni de toutes les autorisations de circulation nécessaires et dont l'apparence est si rassurante ? Barbu et moustachu, Robert Douin est toujours coiffé d'un grand chapeau noir et arbore autour du cou une énorme cravate lavallière comme personne n'en porte plus depuis un siècle. Un artiste. Qui se méfierait d'un artiste ? Douin s'installe donc dans les clochers à restaurer et, entre deux tailles, tout en dégustant le camembert qu'il n'oublie jamais d'emporter, il dresse sur de minces feuilles de papier à cigarette le plan des fortifications allemandes, note l'emplacement des canons, dessine d'une main sûre la silhouette massive des blockhaus. Le soir, de retour à Caen, il reporte ses croquis sur de grandes feuilles de papier calque qu'il cache ensuite dans la gouttière de sa maison. Un agent de liaison de la Résistance viendra les y chercher et les fera parvenir à Londres.

Arthur Poitevin, musicien ; Robert Douin, sculpteur — il ne manque plus qu'un peintre. Le voici : René Duchez, qui habite également Caen. Peintre en bâtiment, il est vrai, et non pas artiste peintre, mais grand maître dans l'art de rouler les Allemands et dont les chefs-d'œuvre ne se comptent plus. Son exploit le plus stupéfiant a été de barboter sous leur nez, dans un quartier général où il faisait en 1942 des travaux de peinture, la carte complète, longue de trois mètres, du Mur de l'Atlantique qu'on allait édifier dans la future zone de débarquement. Ainsi les chefs alliés avaient-ils pu découvrir quels ouvrages fortifiés ils auraient à affronter avant même que le premier fût construit. Mais son métier avait appris à Duchez que le résultat final n'est pas toujours conforme au projet et que des modifications importantes peuvent intervenir en cours de réalisation. Aussi couvait-il son Mur d'un regard vigilant. Pour franchir sans encombre les contrôles que les Allemands multiplient sur les routes, il a imaginé de rassembler une vingtaine de garçons et de filles qu'il emmène le dimanche se promener à bicyclette le long de la côte. Les sentinelles, qui ont bien souvent le même âge que les joyeux randonneurs, les laissent passer en souriant sans doute au spectacle du bon Duchez qui s'essouffle pour ne pas être semé par ses protégés. Vingt paires d'yeux enregistrent comme des caméras la disposition des défenses ennemies. Rien ne leur échappe, et surtout pas ces blockhaus que les Allemands ont camouflés en peignant sur les murs de fausses fenêtres et de fausses portes pour faire croire aux pilotes alliés qu'il s'agissait de paisibles maisons d'habitation ! Les pauses sont plus fréquentes que ne l'exigerait la fatigue des mollets. On sort les cartes cachées au creux des guidons et l'on y reporte toutes les fortifications observées, puis chacun se remet en selle pour la prochaine étape.

A Cherbourg, ce sont des enfants encore plus jeunes qu'un brave curé à longue soutane noire rassemble pour d'interminables parties de ballon. Les gamins du port adorent Louis La Bardonnie. Il les emmène jouer dans les faubourgs, près des blockhaus allemands. Les sentinelles suivent la partie d'un œil amusé. De temps en temps, un coup de pied maladroit expédie le ballon au beau milieu de l'ouvrage fortifié. Le curé confus demande l'autorisation d'aller l'y chercher. Permission toujours accordée : qui se méfierait d'un prêtre entouré de garçons vociférants ? Quand La Bardonnie ressort, son ballon sous le bras, il sait ce que dissimulent les murs de béton. Ce faux prêtre est en vérité l'un des plus audacieux agents de la Résistance. Il sera finalement démasqué, non pas par la Gestapo, mais par de vieilles bigotes qui l'observaient avec étonnement derrière leurs rideaux : curieux curé qui, pour bloquer le ballon, n'écartait pas les jambes comme le ferait une femme en robe... ou un prêtre en soutane, mais les serrait comme un homme habitué à porter des pantalons... Averti par un autre prêtre — un vrai, celui-là !
— La Bardonnie déguerpit sans être inquiété.

Ils sont ainsi des centaines à épier l'ennemi et à surprendre ses secrets. Travail de fourmi car chacun n'apporte en général qu'une brindille minuscule : le calibre d'un canon, l'emplacement d'un champ miné, le nom de l'officier allemand commandant telle batterie. Travail décourageant : comment espérer que des renseignements aussi minces joueront un rôle dans la défaite de l'Allemagne ? On ne sait même pas où les Alliés débarqueront. Peut-être en Norvège, ou bien en Hollande. Plus probablement dans le Pas-de-Calais. A quoi bon prendre tant de risques s'ils ne doivent pas venir en Normandie ? Car ce travail ingrat et décourageant est aussi terriblement dangereux. La Gestapo frappe à coups redoublés. Lorsqu'elle met la main sur un résistant, elle le soumet à d'effroyables tortures pour lui faire dénoncer ses camarades. Arthur Poitevin, le musicien aveugle de Bayeux, est jeté en prison l'un des premiers. Puis les policiers à longs manteaux de cuir sonnent à la porte des Duchez, à Caen. Ils ne trouvent dans la maison que Mme Duchez qui s'efforce de calmer un client de son mari venu se plaindre du mauvais travail exécuté chez lui par le peintre en bâtiment. La Gestapo met à la porte le client furieux, dont elle ignorera jusqu'au bout qu'il s'agissait de Duchez lui-même, toujours prompt à inventer un stratagème, mais elle emmène à sa place Mme Duchez et l'envoie dans un camp de concentration. Le sculpteur Robert Douin est lui aussi capturé. En cette nuit du 5 au 6 juin, il dort dans une cellule de la prison de Caen. Quatre murs limitent l'horizon de celui qui, du haut des clochers, savait repérer à des kilomètres de distance le tube d'un canon sur lequel jouait le soleil. Le gardien, à chaque tour de ronde, ouvre l'œilleton de la porte et s'assure sans doute que le prisonnier dort conformément au règlement des prisons allemandes : les mains à plat sur la couverture. Ces mains ont bien travaillé pour la libération de la France. Elles ont dessiné une carte gigantesque sur laquelle figuraient tous les renseignements glanés par Robert Douin et ses centaines de camarades. Un grand patron de la Résistance, Jean Sainteny, l'a portée lui-même à Londres. *Elle était longue de seize mètres.* Que de patience et d'ingéniosité, que de risques courus et de souffrances endurées pour aboutir à ce rouleau de papier fin... Mais aussi, combien de soldats alliés épargnés grâce aux renseignements qu'il leur donne ? Combien de déportés arrachés à la chambre à gaz parce qu'il avancera l'heure de la victoire ? Robert Douin peut dormir en paix : si l'aube prochaine va être celle du Grand Jour, c'est *aussi* grâce à lui, grâce à tous les hommes et à toutes les femmes de la Résistance.

La sentinelle marcha sur le fil

Aucun résistant ne pouvait aller sur les plages. Elles étaient strictement interdites à tous les Français sans exception. La Bardonnie n'aurait pu y emmener ses vauriens et Duchez lui-même, malgré toute son astuce, n'aurait pas reçu la permission de s'y baigner avec ses cyclistes. A première vue, ce n'était pas grave. Les plages étaient nues comme la main. Même lorsque Rommel y fit pousser ses forêts d'obstacles, les photos prises en rase-mottes par les avions de reconnaissance permirent d'en tenir un décompte précis : plusieurs millions de ces photos s'entassèrent dans les armoires de l'état-major allié. Il n'y manquait ni un pieu, ni un hérisson tchèque, ni une porte belge. Mais on s'aperçut un jour que les photos ne livraient pas tous les secrets des plages.

Cela commença avec un souvenir de vacances. Un officier supérieur anglais avait passé ses étés d'avant-guerre sur les plages normandes où devaient débarquer les troupes britanniques. Il se rappela que le sable était à certains endroits recouvert de plaques d'argile. Ses chefs, informés par lui, aperçurent aussitôt un danger possible : les chenilles de chars d'assaut pouvaient fort bien s'enliser dans cette argile. Comment en avoir le cœur net ? Un petit employé du British Museum apporta la solution. Il découvrit dans le *Bulletin de la Société préhistorique française* de 1938 la description détaillée d'une plaque argileuse située sur la plage de Luc-sur-Mer, que devaient justement attaquer les Britanniques. L'état-major demanda à des géologues de lui trouver en Angleterre un sol exactement semblable à cette plaque d'argile de Luc-sur-Mer. Ils désignèrent la région de Brancaster, dans le comté de Norfolk. On lança des chars sur l'argile de Brancaster et ils s'y enlisèrent. C'était très grave. Il devenait indispensable d'explorer attentivement chacune des plages de débarquement pour vérifier la nature du sol. Et puisque la Résistance était ici impuissante, puisque les explorateurs ne pouvaient venir de la terre, on les ferait surgir de la mer.

Ce fut la mission d'une poignée d'hommes courageux appartenant aux Commandos. Par les nuits sans lune, un sous-marin de poche les amenait par groupes de deux au large de la côte française. De là, ils gagnaient la plage à la nage, protégés du froid par leur combinaison en caoutchouc d'homme-grenouille. Leurs seules armes étaient un poignard et un Colt 45, choisi parce que de toutes les armes à feu, c'était la plus robuste, celle qui résistait le mieux au sable et à l'eau salée. Leur équipement comportait une lampe électrique, une boussole et une montre étanches, une tablette permettant de prendre des notes sous l'eau, une ligne de fil à pêche avec un grain en verre tous les quarante mètres, des étuis pour recueillir des échantillons de sable et même, lors de certaines expéditions, un clinomètre monté sur un petit chariot qui permettrait de mesurer la pente de la plage.

Le moment le plus pénible est la sortie de l'eau. Jusque-là, la mer enveloppait les Commandos et les protégeait. Il leur faut à présent ramper vers la terre hostile, vers les mines, les canons, les lance-flammes automatiques, les mitrailleuses — tout l'arsenal mis en place pour repousser des divisions entières. Et ils ne sont que deux. Ils progressent à plat ventre. Le premier fouille le sol de son poignard, à la recherche des mines. Le second dévide le fil de pêcheur qui leur signalera le chemin du retour. A chaque grain de verre, il fixe le fil avec un crochet en fer et prélève une poignée de sable qu'il glisse dans un sac à échantillons. Le cœur battant, trempés de sueur, les deux Commandos arrivent au pied du Mur, littéralement sous les bottes des sentinelles allemandes. Demi-tour vers la mer. Cette fois, tout s'est bien passé. Mais il y eut des missions dramatiques. Alors que le commandant Scott Bowden et le sergent Ogden Smith rampaient sur la plage d'Omaha, à quelques dizaines de mètres du blockhaus de Heinz Tiebler, ils entendirent avec effroi le sable crisser derrière eux : une sentinelle allemande faisait sa ronde, leur coupant la retraite vers la mer. L'homme posa le pied sur la ligne de pêche mais ne remarqua rien. Il disparut dans la nuit, au grand soulagement des deux Commandos. L'alerte avait été chaude mais la sentinelle leur avait livré sans le vouloir un renseignement très précieux : la plage n'était pas minée.

La nature du sol n'est pas le seul objectif de ces aventureuses missions de reconnaissance. Il y a aussi les obstacles métalliques. Les photos aériennes révèlent sans doute leur forme et leurs dimensions mais elles ne disent rien de leur composition. L'état-major veut savoir de quel métal ils sont faits pour calculer avec exactitude la charge d'explosif qui sera nécessaire au Génie pour les détruire. Les Français libres du général de Gaulle acceptent avec joie cette mission : c'est pour eux l'occasion de retourner sur cette terre de France d'où l'ennemi les a chassés. Cinq d'entre eux, transportés par vedette rapide, gagnent la plage en canot pneumatique. Leurs visages et leurs mains sont noircis au bouchon brûlé. Dans le dos de leur blouson de combat, une bande blanche leur permet de s'identifier à quelques mètres. Un premier groupe recueille des échantillons de sable. Les autres tâtonnent parmi les obstacles. Ils cherchent une porte belge, ce portail assez lourd pour bloquer net les barges de débarquement lancées à plein régime. Ils la trouvent enfin. Avec précaution, ils s'assurent qu'aucune grenade piégée n'y est fixée. Puis, à l'aide d'une scie à métaux, l'un des Commandos découpe une parcelle de l'obstacle. Un autre apporte des algues pour camoufler la coupure. Les deux groupes se replient sur leur canot en caoutchouc, mission accomplie, et rament vers le large où les attend, à un kilomètre et demi, la vedette rapide qui les a amenés. Sur le quai de Newhaven, en Angleterre, un officier d'état-major reçoit le fragment de métal et le soumet la nuit même aux laboratoires de Londres. Les analyses permettent de calculer le poids d'une porte belge (trois tonnes !) et la charge de plastic nécessaire à sa destruction.

Plusieurs missions finirent tragiquement. Capturés, les Commandos étaient fusillés conformément à un ordre spécial du Führer Adolf Hitler. Deux d'entre eux eurent la chance d'être directement conduits au quartier général de Rommel qui, toujours chevaleresque, refusa de les remettre à la Gestapo. Ceux qui tombèrent au poteau d'exécution n'avaient pas toujours été pris sur l'une des futures plages de débarquement. En effet, l'état-major allié envoyait des missions de reconnaissance sur les plages de Bretagne, du Pas-de-Calais, de Belgique ou de Hollande. Ainsi les Allemands ne pouvaient-ils tirer de leurs captures aucune conclusion sur le lieu choisi pour débarquer puisque les Commandos opéraient sur toute la côte européenne. Le sacrifice était dur mais il était nécessaire, tout comme celui des résistants qui mouraient pour avoir tenté de renseigner Londres sur des plages où aucune barge n'aborderait jamais...

Soldats sans uniforme de la Résistance ou Commandos surgis de la mer : c'est grâce à leurs efforts conjugués que les fantassins des premières vagues d'assaut vont au combat en sachant exactement ce qui les attend. Le Mur de béton bâti par Hitler leur est aussi transparent que s'il était en verre. Ils n'ignorent rien des armes qu'il recèle et des hommes qui le garnissent. Ils connaissent ses forces et ses faiblesses. Photos, cartes et maquettes leur ont mis la vérité sous les yeux. Toute la vérité, rien que la vérité. Quelle différence avec le commandement allemand qui, en 1940, lorsqu'il préparait un débarquement en Angleterre, avait fait afficher dans tous les cantonnements de l'armée une carte mensongère dite « de soutien du moral » : on avait si bien rapproché la France de l'Angleterre qu'il paraissait suffisant d'allonger la jambe pour passer d'un pays à l'autre ! Hitler ne respectait même pas ses propres soldats.

Le général Eisenhower respecte les siens. Responsable suprême du débarquement, il sait que l'opération n'aurait même pas été envisageable sans la masse d'informations reçue par son état-major, sans ces cartes dessinées d'une main fiévreuse par des hommes qui guettaient le coup de frein brutal d'une voiture de la Gestapo, sans ces échantillons de sable que les explorateurs de la nuit allaient chercher sous les bottes des sentinelles allemandes. Il écrira dans son rapport ce bel hommage aux héros connus et inconnus de la guerre secrète qui avait précédé le Grand Jour : « Nous partîmes pour la France munis de toutes les informations tactiques que pouvait nous fournir un excellent service de renseignements. »

Faut-il envoyer au massacre
les paras américains ?

Tandis que l'armada taille sa route sur la mer démontée, Eisenhower s'efforce de trouver le sommeil.

Son prénom est Dwight mais on l'appelle Ike depuis son enfance. Il a cinquante-trois ans. Sous ses ordres sont placés des chefs militaires rescapés de célèbres batailles et constellés de médailles. Eisenhower, lui, n'a jamais combattu. Il est couvert de diplômes et non pas de glorieuses blessures. Il n'a jamais entendu les balles siffler à ses oreilles. C'est un homme qui ressemble d'ailleurs très peu à l'image qu'on se fait habituellement d'un général. Quel contraste, par exemple, avec les généraux allemands qui arborent une casquette insolente, une tunique constellée d'insignes, un pantalon à bande rouge, une dague ouvragée, des bottes rutilantes dont ils font sonner les talons... Eisenhower ressemble plutôt à un homme d'affaires déguisé en militaire. On ne le remarque pas dans les réunions d'état-major. Il parle d'une voix douce et posée. Si l'ambiance devient trop nerveuse, il la détend d'un sourire. « Le sourire d'Eisenhower, dit le général anglais Morgan, vaut à lui seul plusieurs divisions. »

C'est un peu pour cela qu'on lui a donné la préférence sur des chefs militaires au passé infiniment plus glorieux. Ike, tout le monde l'aime. Impossible de se disputer avec lui. Or, l'Histoire nous enseigne que les querelles entre alliés sont fréquentes et désastreuses. Combien de batailles perdues parce que des généraux de nationalités différentes se jalousaient bien qu'ils fussent en principe dans le même camp ? Les chefs de guerre sont préoccupés de leur gloire et de la trace qu'ils laissent dans les manuels d'histoire. Leurs jalousies ne font qu'accroître la difficulté de faire combattre ensemble des nations différentes. Ainsi les Anglais s'irritent-ils souvent, eux qui luttent depuis si longtemps et dans des conditions si difficiles, de la richesse de leur allié américain auprès duquel ils font figure de parent pauvre. La guerre est à présent l'affaire des Américains plus que la leur. L'Angleterre dépend des États-Unis pour se nourrir et pour s'armer. Elle doit consentir à placer ses soldats sous les ordres d'un général américain. Quant aux Français libres du général de Gaulle, ils ruent bien souvent dans les brancards. Encore plus démunis que les Anglais, leur juste orgueil les conduit à se raidir toujours davantage. Ils veulent être traités comme les représentants d'une grande puissance et non pas être considérés pour ce qu'ils sont : une poignée de patriotes reniés par le gouvernement de Vichy. Et il en est de même pour les Belges, les Hollandais, les Norvégiens, les Polonais et les Tchèques réfugiés en Angleterre. Comment faire marcher tout ce monde du même pas ? En lui donnant pour chef Ike Eisenhower, qui ne sera jamais un héros d'image d'Épinal mais qui est assurément un merveilleux diplomate.

On s'aperçut rapidement qu'il était aussi un chef. Son sourire rayonnant, la chaleur amicale de son regard et la douceur de sa voix n'empêchent pas Ike de savoir ce qu'il veut — et de l'obtenir. Sans hurlements, sans coups de poing sur la table. Patiemment, gentiment, mais obstinément. En vrai patron.

Un patron qui est enfin un organisateur exceptionnel. Or, pour diriger une opération aussi complexe que le débarquement, qui met en jeu des millions d'hommes, des milliers de navires et d'avions, des masses de matériel, et tout cela selon un horaire d'une précision rigoureuse, un organisateur infaillible est certainement préférable à un général de cavalerie très brave mais très brouillon.

Eisenhower se repose dans sa roulotte. C'est une roulotte banale, longue et basse, semblable à celle que tant d'ouvriers américains ont accrochée à leur voiture avant de prendre la route, avec femme et enfants, pour aller travailler dans les usines nouvelles édifiées à des milliers de kilomètres de leur ancien domicile. Ce goût des Américains pour les roulottes leur vient-il de leurs ancêtres pionniers qui, dans leurs chariots bâchés, partaient pour la Californie à travers les plaines peuplées d'Indiens hostiles ? Le fait est que Ike adore les histoires de cow-boys. Il a toujours une pile de romans du Far West sur sa table de chevet. Mais c'est plus probablement sa simplicité habituelle qui lui fait préférer ce logis aux châteaux somptueux que le gouvernement anglais met à sa disposition. Ainsi le commandant suprême des forces alliées en Europe est-il logé à la même enseigne que l'ouvrier qui tourne des obus à la chaîne dans une lointaine usine des États-Unis. Seul détail indiquant que la roulotte d'Eisenhower abrite une personnalité importante : elle est équipée de trois téléphones. Le premier est en liaison directe avec Washington. Le deuxième permet à Ike de joindre à tout moment son état-major. En décrochant le troisième il a Winston Churchill au bout du fil.

Cette nuit, les téléphones sont silencieux. On n'entend que le vent soufflant dans les arbres. Eisenhower se repose. Son rôle est pour l'instant terminé. Il a préparé avec tout son cœur et toute son intelligence l'opération Overlord — nom de code donné au débarquement. Il croit avoir mis les meilleures chances de succès du côté de ses soldats. C'est maintenant à eux de jouer. Le sort des batailles ne dépend pas, au bout du compte, de ceux qui dressent les plans mais des combattants qui sont sur la ligne de feu.

Ils auront besoin de courage. Ike sait pouvoir leur faire confiance. Il y a toutes sortes de courage. Celui qui consiste à dompter sa peur pour se ruer sur une mitrailleuse ennemie. Celui des ouvriers anglais qui partaient pour l'usine après avoir déblayé les ruines de leur maison soufflée par une bombe. Le courage le plus difficile est peut-être celui dont Eisenhower vient de donner la preuve à deux reprises et qui consiste, pour un chef, à aller jusqu'au bout de ses responsabilités.

Son premier acte de courage a consisté à décider que le débarquement aurait lieu ce 6 juin. Le mauvais temps avait fait reculer d'un jour l'opération prévue pour le 5. Deux dates, le 6 et le 7, restaient possibles, sinon il faudrait tout reporter au mois de juillet. En effet, des conditions très précises étaient réclamées par les responsables de l'aviation, de la marine et de l'armée de terre. La marine exigeait un débarquement à l'aube afin de pouvoir s'approcher des côtes françaises sous le couvert de la nuit. Cette nuit, les généraux parachutistes la voulaient éclairée par une pleine lune pour que les hommes puissent repérer le sol et atterrir avec sécurité. La marine demandait enfin un assaut à marée basse : les obstacles plantés par Rommel seraient ainsi découverts et les barges ne viendraient pas s'empaler sur les pièges qu'il avait préparés à leur intention. Trois jours par mois seulement répondaient à ces exigences.

Mais il y avait unanimité sur un point : il fallait des conditions atmosphériques favorables. Pas question d'attaquer par mauvais temps. Les parachutistes seraient déportés par les bourrasques, la pagaille régnerait dans les convois maritimes, des barges couleraient et celles qui parviendraient à tenir la mer seraient si secouées que les soldats, victimes du mal de mer, seraient réduits à l'état de loques.

Or, la tempête s'était levée. Le vent faisait frissonner les pelouses anglaises, tordait les arbres, emportait les tentes que leurs occupants n'avaient pas solidement arrimées. Eisenhower avait dû renoncer à débarquer le 5. On avait rappelé les convois déjà en route vers la France. Les soldats, frigorifiés et malades, avaient vu avec désespoir reparaître la côte anglaise : il faudrait tout recommencer. Ils auraient préféré en finir une bonne fois. Leur humeur ne s'améliora pas lorsqu'on leur interdit de descendre des bateaux en leur expliquant que le nouvel ordre de départ pouvait arriver d'une heure à l'autre. Tout dépendait des prévisions des météorologues.

Ceux-ci apportèrent enfin un espoir. Ils promirent une brève accalmie pour le 6. Ce ne serait certes pas le beau temps, ni même le temps à peu près convenable que les experts militaires exigeaient, mais enfin la tempête allait se calmer durant vingt-quatre heures. Les chefs alliés se réunirent au quartier général d'Eisenhower. Fallait-il ou non tenter le coup ? Si on renonçait, toute l'opération se trouvait reportée à la mi-juillet. Ce serait déplorable pour le moral des troupes et il faudrait un miracle pour que les Allemands ne découvrent pas ce qu'on leur préparait. Mais attaquer par temps médiocre n'entraînerait-il pas une catastrophe ? Les météorologues ne promettaient qu'une accalmie de courte durée. Comment débarquer les renforts si la tempête reprenait ensuite force et vigueur ? Et, sans renforts, comment les troupes débarquées le 6 pourraient-elles résister à la contre-attaque allemande ?

Que faire ? Winston Churchill avouera plus tard que l'angoisse du temps planait sur tous « comme un vautour dans le ciel ». Chacun des chefs alliés donna son avis. Celui des aviateurs fut franchement défavorable. Ils ne pouvaient pas garantir l'appui aérien que tout le monde savait indispensable à la réussite d'Overlord. Mais ce n'était qu'un avis. La décision revenait à Eisenhower, et à lui seul. Il resta silencieux pendant plusieurs minutes qui parurent une éternité à ceux qui le regardaient et dont aucun, en cet instant, n'aurait souhaité être à sa place. D'un mot, Ike allait prendre une décision aux conséquences historiques. Si le débarquement échouait, la fin de la guerre se trouverait reportée de plusieurs années.

Le visage contracté, Ike donna le feu vert. On allait tenter de débarquer le 6.

Les aviateurs restaient pessimistes. Ils craignaient un désastre pour les parachutistes et les troupes amenées par planeurs, notamment dans le secteur réservé aux Américains. Les renseignements indiquaient que les forces allemandes étaient, dans ce secteur, beaucoup plus redoutables que celles qu'auraient à affronter les paras anglais. Certains experts estimaient que huit paras américains sur dix trouveraient la mort dans la bataille. L'hécatombe ne serait-elle pas plus cruelle encore avec ces rafales de vent qui déporteraient parachutes et planeurs ? A quoi bon sacrifier toute cette jeunesse pour des résultats incertains ? Le maréchal de l'Air anglais Leigh-Mallory revint à la charge dans l'après-midi du 5 juin, à quelques heures du décollage. Il insista auprès d'Eisenhower pour qu'il annule les parachutages américains. Lui, Leigh-Mallory, ne voulait pas prendre la responsabilité d'un massacre.

Pour la seconde fois, la décision pesait sur les épaules d'Eisenhower. Il se retira dans sa roulotte et réfléchit. Le sort de treize mille hommes dépendait de lui. L'humanité d'Ike le poussait à l'annulation. Ses responsabilités de chef suprême le faisaient hésiter. Les missions confiées aux paras américains étaient tout aussi capitales que celles dont on avait chargé leurs camarades anglais. Peut-être étaient-elles même plus importantes encore. Annuler l'opération aéroportée compromettrait gravement les chances du débarquement dans ce secteur. En avait-on le droit ? Tant de vies humaines dépendaient du succès... Eisenhower savait quel martyre subissaient les populations européennes sous la botte de Hitler. Il ne pouvait pas imaginer l'ampleur de ce martyre — les déportations massives dans des camps de la mort ou l'extermination des Juifs — mais il en savait assez pour comprendre que cette guerre n'était pas comme les autres. C'était pour lui plus une croisade qu'une guerre. Il avait été élevé dans une famille religieuse et profondément pacifiste. Sa mère affirmait que pour obéir à l'Évangile, un homme devait refuser de porter les armes. Elle avait été très peinée que son fils Ike choisisse la carrière militaire mais elle l'avait laissé faire car elle respectait la liberté de chacun de ses enfants. Le pacifisme ? Bien sûr, il est admirable. Fallait-il pour autant rester les bras croisés devant les crimes des nazis ? Devait-on leur laisser la possibilité de continuer à torturer et à massacrer ? Eisenhower ne le pensait pas. La grande croisade était la seule réponse à l'entreprise démoniaque de Hitler. Contrairement à beaucoup de chefs militaires alliés, Ike refusait de considérer comme ses collègues les généraux allemands qui avaient accepté de se mettre au service du crime. Eux et lui exerçaient la même profession mais ne faisaient pas le même travail. En Afrique du Nord, il avait reçu la reddition des troupes allemandes à la tête desquelles le général von Arnim avait succédé à Rommel. Les adjoints d'Eisenhower lui avaient expliqué que les usages de la guerre auraient voulu qu'il accordât une audience de courtoisie à Arnim avant son départ en captivité. Ike avait sèchement refusé. Il ne se sentait rien de commun avec ces gens-là.

D'un côté, treize mille paras risquant le massacre. De l'autre, des centaines de millions d'hommes dont la liberté et parfois la vie dépendaient du succès du débarquement. Eisenhower décida de maintenir l'opération aéroportée.

Ce soir-là, le cœur lourd, il se rendit sur l'aérodrome où de longues files de paras de la 101e division attendaient d'embarquer dans les Dakota. Les mécaniciens faisaient déjà chauffer les moteurs. Ike bavarda avec ces hommes qui étaient les plus durs et les mieux entraînés de l'armée américaine. Ils avaient le visage noirci au bouchon brûlé. Leurs deux parachutes leur faisaient des silhouettes de bossus obèses. Car tandis que les paras britanniques n'étaient équipés que d'un seul parachute dorsal, leurs camarades américains en avaient un second, sur le ventre, qu'ils pouvaient actionner si leur dorsal ne s'ouvrait pas ou se mettait en torche.

L'optimisme de ses hommes réconforta Ike. « Ils me dirent de ne pas m'en faire : puisque c'était leur division qui était chargée du boulot, il serait sûrement bien fait. » L'un d'eux, cow-boy du Texas, lui proposa même de venir travailler dans son ranch après la guerre. Ike alla de groupe en groupe tandis que tombait la nuit et qu'approchait l'heure du départ. Les appareils des éclaireurs s'envolèrent les premiers, puis, l'un après l'autre, les Dakota chargés de paras prirent la piste et décollèrent.

Ike resta jusqu'à ce qu'eût disparu vers l'est le dernier appareil. Il avait les larmes aux yeux.

L'escadre survola la flotte et mit le cap sur la France. Elle emportait dans ses flancs des hommes que beaucoup considéraient comme les sacrifiés du Grand Jour. Ils allaient être lâchés au-dessus de la presqu'île du Cotentin. Rommel, flairant le danger, avait placé là des troupes spécialisées dans la lutte contre les paras. L'une de ses meilleures unités était le célèbre 6ᵉ régiment de chasseurs parachutistes.

AU CORPS À CORPS
DANS LE BOCAGE

« *Alerte à Wolfgang !* »

« La journée du 5 juin avait été chaude, raconte le chasseur parachutiste allemand Wolfgang Geritzlehner. Le soir, le vent s'est levé et il soufflait de vraies bourrasques. Mon bataillon était basé dans un petit village situé entre Périers et Sainte-Mère-Église. J'étais cantonné avec quelques camarades dans une ferme tenue par des dames plutôt âgées. Elles se montrèrent très gentilles avec nous. Il faut dire que nous aurions pu être leurs fils : j'étais le plus vieux de mon groupe et je venais tout juste de fêter mes vingt ans.

« Nous étions là depuis trois ou quatre mois et nous passions nos journées à planter dans les prés les asperges de Rommel. Le soir, chaque groupe retournait dans son cantonnement. On faisait un peu ce qu'on voulait. Par exemple, les officiers nous avaient fait creuser des trous individuels dans le jardin et ordonné d'y dormir la nuit. On préférait coucher dans la grange. C'était plus gai et plus confortable. On assistait de là aux bombardements. Ils ont été très violents dans la semaine qui a précédé le 5. Périers a été spécialement visé. Toutes les gares de la région étaient détruites.

« Notre soirée du 5 a été plutôt agitée. Il y avait un camarade qui partait en permission. La maison où habitait sa famille, à Berlin, avait été rasée par une bombe. Dans ce cas-là, on obtenait toujours une perme, histoire d'aller réconforter les parents. Nous lui avions donné des lettres pour qu'elles arrivent plus vite à nos familles. Un départ en permission s'arrose toujours, mais celui-là a été particulièrement arrosé au calvados. On a commencé au dîner et on avait du temps devant nous puisque le camarade ne devait prendre son train qu'à quatre heures du matin. A la nuit tombante, ça a recommencé à cogner. Il y avait des centaines de fusées éclairantes en direction de la mer. Nous, on était là, assis tranquillement à boire notre calva et à regarder. On se disait : "Ça, c'est du spectacle !" On était bêtes. Après, on a vu débouler une estafette qui criait : "Alerte ! Alerte ! Parachutistes ennemis à Wolfgang !" Wolfgang était le nom donné à Sainte-Mère-Église dans le code du régiment. Je ne risquais pas de l'oublier : c'est aussi mon prénom. Donc, le type est arrivé tout excité et on lui a répondu en rigolant : "T'excite pas comme ça ! Tiens, assieds-toi et bois plutôt un coup de calva avec nous." Il s'est assis mais il était très pâle et il nous a demandé : "A votre avis, que se passe-t-il ?" On riait comme des fous. "Allez, allez, on lui a dit, nous raconte pas d'histoires. Bois ton calva et tais-toi." Il faut bien avouer qu'on était complètement ronds. Et pourtant, c'est nous qui étions de garde...

« Le copain disait vrai. Le ciel s'est rempli d'avions qui nous survolaient en rangs serrés. Du côté de la mer, le vacarme devenait assourdissant. Ça nous a dégrisés. On a alerté les officiers et tout a démarré. D'un seul coup, il y a eu des soldats qui sortaient de tous les coins. On aurait dit un essaim d'abeilles en folie. Les motards du régiment faisaient ronfler leurs machines. Les camions se mettaient en file.

« Nos préparatifs n'ont pas été longs. On s'est noirci le visage comme on nous l'avait ordonné en cas de combat de nuit, on a pris quelques boîtes de conserve — de quoi manger deux jours — et on a enfilé la combinaison camouflée qui était notre tenue de saut et de combat. On l'appelait "le sac à os". Les armes, les munitions et les grenades : tout ça était prêt. On est partis à pied vers Sainte-Mère-Église. Les camions n'étaient pas pour nous.

« Franchement, on n'avait pas peur. On était tellement persuadés que l'histoire allait être réglée en quelques heures qu'on n'a même pas pris nos affaires personnelles. Simplement les armes, les munitions et les vivres. Tout le monde avait confiance. Le régiment était formé de jeunes de dix-sept à vingt ans, mais il y avait un noyau d'anciens, des vieux de la vieille qui avaient été parachutés en Crète en 1941 et qui avaient ensuite fait toute la campagne d'Afrique avec Rommel avant d'aller en Russie. Ils étaient couverts de médailles. A côté d'eux, on se sentait presque honteux de n'avoir encore rien fait. Ils n'étaient d'ailleurs pas forcément plus vieux que nous mais ils avaient commencé à se battre plus tôt. On avait par exemple un lieutenant décoré de la croix de chevalier qui n'était âgé que de dix-neuf ans. Les Américains l'ont tué. Moi, j'avais été mobilisé à dix-huit ans. Je voulais devenir pilote de chasse. Ça n'a pas été possible, alors on m'a versé dans la Flak. C'était en 1942. A cette époque, la plus grande crainte des jeunes comme moi était que la guerre se termine avant qu'on ait eu l'occasion de se battre. On en voulait. On y croyait. La Flak ne me convenait pas. C'était la planque mais je m'y ennuyais. Alors, j'ai réussi à me faire muter dans les paras en 1943. C'est comme ça que j'ai abouti en Normandie, au 6ᵉ régiment. J'étais pourvoyeur en munitions. Mon rôle consistait à approvisionner les mitrailleuses.

« Nous sommes donc partis à pied, dans la nuit noire, en direction de Sainte-Mère-Église, cette petite ville que le régiment appelait par mon prénom. Nous en étions éloignés d'une vingtaine de kilomètres. »

Où est passé le régiment ?

Le caporal-chef parachutiste Egon Röhrs servait dans l'armée allemande depuis trois ans. Il n'avait pourtant que dix-neuf ans, mais il s'était engagé dès son seizième anniversaire par crainte de voir la guerre se terminer avant qu'il ait eu la possibilité de s'y distinguer. C'était un solide gaillard : un mètre quatre-vingts, soixante-quinze kilos. Le football, la natation, le tennis et la boxe lui avaient fait un corps infatigable même s'il n'avait encore guère de barbe sur ses joues roses.

Comme Wolfgang Geritzlehner, il était cantonné dans une ferme avec deux camarades. Comme lui, il préférait coucher dans la grange plutôt que dans les inconfortables trous individuels. Et comme Wolfgang, il avait beaucoup trop bu de calva en cette soirée du 5 juin. Ses trois copains et lui avaient fêté quelque chose. Il y avait toujours quelque chose à fêter. La vie leur semblait merveilleuse. Le temps était beau et chaud. Ils mangeaient bien, car le fermier leur vendait toutes sortes de bonnes choses. Son calva était sensationnel. Egon se disait souvent qu'il était heureux comme un roi. Au point que cela en devenait gênant quand il recevait des nouvelles d'Allemagne. Sa famille habitait Hambourg, l'un des objectifs favoris des bombardiers alliés. La maison de ses parents avait été complètement rasée et celle dans laquelle ils s'étaient réinstallés venait à son tour d'être détruite. On les avait provisoirement logés dans une baraque. Jusqu'à la prochaine attaque aérienne. Il est vrai que les victimes étaient si nombreuses qu'on devait s'estimer heureux de sortir vivant des décombres de sa maison. Egon, qui s'était engagé si jeune pour ne pas manquer la guerre, se demandait parfois si le front ne se trouvait pas plus à Hambourg que dans ce coin paisible de Normandie.

Les trois amis dormaient comme des souches lorsqu'une estafette fit irruption dans la cour de la ferme en hurlant : « Alerte ! Alerte ! » Egon se réveilla, la tête lourde, la bouche pâteuse. Alerte ? Il se retourna en murmurant : « Fiche-nous la paix, toi, avec ton alerte ! » et se rendormit aussitôt. Il y avait sans cesse des alertes. Personne ne les prenait plus au sérieux. La nuit, surtout, c'était la barbe. Il fallait se lever et rejoindre à toute allure l'état-major du régiment. Pour quoi faire ? Rien. Attendre la fin de l'alerte. Egon était presque sûr que personne ne remarquerait son absence ni celle de ses deux amis. Il avait vraiment trop bu de calva pour une balade en pleine nuit...

Le rugissement des escadres aériennes le réveilla de nouveau. Cette fois, il comprit que c'était sérieux. Il secoua ses camarades et ils s'habillèrent en vitesse, enfilant le « sac à os » par-dessus leur uniforme. Leur casque était recouvert d'une couche de peinture mêlée de sciure grâce à laquelle le métal ne brillait pas au soleil. Puis les garçons s'armèrent. Chacun fixa à son mollet droit le poignard de para maintenu par une courroie de cuir. Egon empoigna sa mitrailleuse, le second se chargea des munitions et le troisième enfila en bandoulière son pistolet-mitrailleur. Ils passèrent par la cuisine de la ferme pour remplir leurs musettes de pain, de café et de sucre. Le fermier était réveillé. Ils lui demandèrent encore du beurre et du saucisson. En tout cas, ils ne mourraient pas de faim. Egon fut désolé de devoir abandonner un litre et demi de crème fraîche qu'il avait acheté la veille, mais il ne pouvait quand même pas mettre de la crème fraîche dans sa musette.

Chargés d'armes et de vivres, ils coururent enfin à leur moto. Ils appartenaient à la section motocycliste du régiment : trente-six soldats montés sur douze motos à side-car. Le soldat au pistolet-mitrailleur conduisait, le servant était assis derrière lui ; quant à Egon, sa place était dans le side-car avec la mitrailleuse. Ils roulèrent à fond de train. L'air frais de la nuit acheva de les dégriser. Les avions les survolaient toujours dans un grondement de tonnerre. Les trois paras avaient peur non pas de la bataille, mais de l'accueil qu'on leur réserverait à l'état-major. Ils avaient au moins une heure et demie de retard.

A l'état-major, personne... Le village était vide. Ils se regardèrent en silence. Le calvados leur avait joué un sale tour... Que faire ? Ils se sentaient bien seuls et très mal à l'aise. Le conducteur enfourcha sa moto, son passager se mit en croupe, Egon s'installa dans le side-car avec sa mitrailleuse inutile, et les trois garçons, dont le plus vieux avait dix-neuf ans, partirent à la recherche de leur régiment.

Vingt soldats ont déserté

Le 17 mai, trois semaines plus tôt, Rommel avait rendu visite au 6ᵉ régiment de parachutistes. Il avait prévenu les hommes : « Ne croyez pas qu'ils arriveront le jour avec le beau temps et qu'ils vous avertiront à l'avance. Ils tomberont brusquement du ciel, au milieu de la nuit, dans la pluie et dans la bourrasque... » Le Renard du désert ne s'était pas trompé : l'ennemi leur tombait du ciel en pleine nuit malgré les rafales de vent, et il n'avait évidemment pas pris la peine d'annoncer son arrivée.

Ce 17 mai, Rommel avait été heureux de revoir les officiers et les vétérans qu'il avait connus en Afrique. Le régiment, là-bas, s'était brillamment comporté. Lorsque l'Afrikakorps avait dû reculer sous les coups de boutoir des « Rats du désert » de Montgomery, le 6ᵉ parachutistes du colonel von der Heydte était en arrière-garde, combattant jour et nuit pour freiner les Britanniques et donner au gros des forces le temps de battre en retraite en bon ordre. C'était une unité comme Rommel aurait souhaité en avoir beaucoup derrière le Mur de l'Atlantique. Sans doute les nouvelles recrues manquaient-elles d'expérience, mais ces garçons étaient jeunes, souples, forts, et surtout décidés à se battre. Comme le dit Wolfgang : « Ils en voulaient. » Avec eux, on mènerait la vie dure aux paras alliés.

Mais l'attaque aéroportée les prenait par surprise malgré l'avertissement de Rommel. Et aussi malgré le flair de l'officier commandant le régiment, le colonel von der Heydte. Celui-ci, rescapé des batailles meurtrières livrées par les paras allemands depuis le début de la guerre, avait acquis une sorte de sixième sens qui lui faisait deviner l'imminence du danger. Or,

dans l'après-midi, il avait appris la désertion d'une vingtaine de
ses soldats. Ces hommes étaient des Alsaciens enrôlés de force
par Hitler, qui considérait que l'Alsace faisait partie de l'Allemagne. Mais la plupart des Alsaciens restaient français de
cœur. Ces vingt-là, en tout cas, manifestaient clairement qu'ils
refusaient de servir les nazis, même en conduisant un camion,
puisque c'était la tâche que le régiment leur avait confiée. Mais
comment avaient-ils pu oser déserter ? S'ils étaient repris,
c'était la mort certaine : un peloton de douze de leurs « camarades » les fusillerait. Et ils ne pouvaient guère espérer échapper aux recherches dans cette campagne normande infestée de
soldats allemands et dépourvue des cachettes qu'offre la montagne ou la forêt. S'ils avaient couru le risque énorme de
déserter, c'était sans doute qu'ils avaient été avertis que les
Allemands n'auraient pas le temps de les rechercher. Avertis
par qui ? La Résistance, peut-être, ou bien des agents secrets
alliés. De toute façon, ils n'étaient plus là et c'était mauvais
signe. Le colonel von der Heydte envoya immédiatement
l'ordre de rejoindre le régiment à un groupe de sous-officiers en
manœuvre. C'était à peu près tout ce qu'il pouvait faire.

Mettre le régiment en alerte ? Il l'était pratiquement en
permanence depuis le début du mois de mai. Plus de dix fois, le
quartier général avait annoncé : « Tenez-vous prêts : ils
arrivent ! » Mais chaque soir de ce mois de mai, qui avait été
magnifique, le soleil se couchait sur une mer tranquille et vide
de bateaux, tandis que le ciel, que devaient guetter tout spécialement les paras du 6e, n'était sillonné que par les habituelles
escadres de bombardement. On avait fini par ne plus croire aux
alertes. On y croyait d'autant moins que le temps était devenu
exécrable. Tout le monde se répétait, de l'officier supérieur au
simple soldat : « Puisqu'ils ne sont pas venus quand il faisait si
beau, ils ne choisiront pas d'arriver en pleine tempête. » Seul
Rommel voyait juste, le 17 mai : « Ils tomberont brusquement
du ciel, dans la pluie et la bourrasque... » Mais le Renard du
désert lui-même n'avait pas tenu compte de son avertissement,
puisque le mauvais temps lui avait fait décider qu'il pouvait
sans grand risque prendre quelques jours de permission en
Allemagne.

Il n'était d'ailleurs pas le seul officier à s'être absenté au
pire moment possible. Cette nuit-là, beaucoup de généraux
allemands commandant en Normandie avaient rejoint Rennes,

où devait se dérouler un exercice d'état-major sur cartes. Le thème en était : lâcher de parachutistes ennemis suivi d'un débarquement par mer... Pourquoi ne pas aller à Rennes, puisque les météorologues allemands affirmaient que le mauvais temps annulait cette nuit toute possibilité de vrai débarquement ? Le général Wilhelm Falley fut de ceux qui partirent. Il commandait la 91e division aéroportée, dont dépendait le 6e régiment de parachutistes. Basée dans le Cotentin, cette division était spécialisée dans la lutte contre les parachutistes.

La force et la beauté
des jeunes fauves

Tous les soldats du 6ᵉ régiment ne s'étaient certes pas couchés cette nuit-là après avoir trop bu de calvados. Mais presque tous s'étaient endormis tard, après avoir bavardé ou joué aux cartes, et leur réveil fut rude. Les officiers perdirent du temps à les rassembler, car ils étaient éparpillés par petits groupes. La plupart durent partir à pied au combat : ce régiment d'élite de 3 457 hommes n'avait à sa disposition que soixante-dix camions. Et quels camions !... C'était à croire, là aussi, que l'état-major avait voulu s'offrir un musée : les soixante-dix camions étaient de cinquante marques différentes. La tâche des mécaniciens s'en trouvait singulièrement compliquée : trouver des pièces de rechange pour des véhicules si divers était un casse-tête à rendre fou le meilleur mécano du monde.

Bataillon après bataillon, le régiment se met enfin en marche vers la bataille qui s'est engagée autour de Sainte-Mère-Église. Les paras souhaitent ardemment se battre et vont au combat avec une immense confiance. Ils croient en leur Führer, Adolf Hitler. Presque tous avaient moins de dix ans lors de son arrivée au pouvoir, en 1933. La propagande nazie a eu tout le temps d'en faire des hommes tels que les voulait Hitler. Le Führer disait : « Nous ferons grandir une jeunesse devant laquelle le monde tremblera. Une jeunesse violente, impérieuse, intrépide, cruelle. C'est ainsi que je la veux. Je ne veux en elle rien de faible ni de tendre. Je veux qu'elle ait la force et la beauté des jeunes fauves. » Hitler disait encore : « Je vois le jeune Allemand de l'avenir sous les traits d'un être souple et svelte, rapide comme le lévrier, résistant comme le cuir, dur comme l'acier. »

Pendant dix ans, les nazis avaient travaillé sans repos à modeler ainsi la jeunesse allemande, c'est-à-dire à transformer des êtres humains en fauves. Le cœur n'était pour eux qu'un muscle qu'il fallait durcir comme les autres. La pitié, la douceur, l'humanité devaient être éliminées. Les professeurs, à l'école et au lycée, enseignèrent l'orgueil d'appartenir à la race des surhommes et le droit, pour cette race, d'asservir le monde. On créa un mouvement, la Jeunesse hitlérienne, auquel tous les jeunes devaient s'inscrire et où ils apprenaient à vivre selon la doctrine nazie. On leur répéta inlassablement : « L'Allemagne a vingt ans. Ceux et celles qui sont plus âgés ne comptent pas. » Cela signifiait d'abord que les parents ne comptaient plus. Ils étaient vieux, faibles, amollis par le christianisme qui enseigne l'amour des autres ou corrompus par le communisme qui veut établir l'égalité entre tous les hommes. Car le Führer avait dit : « C'est avec la jeunesse que je commencerai ma grande œuvre purificatrice. Nous les vieux, nous sommes usés. Oui, nous sommes déjà vieux. Nous sommes gâtés jusqu'à la moelle. Nous n'avons plus d'instincts sauvages. Nous sommes lâches. Nous sommes sentimentaux. » Aussi les jeunes nazis n'avaient-ils pas le droit de raconter à leur famille ce qu'on leur faisait faire dans leur section de la Jeunesse hitlérienne.

On organisa pour eux des fêtes splendides, des défilés majestueux, des feux de camp dans les forêts et au sommet des montagnes. Là, au cours de cérémonies presque magiques, les chefs remettaient à chaque jeune le poignard qu'il porterait désormais à sa ceinture. Sur la lame était gravée la devise « Sang et Honneur ». On les soumit, dès l'enfance, à un entraînement impitoyable. Ils devaient marcher sans trêve, dormir à la belle étoile, traverser les fleuves à la nage, s'exercer à supporter le froid et la faim : ainsi deviendraient-ils ces bêtes fauves dont rêvait leur Führer. Pour les plus durs d'entre eux, pour ceux qui promettaient de devenir surhommes parmi les surhommes, on créa des camps spéciaux où ils apprirent le mépris de la vie — la leur et celle des autres. Les exercices étaient terrifiants. Il fallait par exemple se battre à mains nues contre des chiens-loups affamés. Chaque semaine, on emmenait un groupe dans un champ et on donnait aux garçons vingt minutes pour qu'ils se creusent un trou individuel. Le délai écoulé, des chars d'assaut se mettaient en marche, traversaient le champ et écrasaient ceux qui n'avaient pas eu la force de creuser un trou assez profond. Un autre exercice habituel consistait à placer une grenade dégoupillée sur le casque d'acier d'un garçon figé au garde-à-vous. S'il tremblait de peur, la grenade tombait à ses pieds et le déchiquetait. S'il restait impassible, la grenade ne tombait pas et il n'était qu'étourdi par l'explosion car son casque le protégeait des éclats. Beaucoup moururent. Les survivants devinrent tels que les voulait Hitler : « Résistants comme le cuir, durs comme l'acier. »

Ainsi fut dressée cette jeunesse allemande qui défilait au pas cadencé dans les rues et sur les routes en chantant :

« Et si le monde entier est réduit par la guerre en un tas de décombres.
« Qu'est-ce que diable cela peut bien nous faire, nous nous en moquons.
« Nous irons droit devant nous, et si tout tombe en miettes, l'Allemagne est à nous aujourd'hui,
« et demain, le reste de la terre. »

La guerre... On répétait aux jeunes qu'elle viendrait un jour et qu'elle leur donnerait enfin l'occasion de prouver leur supériorité. On en fit une fête impatiemment attendue. On s'y préparait dès l'école, puis au sein de la Jeunesse hitlérienne, et naturellement sous l'uniforme de soldat. Tout fut mis en œuvre pour attirer les jeunes dans les troupes d'élite qui seraient le fer de lance de l'Allemagne : aviation de chasse, régiments de chars et unités parachutistes. Les anciens du 6e se souvenaient de ce temps de paix où, parfois, on parachutait les soldats en permission directement sur leur maison. Certains parvenaient même à atterrir dans la cour de la ferme ou dans le jardin. Quel prestige pour le garçon de dix-huit ans que ses parents, ses frères, ses amis et voisins voyaient ainsi se jeter de l'avion tête la première et les bras en croix, selon la technique allemande de saut, et tomber du ciel comme un archange...

La guerre tant promise vint enfin et elle sembla donner raison — cent fois, mille fois raison — au Führer et aux chefs nazis : le surhomme allemand était fait pour régner sur le monde. L'Europe, déjà, s'aplatissait sous sa botte. Dans ses chars et dans ses camions blindés, la jeunesse nazie, bronzée et musclée, déferlait sur la Pologne, le Danemark, la Norvège, la

Hollande, la Belgique. Tout craquait devant elle, tout cédait sous sa ruée. L'armée française elle-même, auréolée de sa gloire et considérée comme la plus forte du monde, l'armée française lâchait pied et fuyait lamentablement. Quelle ivresse ! Quelle joie souveraine pour ces jeunes qui vengeaient de manière si éclatante la défaite subie par leurs pères en 1918 ! Que d'espoirs en un avenir que tout montrait glorieux...

La première ombre vint d'Angleterre. Les pilotes de chasse de Goering affrontaient ceux de la R.A.F., et la victoire finale dépendait de l'issue de leur combat. Si la théorie nazie était exacte, les aviateurs de Goering devaient l'emporter aisément sur les Anglais, car les pilotes de la R.A.F. ne correspondaient guère à l'image du surhomme. Beaucoup étaient des étudiants nonchalants, indisciplinés, que leurs propres compatriotes appelaient « la génération perdue » et dont ils trouvaient ridicules les cheveux longs.

Richard Hillary était l'un d'eux. Il faisait partie de la célèbre équipe d'aviron de l'université d'Oxford. Il avait été invité avec quelques camarades, juste avant la guerre, à participer en Allemagne à une grande course : le prix Hermann Goering. Les Anglais, qui souhaitaient essentiellement faire un voyage agréable, arrivèrent sans entraînement et surtout sans bateau. On leur trouva à grand-peine une vieille embarcation qui faisait eau. Les cinq équipes allemandes, formées de géants impressionnants, observèrent avec mépris ces lamentables concurrents, et un rameur allemand, dans les vestiaires, déclara à Richard que leur conduite démontrait bien qu'ils appartenaient à une race décadente. Ils allaient être battus et le peuple allemand en tirerait les conclusions qui s'imposaient. De fait, les Anglais prirent un fâcheux départ : aucun d'eux n'entendit le coup de pistolet du starter. Quand ils commencèrent piteusement à ramer, les cinq équipes adverses avaient déjà plusieurs longueurs d'avance. Sur les rives, des milliers de supporters allemands vociféraient de joie. L'écart augmentait sans cesse. Au pont qui marquait la mi-course, les Allemands avaient cinq longueurs d'avance. Le bateau anglais arriva à ce pont, sur lequel gesticulaient des supporters. « Ce fut à ce moment que quelqu'un nous cracha dessus, raconte Richard Hillary. Erreur de tactique ! Sammy Stockton, patron du bateau, mena la seconde partie de la course comme si nous étions poursuivis par tous les diables de l'enfer et nous gagnâmes par deux cinquièmes de seconde. Goering dut lâcher sa coupe et nous l'emportâmes en Angleterre. »

Le maréchal Goering n'eut pas plus de chance dans les airs que sur l'eau : les décadents jeunes gens à cheveux longs battirent ses pilotes de deux cinquièmes de seconde. On ne crache pas impunément à la face d'un peuple.

Mais le plus sévère châtiment de son orgueil, la jeunesse allemande le trouva en Union soviétique. Elle avait encore accumulé quelques conquêtes — la Yougoslavie, la Grèce — quand elle se lança à l'assaut de cet immense pays. Ce fut d'abord pour aller de victoire en victoire. Une fois de plus, tout cédait et craquait devant elle. Elle capturait les villes par dizaines et les prisonniers par centaines de mille. N'était-ce pas une nouvelle confirmation des théories nazies qui mettaient le peuple soviétique presque aussi bas que les Juifs ? Cependant, les soldats rouges se battaient toujours. Ils reculaient mais ne fuyaient pas. Quand l'hiver arriva, ils démontrèrent qu'ils savaient supporter la faim et le froid aussi bien, sinon mieux, que leurs adversaires. Ils couchèrent à leur tour dans la neige des monceaux de cadavres allemands. Alors commença le long calvaire d'une jeunesse que ses chefs avaient trompée. Elle découvrit que les bêtes fauves meurent comme les hommes et que les balles ne rebondissent pas sur les muscles. Elle apprit douloureusement que le courage n'est pas réservé à une race ou à un peuple, qu'il peut habiter un corps malingre, peu exercé, et lui faire endurer souffrances et dangers. Elle constata que le prétendu sous-homme russe se battait avec autant de vaillance que les représentants de la prétendue race des seigneurs, de même qu'à l'autre bout du monde, dans la jungle épaisse des îles du Pacifique, les jeunes Américains considérés comme dégénérés rendaient coup pour coup aux orgueilleux samouraïs japonais. Elle découvrit, cette jeunesse allemande, que la guerre est aussi une longue suite de misères peu glorieuses. Elle sortit de son beau rêve pour découvrir la réalité. Et la réalité, en plein hiver russe, c'était que le fier surhomme allemand n'osait plus déboutonner sa braguette de peur de se geler...

Ceux qui reçurent la leçon ne l'oublièrent jamais. Quand ils avaient la chance d'être transférés à l'Ouest, sur le Mur de l'Atlantique, on les reconnaissait à leur silence, à leur manque d'enthousiasme. Ils avaient compris. Les jeunes, autour d'eux, les considéraient avec une curiosité un peu méprisante. Pourquoi cette apathie ? L'armée allemande n'était-elle pas la plus puissante du monde ? Le Führer n'avait-il pas promis la victoire ?

Les jeunes S.S. de la division blindée Hitlerjugend (Jeunesse hitlérienne) y croyaient toujours. Ils allaient lutter farouchement contre les Canadiens, se battant à coups de pelle quand ils auraient épuisé leurs munitions. Ils étaient aussi intrépides que l'avait exigé leur Führer, et ils prouvèrent qu'ils étaient aussi cruels qu'il l'avait voulu en abattant froidement des prisonniers désarmés.

Wolfang Geritzlehner et ses camarades croient toujours à cette victoire allemande, eux qui avaient trépigné à la pensée que la guerre pourrait se terminer trop tôt. Crainte puérile... La guerre les avait patiemment attendus. Elle était là, exacte au rendez-vous qu'elle leur avait fixé dans les prairies normandes.

Les paras du 6e envoyés en avant-garde croisèrent bientôt une file de prisonniers américains escortés par des fantassins allemands. C'était la première fois qu'ils voyaient l'ennemi de près. Leur surprise fut totale, et grande leur émotion. L'Amérique n'avait pas envoyé contre eux de vrais soldats, mais des gangsters tirés de ses prisons.

Une jolie jeune fille
dans une voiture à cheval

L'escadre aérienne transportant les paras américains n'avait pas pris le chemin le plus direct. Au lieu d'aborder le Cotentin par l'est, elle avait contourné la pointe de la presqu'île, survolé les îles de Jersey et de Guernesey, occupées par les Allemands, et abordé le continent par la côte ouest du Cotentin, celle qui fait face à la Bretagne.

« Il n'y avait pas beaucoup de conversation dans mon avion, raconte Eugene Amburgey. Chacun essayait plutôt de se relaxer, et même de dormir un brin. C'était notre premier saut en opération. J'étais bien décidé à faire honneur à mon entraînement de para. Ma grande peur, c'était d'être tué avant d'avoir mérité ma solde. On nous avait donné un boulot : il fallait le faire.

« La Flak nous a tiré dessus quand nous avons survolé cette île, Jersey ou Guernesey. Sale impression. Vous êtes là, sans pouvoir répondre, et vous voyez par le hublot des petits nuages qui explosent en faisant "bouff". Nous étions dix-huit dans notre avion, tous chargés comme des baudets. Nos armes étaient dans des containers qui devaient être parachutés en même temps que nous. Moi, je transportais une grosse lanterne en pièces détachées. Ça consistait en tubes longs de soixante centimètres qui se vissaient l'un dans l'autre pour former une armature sur laquelle on fixait l'ampoule lumineuse. Cette lanterne était destinée à signaler l'emplacement du quartier général du régiment. Elle pesait très lourd. Je me disais que mon parachute allait avoir au moins cent cinquante kilos au bout de ses suspentes.

« La Flak nous a touchés dès que nous avons survolé la côte française. Il y a eu tout à coup une secousse terrible, comme si l'avion allait se disloquer, et nous avons vu un énorme trou dans la carlingue. Le pilote a manœuvré comme il a pu, mais on nous a ordonné de nous préparer à sauter en catastrophe. Il y avait un peu d'affolement. Un éclat de l'obus qui nous avait touchés rebondissait dans la carlingue comme un os dans une poêle à frire. Il faisait un tel boucan qu'on n'entendait plus le bruit des moteurs. Je me suis dépêché de monter ma lanterne en vissant les tubes bout à bout. Plutôt mal que bien : j'étais vraiment énervé.

« Nous étions déjà debout, alignés dans le couloir, quand le mécanicien de l'avion est venu me crier à l'oreille : "Et les armes ? Que ferez-vous, en bas, sans armes ?" Elles étaient dans les containers. J'ai répondu : "Je n'en sais rien." Alors, il m'a glissé dans une poche son gros Colt 45, juste avant que je me jette par la portière, ma lanterne à la main.

« Pendant la descente, je me demandais surtout si la fichue lanterne tiendrait le coup. Elle n'a pas tenu. Elle s'est démantibulée dès que j'ai touché terre. Enfin, terre... Je suis tombé dans l'eau. Un champ inondé. Il n'y avait pas de quoi se noyer, heureusement, sans cela j'y serais resté, prisonnier de mon fourniment. Deux de mes tuyaux étaient perdus. Mais le plus grave, c'était que nous étions nous-mêmes perdus. On nous avait lâchés loin de l'endroit prévu. Comment en vouloir au pilote ? Il savait qu'il allait s'écraser et il voulait nous faire évacuer au plus vite son cercueil volant.

« Nous voilà donc dix-huit paras égarés en pleine campagne sans possibilité de nous orienter. Le lieutenant Brown a pris le commandement. Lui et moi, nous étions les seuls hommes du régiment autorisés à porter une moustache. Nous devions absolument trouver quelqu'un qui puisse nous renseigner. On s'est mis en embuscade au bord d'un chemin de terre et on a attendu. Pas très loin, au bout du champ, il y avait des Allemands qui tiraient à la mitraillette et au fusil. Ils étaient tout excités et criaient : "Je l'ai eu ! Je l'ai eu !" Ils avaient l'air de s'amuser beaucoup. Soudain, on a entendu du bruit. Quelque chose arrivait sur la route. Vraiment, on s'attendait à tout, sauf à voir ça : une jolie jeune fille dans une carriole attelée à un cheval gris. Le lieutenant March s'est élancé devant le cheval et l'a stoppé. Moi, j'ai demandé à la fille où on était. Je parle un tout petit peu français et allemand, mais j'étais dans un tel état d'excitation que je ne savais plus ce qui était français et ce qui était allemand. La fille n'a rien compris. Le lieutenant March s'est adressé à elle en allemand et je me suis rendu compte que j'avais tout mélangé. J'ai recommencé en français. Cette fois, elle m'a compris. Nous avons appris que nous étions tout près de Saint-Côme-du-Mont. Nous avons installé dans les buissons un copain qui s'était blessé au dos en atterrissant, nous lui avons laissé la moitié de nos rations et nous nous sommes mis en route vers Saint-Côme-du-Mont. »

Un parachutage catastrophique

La vraie guerre et les vrais combattants ne ressemblent décidément pas à l'image que certains veulent en donner. Voilà deux unités d'élite, le 6e régiment de parachutistes allemands de Wolfgang Geritzlehner et le 501e régiment parachutiste américain d'Eugene Amburgey. De chaque côté, des hommes jeunes, bien entraînés, résolus à se battre. Le hasard de la guerre les met face à face. Va-t-il en résulter un choc spectaculaire, fracassant, une bataille pleine de faits d'armes — l'équivalent pour la guerre de ce qu'est un championnat du monde de poids lourds pour la boxe ? Ça commence mal... Au lieu de fondre sur l'ennemi comme l'aigle sur sa proie, ainsi qu'il conviendrait à des parachutistes, les Allemands se sont laissé surprendre au nid par l'adversaire et se traînent à pied à sa rencontre. Ils lui accordent ainsi un précieux répit qui lui évitera d'être cueilli à froid, comme disent les boxeurs, et mis K.O. au premier round. Quant aux paras américains de la 101e division, à laquelle appartient Eugene Amburgey, ils ont certes pour insigne un aigle au bec ouvert (on les appelle les "Aigles hurlants"), ils ont jailli du ciel comme des oiseaux de proie, mais pour rater la cible qu'on leur avait désignée...

Les parachutages américains furent en effet plus imprécis encore, si possible, que le lâcher des Anglais. Une véritable catastrophe. La Flak, là encore, avait semé la pagaille dans l'escadre aérienne. Toujours cette même histoire de pilotes qui font brutalement virer leur appareil pour l'arracher au rayon mortel des projecteurs, d'avions touchés qu'on doit évacuer en vitesse, de tirs de barrage si denses qu'on les contourne au risque de perdre le cap. Luttant pour leur vie et pour celle de leurs passagers, les équipages cherchaient anxieusement les balises lumineuses qui devaient délimiter les zones de saut. Mais les cent vingt éclaireurs parachutés avec une heure d'avance avaient eux-mêmes été éparpillés dans la campagne et en étaient encore à chercher leur chemin.

Ce fut pour les paras entassés dans les carlingues une entrée en matière brutale et impressionnante. Les hommes de la 101e division, les Aigles hurlants, n'avaient encore jamais vu le feu. Ceux de la 82e division, lâchés avec eux, étaient plus endurcis : ils avaient déjà sauté au-dessus de l'ennemi en Sicile et en Italie. Mais leur expérience était amère. En Sicile, la D.C.A. de la flotte alliée avait tiré par erreur sur leurs avions, abattant vingt-quatre appareils, tandis que la Flak allemande s'était montrée à la hauteur de sa réputation. Et voilà que ça recommençait... Le désordre et la mort régnaient avant même qu'ils aient eu le temps de franchir la porte.

Ponctué d'explosions, zébré de balles traçantes, le ciel était si hostile qu'ils sautèrent avec la conviction qu'un farouche corps à corps s'engagerait dès qu'ils auraient touché le sol. Beaucoup firent le signe de croix en se jetant dans le vide. Mais, à mesure qu'ils descendaient du ciel vers la terre noyée d'ombre, ce fut comme s'ils changeaient d'univers. Après l'entassement de l'avion, la bousculade à la porte, le rugissement des moteurs, ils se retrouvèrent seuls, absolument seuls, dans une campagne silencieuse et apparemment vide de toute créature humaine.

Sans doute quelques-uns eurent-ils la malchance d'être lâchés au-dessus de la bourgade de Sainte-Mère-Église, où faisait rage un incendie. Deux paras disparurent dans le brasier. Un troisième, John Steele, resta pendu durant des heures au bout de son parachute qui s'était accroché au clocher de la petite église. Les autres, tombés sur la place, furent abattus à bout portant par les Allemands mêlés à la population civile qui s'efforçait d'éteindre le feu. Une douzaine de malheureux paras trouvèrent ainsi la mort.

Pour les treize mille autres, tout était différent. L'ennemi à vaincre n'était pas encore l'Allemand, terré dans ses cantonnements, mais la solitude, l'angoisse d'être égaré, et surtout la nature hostile.

Plusieurs dizaines disparurent en mer. La presqu'île de Cotentin est si étroite que les avions la traversent en quelques minutes. Certains pilotes allumèrent avec dix secondes de retard la lumière verte : cela suffit pour que les paras plongent au-dessus des flots. La mer se referma sur eux.

Ils furent beaucoup plus nombreux — des centaines — à tomber dans les marais et à s'y noyer. L'eau n'était pas profonde — souvent moins d'un mètre — mais les hommes surchargés, paralysés par leurs sangles, ne purent s'arracher à la vase. Le piège de Rommel avait bien fonctionné.

Là comme ailleurs, il avait ordonné d'inonder les terres. Le Cotentin s'y prêtait admirablement. La base de la presqu'île était autrefois recouverte de marais pestilentiels qui donnaient aux habitants les fièvres de la malaria. Des canaux d'écoulement et tout un système d'écluses avaient permis d'éliminer marais et fièvres. Rommel rendit son domaine à l'eau. Des milliers d'hectares furent submergés en permanence entre Carentan et Saint-Sauveur-le-Vicomte. La vieille odeur nauséabonde de vase et de végétation pourrie se répandit de nouveau sur la région. Comme jadis, les moustiques pullulèrent par milliards, formant des nuages si épais qu'ils éclipsaient le soleil, martyrisant hommes et bêtes. Les lapins avaient le museau en sang à force de le gratter.

Ainsi était créée une barrière naturelle qui s'opposerait à l'avance des divisions venues par mer. La tâche de la 82e division parachutiste américaine était de se retrancher solidement sur les deux rives du marais pour bloquer toute contre-attaque allemande et préparer le passage des fantassins américains. Le plan ne prévoyait évidemment pas de lâcher dans l'eau les malheureux paras, mais la fertilité de la terre normande fut cause de la catastrophe. En effet, une herbe si drue poussait sur de vastes parties du marais que les photos aériennes examinées à Londres firent croire qu'il s'agissait de pâturages. Les zones inondées étaient en réalité beaucoup plus étendues que prévu. On oublia aussi que les champs submergés étaient sillonnés de profonds fossés servant avant la guerre à l'évacuation des eaux. Nombreux furent les paras qui, assez chanceux pour atterrir dans quelques centimètres d'eau, disparurent un peu plus loin sans un cri, engloutis dans un fossé.

Cette zone inondée était située à une quinzaine de kilomètres de la côte. Avant d'y parvenir, les troupes débarquées à Utah-Beach, la plage de Sainte-Marie-du-Mont, auraient à franchir une première barrière liquide commençant immédiatement après les dunes de sable. Elle s'étendait sur quatre kilomètres et, quoique peu profonde, elle suffisait à interdire aux chars et aux camions de progresser à travers champs. Ils devraient suivre les quatre routes étroites menant de la plage aux terres immergées. Quatre routes pour acheminer, dès le premier jour, 30 000 hommes et près de 3 500 véhicules... Encore fallait-il être sûr de pouvoir les utiliser. Si les Allemands, bien retranchés sur la terre ferme, tenaient leurs issues, les troupes et le matériel débarqués resteraient bloqués sur les dunes entre la mer et les marais, exposés au pilonnage de l'artillerie ennemie.

Telle était la mission principale de la 101e division : contrôler avant l'aube les quatre routes débouchant de la plage. Le succès du débarquement à Utah-Beach reposait sur les Aigles hurlants.

Treize mille Petits Poucets

La plupart des paras atterrirent heureusement dans des pâturages secs où l'herbe du Cotentin amortit leur chute. Ils vécurent presque tous des premières secondes angoissantes : on remuait tout près d'eux. « En descendant, raconte Walter Kwener, j'avais vu bouger des formes sombres et j'étais terrifié. C'étaient des vaches, tout simplement un troupeau de vaches... » Quant au sergent William Yedgnock, à peine atterri, il entendit un remue-ménage qui lui fit craindre l'arrivée d'un tank allemand. Il s'aplatit au sol et soupira de soulagement en voyant surgir quelques ruminants qu'il avait dérangés dans leur sommeil. Il ne regretta pas sa peur : la présence d'animaux prouvait que le champ n'était pas miné. Ce fut une mauvaise nuit pour les vaches normandes, dont beaucoup furent tuées par des paras convaincus que l'ennemi les attaquait.

La solitude et la certitude d'être perdus étreignaient tous les hommes. C'était une sensation particulièrement pénible pour les officiers. Seul dans un pré, revolver au poing, le général Taylor, chef des Aigles hurlants, se disait amèrement : « Si je donne un ordre, il n'y aura que les vaches pour m'entendre... » Quelques minutes plus tard, il rencontra l'un de ses soldats. Tous deux en furent si heureux qu'ils s'embrassèrent comme des frères, puis ils tentèrent de découvrir où ils étaient.

Le Cotentin est un pays étrange. Vu du ciel : un damier de prés herbus. Tombé dans l'un de ces prés entourés de haies épaisses, le para a l'impression d'être à l'écart de tout, isolé dans un monde à part. Il se précipite vers l'une des quatre haies, la franchit avec difficulté, se retrouve dans un clos exactement semblable au précédent, et ainsi de suite. Aucun repère, dans ce pays plat, pour s'orienter. Même un habitant du pays, transporté de nuit à quelques kilomètres de chez lui, aurait grand-peine à retrouver son chemin à travers champs. Treize mille parachutistes cherchèrent le leur pendant des heures. Treize mille Petits Poucets qui allaient le long des haies avec, dans la main, un jouet d'enfant : le criquet qui leur servait de signal de reconnaissance. A un cliquetis devaient répondre deux autres, ou un mot de passe.

Les paras se regroupèrent ainsi, au petit bonheur, tous régiments mélangés, par bandes réduites à trois hommes ou fortes de plusieurs dizaines. Certaines comportaient plus d'officiers que de soldats. Il y avait ensemble des hommes de la 82ᵉ et d'autres de la 101ᵉ qui, normalement, auraient dû être parachutés à plusieurs kilomètres de distance. Ils ne savaient pas, le plus souvent, où étaient les objectifs qu'on leur avait assignés et qu'ils s'étaient si méthodiquement entraînés à attaquer. Cette guerre était en vérité déconcertante. Eugene Amburgey, quand il s'était porté volontaire pour les parachutistes, ne s'imaginait pas qu'on le lâcherait sur l'ennemi avec une grosse lanterne à la main, ce qui était aussi peu guerrier que possible, et qu'il en serait réduit, un peu plus tard, à demander son chemin, tel un touriste égaré, à une jeune fille française. Il est vrai qu'Egon Röhrs, qui se hâtait à sa rencontre dans son side-car, aurait refusé de croire celui qui lui aurait prédit qu'il irait à la bataille confus comme un écolier en retard...

Les paras américains ne connurent pas les batailles brèves et violentes que livrèrent à l'autre extrémité du front de débarquement leurs camarades britanniques. Il n'y eut pas, chez eux, l'équivalent de Merville, emporté d'assaut par les hommes d'Otway. Ce fut, dans l'ombre de la nuit et dans la clarté laiteuse de l'aube, une guerre d'Indiens le long des haies et dans les rues des villages. Homme contre homme, patrouille contre patrouille. Comme au Far West, le survivant était celui qui tirait le premier.

Le bourg de Sainte-Marie-du-Mont fut le théâtre de plusieurs de ces duels. Il représentait une importante stratégie, considérable puisque la meilleure des quatre routes de la plage y aboutissait. Les Aigles hurlants s'abattirent dans les prés qui le ceinturaient. L'un d'eux tombe sur le toit de M. Poidvin, se blesse au bras et court se réfugier dans les cabinets situés au fond du jardin. Un autre, Ambrose Allie, a lui aussi la malchance d'atterrir sur le toit d'une maison. Il réussit à déboucler son harnais et se laisse glisser le long de la gouttière, mais c'est pour être cueilli au sol par quelques soldats allemands qui ont suivi son manège. Ils collent Ambrose Allie au mur et s'apprêtent à le fusiller. Tandis que le para récite ce qu'il croit être sa dernière prière, deux de ses camarades surgissent et abattent les Allemands. Un peu plus loin dans le bourg, le major Larry Legere tombe sur une troupe ennemie qui l'interpelle, croyant avoir affaire à un civil français. Legere, par bonheur, parle parfaitement le français. Il crie : « Excusez-moi ! je reviens de chez mon cousin ! » Puis il balance une grenade sur le groupe allemand et disparaît dans la nuit. Il sera un peu plus tard grièvement blessé à la cuisse par une balle explosive.

La mortelle partie de cache-cache continue. On se fusille à bout portant sur la place plantée d'arbres qui entoure la magnifique église. Dans le clocher, deux soldats allemands tirent au pistolet-mitrailleur sur tout ce qui bouge. La confusion est totale. Telle rue qui est aux mains des Américains passe dans celles des Allemands la minute d'après. Des silhouettes furtives jaillissent de l'ombre, progressent de porte en porte. Derrière elles, le canon d'une mitraillette américaine se lève lentement. La rafale part. Les silhouettes boulent comme des lapins. L'homme qui vient de tuer sort de son abri. Un coup de feu claque. Il s'effondre à son tour et, les mains tendues en avant, griffant la terre, s'efforce de ramper jusqu'au fossé le plus proche. Deux de ses camarades ont repéré le tireur qui l'a abattu. Ployés, l'index droit crispé sur la détente, ils partent en chasse avant de devenir gibier à leur tour.

A quelques kilomètres de là, une voiture allemande Horch, du même type que celle de Rommel, fonce sur la route étroite menant au quartier général de la 91e division. A l'arrière, le général Falley et son aide de camp. Falley s'était mis en route, le soir du 5 juin, pour la ville de Rennes, en Bretagne, où il était convoqué avec plusieurs autres généraux en vue du fameux exercice sur cartes. Il a en fin de compte ordonné à son chauffeur de faire demi-tour, alerté par les passages continuels d'avions et par les bombardements dont l'écho sourd lui parvenait à plusieurs dizaines de kilomètres. Les mains crispées sur son pistolet-mitrailleur, le général trépigne d'impatience. Quelle malchance ! Avoir tant attendu l'assaut ennemi et être absent la nuit où il se produit... Chaque minute compte. Il y a des mesures à prendre, des ordres à donner. Voici enfin l'avenue bordée d'arbres menant au château qui abrite le quartier général. La voiture vire sec et s'y engage. Une rafale crépite. Le pare-brise explose. Falley saute à terre, son pistolet-mitrailleur au poing. Il est abattu d'une balle. La meilleure division allemande du Cotentin a perdu son chef.

Les dernières heures de la nuit connurent beaucoup de ces embuscades meurtrières, de ces coups de main sanglants où des hommes mouraient sans même savoir d'où était parti le coup de feu fatal. Chacun se battait à l'aveuglette, sans rien connaître de ce qui se passait dans le pré voisin. Puis le désordre s'organisa au fil des heures. La 82e division avait extirpé du marais les containers d'armes et de munitions. Elle tenait Sainte-Mère-Église et on ne l'en délogerait plus. Des groupes de plus en plus compacts de la 101e se dirigeaient vers les quatre routes débouchant de la plage, enlevant l'un après l'autre les points d'appui d'un ennemi désemparé. Car, si la dispersion des parachutistes leur avait fait passer des instants pénibles, elle avait tout autant affolé les défenseurs allemands. Ceux-ci, préparés à lutter contre une attaque classique, se voyaient cernés par un ennemi invisible, impossible à localiser. Chaque haie avait son tireur ; chaque fossé, son chasseur à l'affût. Où attaquer ? Dans quelle direction ? Les ordres n'arrivaient plus. Les Allemands étaient largement supérieurs en nombre : trois contre un. Mais, paralysés par la surprise, ils ne purent se regrouper pour exploiter leur avantage numérique. Chacun pour soi. A ce jeu, les paras américains étaient supérieurs aux fantassins âgés et sans ressort qui leur étaient opposés.

Ils contrôlaient à peu près la situation autour de Sainte-Marie-du-Mont quand, avec le jour, une nouvelle flotte aérienne approcha des côtes de la Manche. Cent un avions tiraient autant de planeurs chargés d'hommes, de canons antichars, de munitions et de jeeps. La chasse étendait sur eux son ombrelle protectrice. Des meutes de chasseurs bombardiers Thunderbolt, spécialistes de l'attaque en piqué, sortaient des nuages. Ils allaient devenir le cauchemar de Wolfgang Geritzlehner et de ses camarades, qui les appelaient les « Jabos »

L'atterrissage des planeurs fut encore plus catastrophique que celui des parachutistes. Les prés étaient trop étroits et l'on avait sous-estimé la résistance des haies. Leur feuillage cache en effet un solide talus que les racines des arbres soudent comme du béton. Emportés par leur élan, bien des planeurs se fracassèrent sur le talus et culbutèrent sur le dos, rompant le cou des passagers. C'est ainsi que mourut le général Don Pratt, commandant adjoint de la 101ᵉ division, qui arrivait avec les premiers renforts. On aligna les cadavres sous des couvertures, on retira des débris le matériel utilisable, et chacun se prépara à subir l'inévitable contre-attaque allemande.

Le 6ᵉ régiment parachutiste du colonel von der Heydte arrivait au contact des Aigles hurlants.

Une énorme surprise

Des gangsters...

Ces paras américains avaient un aspect effrayant. Leur crâne était rasé, à l'exception d'une touffe de cheveux tout au sommet : le scalp des Iroquois. Ils avaient le visage noirci au bouchon brûlé et certains s'étaient même peint les joues aux couleurs de guerre des Indiens. Ils répandaient une odeur infecte : celle du produit antigaz dont leur tenue de combat était imprégnée. Beaucoup avaient peint au dos de leur combinaison de saut des femmes nues au sourire aguichant. Jamais un officier allemand n'aurait toléré cela. L'idée n'en serait d'ailleurs pas venue à ses soldats. Ou bien ils avaient écrit en grosses lettres : « Rendez-vous à Paris », « A bientôt à Berlin ». Les civils français eux-mêmes furent très déçus par la tenue de leurs libérateurs et le maire de Sainte-Mère-Église leur trouva une grande ressemblance avec « les bandes de gangsters de cinéma ».

Leur confiance en eux paraissait sans limites. Prisonniers, ils gardaient la tête haute et riaient avec insolence en dévisageant leurs gardiens. Les paras du 6e ne semblaient pas les impressionner. Ces Américains n'avaient guère que trois ou quatre ans de plus que les soldats de Heydte, mais leur aînesse suffisait pour qu'ils les contemplent avec l'air de supériorité du grand frère qui peut rosser aisément son cadet. Ils étaient déjà des hommes : les autres n'étaient encore que des adolescents. Mais la nouvelle effarante fit le tour du 6e régiment : ces paras américains étaient surtout des criminels tirés de prison. Ils ne faisaient pas de prisonniers. On avait retrouvé les cadavres de soldats allemands qu'ils avaient égorgés comme des moutons.

Des gangsters ? Certainement pas. Les divisions aéroportées représentent au contraire l'élite de l'armée américaine. On n'y accepte que des hommes au passé sans tache. Les prisonniers égorgés ? Il est certain que des soldats captifs furent massacrés d'un côté comme de l'autre, mais les Allemands étaient-ils vraiment tous prisonniers lorsque le poignard leur a tranché le cou ? Dans cette guerre silencieuse d'Indiens que livrent les paras américains, beaucoup d'entre eux sont obligés de tuer à la dague pour ne pas se faire repérer. Que peut faire d'autre, par exemple, le lieutenant Gerald Guillot ? Il est bloqué avec un sergent qu'il ne connaît pas dans le grenier d'une maison où ils ont trouvé refuge. Un groupe d'Allemands a fait irruption au rez-de-chaussée, s'y est installé et grille de la viande dans la cheminée de la cuisine en chantant et en riant. Les deux paras entendent les rires, reniflent l'odeur alléchante de la viande. Que faire, sinon attendre ? Des ronflements sonores succèdent aux éclats de voix. Tout paraît calme. Le lieutenant Guillot murmure au sergent : « C'est maintenant ou jamais... » Ils descendent sur la pointe des pieds au rez-de-chaussée. Deux dormeurs bloquent la sortie. Guillot arrache son poignard de sa guêtre et rampe silencieusement jusqu'à eux. La lame effilée tranche d'un seul coup les carotides des Allemands. Guillot et le sergent disparaissent dans le jardin. Si Wolfgang Geritzlehner découvre les cadavres de ses deux compatriotes désarmés, apparemment inoffensifs, il en conclura qu'ils ont été lâchement égorgés après avoir été capturés par les « gangsters américains »...

Des gangsters ? On le dira aussi des Rangers qui vont escalader à la force du poignet la falaise du Hoc, et ce sera tout autant inexact que pour les paras. Les Rangers, unité d'élite, n'acceptent ni les escrocs, ni les voleurs et encore moins les assassins. S'ils le faisaient, ils ne seraient pas une unité d'élite, car ce n'est qu'au cinéma que l'on voit des criminels tirés de prison se comporter brillamment à la guerre. Lâches, égoïstes, dépourvus de l'esprit de sacrifice qui fait le bon combattant, des criminels ne tiendraient pas une heure contre des garçons tels que Wolfgang et ses camarades. Mais il en est ainsi dans toutes les guerres : l'imagination du soldat, fouetté par la peur, fait de chaque ennemi sans exception un assassin sadique qui ne mérite pas de pitié. Sans doute toutes les armées du monde comportent-elles leur lot de sadiques à qui la guerre permet d'assouvir leurs penchants. Sans doute certaines unités, comme les S.S., rassemblaient-elles volontiers les pervers de ce genre. Mais ni le 6e régiment de Heydte ni la 101e division américaine n'appartenaient à cette catégorie.

L'équipement des Américains n'était pas imaginaire, lui, et sa découverte fut une surprise accablante pour les jeunes paras allemands. Quelle richesse ! Quelle ingéniosité ! Ils portaient des émetteurs radio de la taille d'une lampe de poche. Une boussole était encastrée dans l'un des boutons de leur combinaison de saut. Leurs cartes étaient imprimées sur des mouchoirs de soie, ce qui les rendait d'un maniement très pratique, et leur précision était remarquable. Ils avaient au moins une dizaine de poches réparties sur leur uniforme, toutes gonflées de vivres et de munitions. Ça ne leur donnait pas la belle allure des hommes du 6e mais c'était bien commode. Leurs rations de combat étaient incomparablement meilleures que celles des Allemands : chocolat en barre, café et thé solubles, sucreries, sans parler des cigarettes de tabac blond devenues introuvables en Europe.

Quant au matériel, il suffisait de lever les yeux pour en découvrir l'abondance. Les parachutes, énormes fleurs multicolores, s'étaient épanouis pendant la nuit aux branches des pommiers normands. Ils étaient bariolés de vert pour les hommes, jaunes pour les mortiers, rouges pour les containers de munitions, bleus pour les mitrailleuses, verts pour les postes émetteurs-récepteurs.

Il y eut encore mieux : les planeurs. Blottis contre les haies, les paras allemands virent avec stupeur descendre vers eux les grands oiseaux silencieux d'où sortaient, dès qu'ils avaient touché terre, des hommes en armes, des jeeps équipées de mitrailleuses, des canons antichars, un bulldozer et même un hôpital de campagne. Albert Bopp, para de dix-huit ans, en fut bouleversé. Il était parti, comme ses camarades, avec la conviction qu'ils allaient rejeter les Américains à la mer en quelques heures. Contemplant les planeurs de ses yeux écarquillés, il commença à douter de la victoire. Josef Kiesel, qui avait aussi dix-huit ans, éprouva « une énorme surprise ». Wolfgang Geritzlehner découvrit d'un seul coup « la richesse de l'Amérique »...

Les Jabos sont partout

Ils découvrirent aussi sa puissance. Avant même que le régiment ait pu se déployer pour contre-attaquer, les chasseurs bombardiers Thunderbolt, les terribles Jabos, le clouèrent au sol. Ils faisaient dans le ciel un carrousel infernal, tournant en larges cercles, cherchant leur proie. Un homme seul était un objectif suffisant pour qu'ils fondent sur lui en crachant la mort de toutes leurs mitrailleuses. Les routes devenant impraticables, il faut progresser sous le couvert des haies, lentement, péniblement, en file indienne, de sorte qu'une seule rafale d'un para ennemi suffit à faucher les hommes comme des quilles alignées. Une seule mitrailleuse adverse bloque l'avance d'une compagnie. A peine a-t-on conquis un pré et entrepris l'attaque du suivant que le feu reprend dans le premier. L'ennemi est partout et nulle part. « Parfois à moins d'un mètre, dit Albert Bopp, juste de l'autre côté de la haie. On aurait pu se toucher en tendant le bras. Le premier qui se relevait était un homme mort. » Cet ennemi, on le voit rarement, sauf à l'ultime seconde, mais on le sent quelquefois grâce au produit antigaz dont il est imprégné. Que faire ? Ruses de Sioux pour amener l'autre à s'exposer le premier. Temps perdu. Les heures passent. Le 6e parachutistes s'englue dans la toile d'araignée tendue par les paras américains à travers la campagne. Et toujours ces maudits Jabos qui tournoient dans le ciel comme un essaim de guêpes...

Les officiers du régiment savent bien ce qu'on aurait dû faire : attaquer en force, brutalement, avec le soutien de chars d'assaut et de canons tractés. Mais où sont les tanks ? Où sont les canons ? Le 6e ne dispose d'aucune arme lourde. L'ennemi, en face, est mieux armé que lui, ce qui est un comble. Qui aurait prévu que ces Américains, qui ne peuvent être approvisionnés par voie aérienne, réussiraient le tour de force de disposer, dès les premières heures, d'un matériel supérieur à celui des Allemands ? Le colonel von der Heydte avait fait de son mieux. Il était allé réclamer des armes lourdes à l'état-major. Un officier supérieur lui avait répondu : « Mais voyons, Heydte, à des parachutistes, des poignards suffisent... — Ils ont beau être des paras, avait répliqué le colonel, ce sont tout de même des hommes comme les autres ! »

Oui, vulnérables et mortels comme les autres. Chacun s'en rendait cruellement compte. Et Egon Röhrs le premier. Il avait fini par rejoindre le régiment avec ses deux amis motards. A leur vif soulagement, personne n'avait fait attention à eux. Aucune question sur leur retard. Ils avaient rangé leur moto auprès des autres et s'étaient mêlés à leurs camarades en se faisant aussi petits que possible. En cours de route, ils avaient vu l'épave d'un planeur gisant au milieu d'un pré hérissé d'asperges de Rommel. La carlingue brisée gardait la trace des rafales tirées par les Allemands. Morts et débris étaient éparpillés à travers le champ. La bataille semblait avoir bien commencé.

Elle continue mal. Plus exactement, elle ne continue pas. Egon et les motards sont littéralement cloués au sol par les Jabos : « On ne pouvait même pas creuser un trou : dès qu'on remuait, ils piquaient. La seule solution était de se couper en vitesse une branche d'arbre et de s'en couvrir. Quand ils s'éloignaient un peu, on bondissait pour dire un mot au voisin. C'était rare. Ils nous tenaient bien épinglés. Tout ce qu'on pouvait faire, c'était un signe de tête au voisin pour lui dire : "Attention ! Il y a du monde là-haut !" »

Que font donc les aviateurs de la Luftwaffe ? Ils sont en Allemagne pour tenter de protéger les villes allemandes qu'écrasent les bombardements massifs des Alliés. Ils se battent là-bas à un contre cinq. Leurs avions sont bons mais la formation des jeunes pilotes est sabotée par le manque d'essence. Leur entraînement en vol durait deux cent soixante heures en 1942 : il est inférieur à cent en 1944 et descend même souvent jusqu'à cinquante heures. Du coup, les pertes par accidents sont aussi lourdes que celles subies au combat. Goering, pour compenser l'infériorité numérique et technique de ses pilotes,

exige d'eux un courage surhumain. Il vient de décider la formation d'escadrilles-suicide. Chaque groupe de chasse devra fournir deux volontaires. Ces pilotes seront payés plus cher et
recevront alcool et cigarettes à volonté, mais il leur faudra
rentrer de chaque mission avec une victoire au moins. Leurs
instructions précisent que s'ils se trouvent à court de munitions
ils devront percuter l'adversaire et sauter en parachute. La
méthode conseillée est d'attaquer l'avion ennemi par l'arrière et
de sectionner son gouvernail d'un coup d'aile. Quant aux bombardiers lourds, le meilleur moyen de les abattre consiste à
s'écraser sur leur dos. Leurs ailes lâcheront sous le choc et ils
s'écraseront comme des pierres. Méthodes désespérées pour
faire face à une situation désespérée. Mais les pilotes allemands
ne sont pas des kamikazes japonais : bien peu auront l'audace
suicidaire que leurs chefs n'hésitent pas à exiger d'eux.

Goering, dès l'annonce du débarquement, fait décoller
d'Allemagne six escadrilles de chasseurs. Les pilotes, jeunes
garçons inexpérimentés, savent à peine lire une carte. Ils se
perdent, tentent des atterrissages de fortune, endommagent
leurs appareils. Quelques-uns réussissent à se tirer d'affaire et
atterrissent sur les bases prévues. Aucun ne sera en mesure
d'appuyer la contre-attaque allemande. Tout au long du Grand
Jour, le ciel restera hostile à Egon Röhrs et à ses camarades.

« C'était atroce... »

Et la foudre jaillit de la mer.

Ce fut d'abord un grondement de tonnerre, un roulement sourd tel qu'aucun de ces garçons n'en avait jamais entendu. On eût dit qu'un volcan, quelque part, entrait en éruption. L'air vibrait. La terre tremblait. Le fracas des armes et celui des Jabos devenaient imperceptibles. Chacun retint son souffle. Para américain ou allemand, chacun écouta, la bouche sèche, le cœur battant. Puis le silence revint pour quelques brèves secondes.

Et la salve s'abattit sur le sol de France. Ses obus monstrueux creusèrent des entonnoirs où aurait disparu un char lourd. Leur explosion volatilisa la terre, les haies, les maisons malchanceuses. Certains pesaient plus d'une tonne, c'est-à-dire plus lourd qu'une voiture (« Ma parole, ils tirent des jeeps ! » s'écria un caporal parachutiste allié). Les cuirassés envoyaient à vingt-cinq kilomètres de distance douze de ces obus à la minute.

Egon Röhrs a peur : « Personne ne peut imaginer ce que c'est. Quand les bateaux tirent, c'est comme un orage. Vous avez le temps de vous chercher un abri. Mais quand les obus arrivent, c'est l'enfer. Et ça durait, ça durait... On n'en pouvait plus. Vous êtes couché, plaqué au sol, et chaque fois que ça tombe, vous rentrez instinctivement la tête dans les épaules. » Josef Kiesel a peur : « On entendait les départs mais on ne savait jamais où ça allait tomber. Quand ça tombait, tout éclatait en mille morceaux. C'était atroce... atroce... » Au bout d'une heure, Wolfgang Geritzlehner en a assez de la guerre, lui qui avait tant craint qu'elle se terminât sans lui : « J'avais compris. Je voulais rentrer chez moi. On était tous terrorisés. Il y en avait qui pleuraient et criaient : "Maman !" en voyant disparaître des camarades avec qui ils avaient joué au ballon la veille. C'était affreux. »

C'était la guerre.

La marine de combat alliée entrait dans la bataille.

LA PREMIÈRE VAGUE D'ASSAUT DÉFERLE SUR LA PLAGE

Des ombres passent sur la mer

Heinz Tiebler n'avait pas bougé de son blockhaus d'observation surplombant la plage d'Omaha. Son tour de garde devait se terminer à deux heures du matin mais, vers une heure, une estafette avait fait irruption en hurlant : « Alerte ! », au grand émoi du petit chien mascotte réveillé en sursaut. Heinz était allé prévenir les fantassins dans leur casemate toute proche. « On n'y croyait toujours pas, raconte-t-il. On se disait : "Ça va être encore un de ces exercices qui nous empêchent de dormir." Mais un radio est arrivé en nous annonçant qu'on se battait entre Caen et la mer. L'ennemi avait lâché des parachutistes. Le lieutenant a transmis à la batterie l'ordre de charger les canons. Nous, dans le blockhaus, nous avons vérifié nos armes. Il n'y avait rien d'autre à faire. A trois heures du matin, on a encore reçu des nouvelles. Cette fois, c'était sérieux. Je n'avais pas peur. J'ai dit à l'autre radio : "S'il m'arrive quelque chose, tu écriras à ma mère", mais c'était surtout histoire de blaguer. Ce camarade venait du même coin d'Allemagne que moi et il connaissait notre maison, à Bheuten. Le jour n'allait plus tarder à se lever. Il y avait un brouillard sur la mer. Nous attendions en silence. Soudain, le lieutenant Wagner, qui était avec nous dans le blockhaus, a reçu un coup de téléphone. Il avait l'air soucieux. Il a sorti de sa poche un paquet de cigarettes R 6, les meilleures de toutes celles qu'on nous distribuait, et il me l'a tendu en disant : "Tiens, commence par fumer une cigarette." J'ai répondu : "Non, merci, je ne fume pas." Il a insisté : "C'est un ordre." Impossible de désobéir. J'ai pris la cigarette et il me l'a allumée. Ensuite, nous nous sommes installés devant les embrasures du blockhaus pour surveiller la mer. Je tirais le moins possible sur ma cigarette. Elle me donnait envie de vomir. »

La journée du 5 avait été paisible pour le lieutenant Hans Giesing. Il avait assisté dans l'après-midi à une séance de cinéma donnée dans une baraque, puis, après le dîner, il avait joué aux échecs avec son chef de batterie, le capitaine Ferking. Celui-ci occupait une chambre dans la ferme de Fernand Legrand, à environ un kilomètre de la plage d'Omaha. L'ordonnance de Ferking, le soldat Hein Severloh, couchait dans le grenier.

Les passages massifs d'avions n'empêchèrent pas Hans Giesing de se consacrer sérieusement à sa partie d'échecs. Il avait l'habitude de ces survols et il n'y prêtait plus attention. Le lieutenant Giesing s'efforçait de ressembler à l'image traditionnelle de l'officier allemand : froid, réservé, toujours maître de lui. Cela agaçait prodigieusement l'ordonnance du capitaine Ferking, Hein Severloh. Il avait surnommé Giesing « Bubi », qui veut dire « gamin » (tout comme les vieux généraux allemands appelaient Rommel « Marschall-Bubi » — le « maréchal-gamin »). Hans Giesing venait à peine de fêter ses dix-neuf ans. Severloh n'avait qu'un an de plus, mais il était très grand et très fort, tandis que Giesing avait la minceur souple d'un excellent cavalier. Il est vrai que le lieutenant de dix-neuf ans paraissait lui-même un vieux soldat aux tout jeunes garçons qu'on lui avait confiés.

Un soir, Giesing arriva à la ferme Legrand avec des artichauts pour le capitaine Ferking. Celui-ci remercia et l'invita à les déguster avec lui. Hein Severloh reçut les artichauts au garde-à-vous et demanda à Giesing :

— Comment dois-je les faire cuire, mon lieutenant ?

— Vous les mettez dans l'eau avec trois cuillerées de sel.

— Mais il ne faut qu'une cuiller et demie de sel, mon lieutenant...

— Je vous ai donné l'ordre d'en mettre trois ! répliqua Giesing d'une voix glaciale.

Severloh prépara les artichauts et les servit aux deux officiers, assis face à face. Le capitaine Ferking mastiquait les feuilles en silence. Giesing ne fit aucune remarque. A la fin du repas, le capitaine remercia le lieutenant de cet excellent repas et Giesing, toujours solennel, claqua les talons en répétant : « C'était un honneur pour moi. » Après son départ, Ferking rejoignit Severloh dans son grenier et s'exclama : « Que m'a-t-il fait manger ? C'était exécrable ! Jamais plus je ne toucherai à ses légumes ! » Severloh lui avoua alors qu'il avait versé cinq cuillerées de sel dans l'eau des artichauts. Ferking éclata de rire. Il avait de l'estime pour Giesing, qui s'occupait admirablement de ses hommes malgré ses apparences de froideur, mais il avait aussi beaucoup d'affection pour Severloh. Il l'avait choisi pour ordonnance parce que le garçon avait sans cesse des histoires avec ses supérieurs. Mauvais caractère ? Ferking ne le pensait pas. Severloh et lui s'entendaient à merveille.

Le 5 juin au soir, après la partie d'échecs, Giesing retourna à la batterie. Le capitaine Ferking et Severloh burent un verre de calvados avec Fernand Legrand avant d'aller se coucher. Ils dormaient profondément quand une estafette vint alerter le capitaine. Celui-ci bondit dans le grenier où était installé Severloh : « Debout ! Vite ! Vite ! » Severloh sauta de son lit, s'habilla rapidement, rassembla les vivres qu'il avait touchés la veille et descendit avec son fusil. Ferking était déjà en bas. « Vite ! La charrette ! » cria-t-il. Car, faute de véhicule motorisé, il en était réduit à se déplacer en voiture à cheval... Severloh, fils de paysan, prépara l'attelage en un clin d'œil. Ferking sauta à côté de lui sur le banc, Hein secoua les rênes, et le cheval, probablement surpris par cette promenade nocturne, s'élança au petit trot.

C'est ainsi que le capitaine et son ordonnance partirent pour la plage d'Omaha, vers laquelle convergeaient au même instant des centaines de navires et des milliers d'hommes : dans une carriole à deux roues tirée par un percheron...

Edmund Sossna, radio de dix-sept ans, est déjà dans le point d'appui vers lequel se hâtent Ferking et Severloh. Son travail consistera à transmettre les instructions de tir du capitaine Ferking au lieutenant Giesing, qui a sous ses ordres les servants de la 1re batterie (quatre obusiers de 105) dissimulée dans un chemin creux, à deux kilomètres de la plage. Le point d'appui, situé au sommet de la falaise, est tout proche — quelques dizaines de mètres — du blockhaus d'observation de la 2e batterie où Heinz Tiebler achève sa première cigarette en s'efforçant de ne pas vomir. Il est défendu par une section de fantassins placée sous le commandement d'un adjudant-chef : dix-huit hommes armés de mitrailleuses, de lance-grenades et de fusils. Edmund Sossna considère la plupart d'entre eux comme des vieux : ils ont trente ou quarante ans... Ce sont des vétérans du front de l'Est. Ils restent silencieux et renfermés, pareils à des rescapés de l'enfer sachant que ce qu'ils ont vu et subi est impossible à raconter. Edmund fume cigarette sur cigarette pour calmer ses nerfs. Il a dans son portefeuille, sur son cœur, la photo de son amie, vendeuse dans un magasin, là-bas, en Allemagne...

Le capitaine Ferking et Hein Severloh arrivent dans le blockhaus d'observation. Le cheval est renvoyé à l'arrière. Hein décide de garder sa capote : la nuit est fraîche. Ferking appelle la batterie pour vérifier que les câbles téléphoniques ne sont pas coupés. Le lieutenant Giesing lui répond aussitôt :

— Giesing ? Ici Ferking. Je crois qu'il se passe quelque chose. Vous feriez aussi bien de réveiller vos hommes et de vous tenir en alerte.

Ferking raccroche. Il ne reste plus qu'à attendre l'attaque, si elle doit venir. Hein Severloh surveille la mer à la jumelle. Ce grand gaillard aux larges épaules est doué d'une vue stupéfiante. Un coup d'œil d'aigle. Il voit plus loin et plus net que tous ses camarades. Ce don en fait naturellement un tireur d'élite, aussi redoutable derrière une mitrailleuse que fusil en joue.

Le ciel est encore noir. La mer bouillonnante, cinglée par le vent, redescend lentement. Quand elle sera tout à fait basse, vers six heures du matin, il y aura sept cents mètres de sable sec à franchir pour arriver au pied de la falaise. Un billard plat comme la main, exception faite d'un petit remblai de galets. Jamais l'ennemi n'osera attaquer à marée basse pour se faire faucher par le feu des mitrailleuses. Chaque Allemand, de Rommel au simple soldat, en est persuadé. Ils attaqueront à marée haute. Mais leurs embarcations ne pourront alors éviter les obstacles piégés recouverts par les flots.

Entre ciel et mer, un coton épais. Brouillard ou nuages bas ? Hein ne saurait le dire. Avec ce vent, le brouillard est peu probable. En tout cas, il n'y voit goutte. Ferking et le lieutenant Grasz, qui l'encadrent, y voient encore moins. Les trois hommes bavardent et fument des cigarettes. A gauche et à droite, les fantassins sont à leur poste dans les tranchées. Tout est calme. On a passé tant d'heures semblables dans ce décor familier qu'on a du mal à s'imaginer que l'enfer peut se déchaîner d'une minute à l'autre. Allons, ce ne sera qu'une fausse alerte, comme d'habitude...

— Mon capitaine, dit Hein, il me semble qu'il y a des ombres qui passent sur la mer...

Ferking prend les jumelles et scrute les ténèbres.

— Mais non, répond-il, il n'y a rien. A force de chercher, tu t'imagines voir des choses.

Hein reprend les jumelles.

— Vous avez sans doute raison, dit-il après quelques secondes : je ne vois plus rien.

Un quart d'heure passe.

— Mon capitaine..., murmure Hein.

— Oui, je t'écoute.

— Mon capitaine, je vous assure qu'il y a des bateaux en face de nous.

Ferking hésite. Il connaît l'extraordinaire acuité visuelle de son ordonnance. Jumelles aux yeux, penché en avant, il fouille de nouveau la mer.

— Tu as raison ! Je crois que je les vois aussi. Mais ce sont sans doute les nôtres. La flottille basée à Port-en-Bessin.

— On le saurait, mon capitaine. Ils nous préviennent toujours quand ils sortent en mer.

— J'appelle le major.

Le major Pluskat, chef des trois batteries, n'est pas à son poste de commandement. Ses adjoints affirment n'avoir rien vu de suspect sur la mer. Pour plus de précaution, ils vont cependant appeler le commandant de la flottille allemande de Port-en-Bessin.

Dix minutes plus tard, deux fusées vertes et deux fusées rouges montent au-dessus du petit port. Si les bateaux aperçus par Hein et Ferking sont allemands, ils vont se faire reconnaître par un tir de fusées semblables. Les minutes passent...

— Ce sont donc des Anglais, murmure Ferking.

L'attente reprend, silencieuse et tendue. L'aube est proche. Malgré sa grosse capote, Hein frissonne sous la bise frisquette qui balaie la falaise.

A deux kilomètres de là, les hommes de Giesing sont accroupis dans les trous individuels qu'ils se sont creusés. Les quatre obusiers de 105 ont leur tube chargé. Tout est prêt pour le combat. Les artilleurs écoutent le roulement continu des explosions. Les bombardiers alliés jouent de la grosse caisse sur tout l'arrière-pays. Le radio Franz Gebauer, dix-huit ans, est à son poste dans un minuscule blockhaus en béton. Il recevra les instructions de tir données par le capitaine Ferking, transmises par son camarade Edmund Sossna, et les criera au lieutenant Giesing, qui déclenchera le feu.

Sur la crête de la falaise, dans le blockhaus voisin de celui de Severloh, Heinz Tiebler en est à sa troisième cigarette. La fumée passe mieux. L'odeur âcre du tabac ne lui soulève plus le cœur.

Une brume étrange, venue d'on ne sait où, recouvre lentement la mer.

Les barges s'alignent pour l'attaque

La flotte alliée était là, dans cette brume, à moins de vingt kilomètres du rivage. Elle avait achevé sa traversée au moment où les derniers parachutistes touchaient terre. Les navires de guerre s'étaient disposés en rideau, face à la côte, et derrière leur écran protecteur s'assemblaient les innombrables transports de troupes et de matériel.

Alors commença la délicate opération consistant à mettre à l'eau les barges d'assaut et à aligner les premières vagues. On savait que le transbordement des hommes dans les barges serait difficile, qu'il y aurait du désordre et qu'on aurait du mal à respecter l'horaire. Les tirs de l'artillerie côtière allemande pouvaient transformer l'inévitable désordre en une épouvantable catastrophe. C'est pourquoi les amiraux avaient décidé que le transbordement s'effectuerait loin de la côte, au moins à quinze kilomètres. Ainsi aucun canon allemand ne serait-il en mesure d'atteindre la flotte alliée, tandis que cuirassés et croiseurs pourraient, grâce à leurs pièces à longue portée, pilonner l'artillerie adverse. L'avantage était évident, mais les troupes d'assaut allaient connaître le revers de la médaille : il faudrait à leurs barges minuscules deux heures de navigation sur une mer démontée pour atteindre le rivage de France.

On n'en était pas là. Il s'agissait pour l'instant de mettre en place le dispositif d'attaque, et ce n'était pas si simple...

Les marins descendaient les barges le long des gros transports à l'aide de palans, mais à peine étaient-elles à flot que les vagues les secouaient comme des coquilles de noix. Des filets aux mailles épaisses pendaient contre le flanc des navires et les hommes devaient s'y agripper pour descendre jusqu'à la barge et s'y laisser tomber. Ils s'y étaient exercés maintes fois, mais jamais par une mer aussi mauvaise. Surchargés, empêtrés dans leurs équipements, plusieurs tombèrent à l'eau ou se brisèrent les jambes en sautant de trop haut dans la barge. Dès que celle-ci était pleine — trente hommes environ —, les officiers des vedettes rapides, responsables de l'opération, hurlaient dans leurs haut-parleurs : « Allez vous aligner ! Alignez-vous ! Alignez-vous ! » La barge allait prendre rang avec son chargement d'hommes trempés, malades, gisant sans réaction au milieu de leurs vomissures. Car même parmi les soldats qui avaient échappé jusque-là au mal de mer, rares furent ceux qui résistèrent au tangage et au roulis des barges.

La traversée s'était déroulée dans un silence total. Beaucoup avaient eu l'impression de vivre un rêve. Ils avaient craint les bombardements de la Luftwaffe, ils s'étaient attendus à des attaques de sous-marins ou de navires de surface allemands, mais seuls les machines des bateaux, les moteurs de l'aviation alliée et le sifflement du vent avaient troublé le calme de la nuit.

La marine allemande ne pouvait surprendre l'armada alliée puisque son commandant à l'Ouest, l'amiral Krancke, avait interdit toute patrouille en mer en raison du mauvais temps. Et quelles unités restaient encore disponibles après cinq années de combats meurtriers contre la Royal Navy ? Il y avait longtemps que les derniers cuirassés et croiseurs de Hitler ne se risquaient plus à sortir des ports où les harcelait l'aviation alliée. Quant aux sous-marins, les radars de leurs adversaires les traquaient jusqu'au fond des mers.

Les chefs de la marine allemande, comme ceux de l'aviation, avaient eu recours à des solutions de désespoir pour faire face à cette situation désespérée. Leurs techniciens avaient mis au point la vedette explosive, dont la proue était bourrée de dynamite. Son pilote devait la lancer droit sur un navire ennemi et sauter à la mer juste avant le choc. Ils avaient inventé la torpille humaine. Le pilote naviguait au ras de l'eau dans une coque de torpille creuse sous laquelle était fixée une torpille normale qu'il lançait sur l'adversaire. Dernière trouvaille qui éviterait aux marins allemands d'avoir à s'approcher des canons alliés : la torpille tournante. On la lâchait à grande distance et, après une course en ligne droite jusqu'à la zone d'attaque, elle tournait en rond pendant dix heures, cherchant sa proie. Les techniciens achevaient de mettre au point des vedettes téléguidées, bourrées d'explosif, qu'on pourrait diriger à distance sur les navires ennemis. Mais aucune de ces armes navales secrètes n'est disponible au Grand Jour. Elles n'interviendront qu'au mois de juillet et n'obtiendront que des résultats médiocres. Les Alliés ont imaginé une parade efficace à ces attaques d'engins sans marins : ils vont tendre autour de leur flotte un gigantesque filet d'acier auquel torpilles et engins téléguidés viendront se prendre comme des petits poissons.

Trois unités allemandes, en tout et pour tout, sont disponibles pour une attaque de l'armada alliée. Trois vedettes rapides basées au Havre. Leur chef, le commandant Heinrich Hoffmann, n'hésite pas à les lancer contre les mastodontes adverses. Avec une bravoure remarquable, il traverse le brouillard qui entoure la flotte, débouche en vue de bateaux si nombreux qu'il en a le souffle coupé, lâche dix-huit torpilles et réussit à s'esquiver sous une grêle d'obus. Le destroyer norvégien *Svenner*, coupé en deux, coule à pic avec trente de ses matelots. Exploit pour Hoffmann, tragédie pour le *Svenner*, simple piqûre d'épingle pour l'armada dont la plupart des navires ne se sont rendu compte de rien.

Le transbordement continue. Grincements stridents des barges raclant les coques, cris de douleur des blessés tombés des filets, instructions lancées à pleine voix par les officiers des vedettes, bergers de ce troupeau nautique. Et, recouvrant le tout, les prières des aumôniers et les ultimes exhortations que retransmettaient les haut-parleurs de la flotte. Les Britanniques entendaient : « Souvenez-vous de Dunkerque ! Rappelez-vous Coventry ! » Dunkerque, où l'armée anglaise envoyée en France avait dû se rembarquer précipitamment en 1940, vaincue par Hitler... Coventry, petite ville d'Angleterre que les bombardiers de Goering avait réduite en cendres... Les haut-parleurs lançaient aux Canadiens : « Dieppe ! Vous allez venger vos camarades ! » Car trois mille soldats canadiens étaient tombés sur les galets de Dieppe, en 1942, au cours d'un raid destiné à sonder la force des défenses allemandes...

Que de noms auraient-ils dû hurler, ces haut-parleurs, pour épuiser la longue liste de mort et de malheur ! Auschwitz, Treblinka, où l'on gazait femmes et enfants par millions. Mont Valérien, où périssaient face aux pelotons nazis les meilleurs fils de France. Breendonck, près de Bruxelles, où souffraient et mouraient les résistants belges tombés aux mains de l'ennemi.

Amsterdam, incendiée en 1940 par la Luftwaffe. Et les villages rasés de Yougoslavie, avec les habitants pendus aux branches des arbres ; et le peuple d'Athènes affamé, puis fauché à la mitrailleuse quand il avait eu l'audace de manifester pour réclamer du pain ; et les villes de Pologne et d'Union soviétique martyrisées, saignées à blanc (mais celles-là, l'Armée rouge les avait inscrites sur son livre de compte). Et toute la misère, l'angoisse, l'humiliation répandues sur l'Europe par la lèpre nazie...

Un feu d'enfer s'abat sur la côte

Il est quatre heures et demie du matin. Anne Frank dort profondément dans sa cachette. Jacques Auverpin dans sa chambre parisienne, et aussi André Kirschen, blotti sur la paillasse de sa cellule.

La première vague d'assaut achève de s'aligner tant bien que mal sur la mer démontée.

Ils sont moins de six mille, ceux qui vont porter le premier coup. Six mille garçons anglais et américains que leurs barges vont jeter sur cinq plages surnommées Juno, Sword, Gold, Omaha, Utah. Tant d'années de préparation, de travail, d'effort ; tant d'espoirs mis dans le débarquement et tant de vies humaines qui dépendent de son succès mais, au bout du compte, tout repose sur le courage de ces six mille hommes, l'avant-garde du monde libre.

Entassés dans leurs barges, ils s'éloignent des gros transports. Les phrases retransmises par les haut-parleurs se perdent dans le vent. Ce n'est plus pour eux le temps des discours. Ils vont se battre pour Anne Frank, André Kirschen, Jacques Auverpin et des millions d'autres, mais chacun des six mille hommes de la première vague ne voit en cet instant que la mort possible qui l'attend au-delà du banc de brume. Même quand on combat pour les autres, on meurt toujours tout seul.

Ainsi la première vague d'assaut mit-elle le cap sur le rivage de France. Ses barges emportaient des hommes tordus par les crampes tant ils avaient froid, écœurés par le mal de mer, surchargés au point de ne pas pouvoir bouger, si pitoyables en vérité que leurs officiers pensaient avec angoisse qu'il faudrait un véritable miracle pour qu'ils retrouvent la force de s'élancer sur les blockhaus allemands.

Ils atteignirent et traversèrent le rideau protecteur de la flotte de guerre, leurs embarcations filant comme des puces de mer le long des hautes murailles d'acier. Il n'y avait maintenant plus rien entre l'ennemi et eux. Mais tandis qu'ils s'efforçaient de deviner la côte, encore invisible dans la brume, un coup de tonnerre roula sur les vagues et monta jusqu'au ciel : les navires de guerre avaient ouvert le feu.

Les mouettes, affolées, s'enfuirent à tire-d'aile. Pendant deux mois, on n'en verrait pas une sur les plages de débarquement.

Ce fut prodigieux. Un tapis volant d'obus de toutes tailles se déroulait, ininterrompu, au-dessus des barges. La côte, soudain entrevue dans une déchirure de brume, sembla exploser, se réduire en poussière, comme si cent volcans faisaient éruption en même temps. Le bruit était assourdissant. Un véritable mur du son. Les soldats stupéfaits se redressèrent dans leurs barges. Ils étaient abasourdis. Jamais ils n'avaient entendu pareil fracas. Puis leurs visages cireux, aux traits tirés par la fatigue et l'angoisse, se levèrent lentement vers le ciel. Là-haut, plus haut encore que le tapis volant tissé par les obus, naissait un autre grondement qui devenait à son tour roulement de tonnerre : les escadres de bombardiers attaquaient. Neuf mille avions ! Des dizaines de milliers de bombes qui allaient s'abattre sur l'ennemi ! La mer et le ciel étaient tout pleins de la puissance alliée et la terre tenue par l'adversaire se désintégrerait bientôt sous ses coups.

Les enfants perdus de la première vague oublièrent alors le mal de mer, les crampes, l'eau grise qui envahissait les barges et que l'on écopait avec les casques. Ils n'étaient plus seuls. La force invincible du monde libre les accompagnait sur les plages. Debout, ils acclamèrent les avions, les cuirassés, les croiseurs, et leurs mains gourdes de froid se resserrèrent sur leurs armes.

Le miracle avait eu lieu.

« *Ils sont là !* »

L'enfer...

Les bombes s'abattent en pluie serrée. L'impact des explosions secoue les blockhaus, fait vaciller le capitaine Ferking et son ordonnance, Hein Severloh. Une poussière épaisse envahit l'abri et les asphyxie. Ils ont l'impression que leurs tympans vont éclater. C'est la fin du monde.

Mais quand l'orage des bombardiers s'éloigne, ils sont indemnes. Heinz Tiebler, dans son blockhaus voisin, est lui aussi bien vivant. Aucun des ouvrages fortifiés d'Omaha n'a été atteint par un coup direct. Les treize mille bombes lancées par trois cent vingt-neuf bombardiers américains B-24, qui devaient transformer la falaise en cimetière, sont presque toutes tombées à l'intérieur des terres. Le point d'appui du capitaine Ferking n'en a reçu que deux et les dégâts sont insignifiants.

Que s'est-il passé ?

Le plafond de nuage était si bas à Omaha que les bombardiers devaient naviguer en se fiant à leurs instruments. Ils ne voyaient pas le sol ni les objectifs qu'on leur avait assignés. Une erreur de calcul de quelques secondes suffisait donc pour que le tapis de bombes manque son but. Cette erreur fut commise. Sans doute le chef de l'escadre aérienne, aveugle dans les nuages, préféra-t-il ne pas courir le risque de lâcher sa pluie d'acier sur les barges qui approchaient du rivage. Il donna le signal avec trois ou quatre secondes de retard. Son chargement de mort s'éparpilla dans les prés, derrière la falaise. Quant au bombardement naval, il semblait également chercher ses objectifs loin à l'intérieur des terres. La puissance défensive d'Omaha restait intacte.

Les Allemands, eux aussi, avaient eu leur miracle.

Le capitaine Ferking se précipite sur le téléphone et appelle la batterie :

— Giesing ? Où en êtes-vous ?

— Tout va bien, mon capitaine. Pas un blessé, pas un canon touché !

Ferking raccroche, ravi, et crie à Severloh :

— Hein, prépare-nous un casse-croûte !

Severloh empoigne la boule de pain qu'il a fourrée dans sa musette avant de quitter la ferme Legrand, découpe des tranches et étale une épaisse couche de beurre. Tous mangent de bon appétit, immensément soulagés d'avoir échappé au déluge de bombes. Ferking, sa tartine à la main, sort du block-haus, s'accoude au parapet de la tranchée et porte ses jumelles à ses yeux. D'une voix méconnaissable, il pousse une exclamation de stupeur. Les autres accourent.

— Ils sont là ! bredouille Ferking. Toute leur flotte est là ! Mais c'est incroyable... C'est incroyable...

Severloh prend à son tour les jumelles. « J'ai eu du mal à tenir sur mes jambes, raconte-t-il. Je me sentais vidé, anéanti, à bout de forces. »

Un coup de vent avait balayé le brouillard artificiel lâché par les assaillants pour masquer leurs mouvements. Cette brume s'était levée comme un rideau de théâtre et Hein Severloh était le spectateur abasourdi d'une mise en scène telle qu'on n'en avait jamais connu : une flotte innombrable, surgie du néant, recouvrait la mer d'un bout à l'autre de l'horizon.

Chacun des défenseurs allemands d'Omaha reçut ce spectacle comme un coup de poing au creux de l'estomac et vit sa mort inscrite dans cette fantastique apparition. Car chacun avait l'impression que les navires avaient leurs canons pointés sur lui-même, qu'il était personnellement visé et qu'il n'avait aucune chance d'en réchapper.

Un silence de mort avait succédé au tonnerre du bombardement, augmentant encore l'étrangeté de ce moment presque irréel. Certains se demandaient s'ils ne rêvaient pas, s'ils n'étaient pas victimes d'un affreux cauchemar. Mais non : leurs camarades voyaient aussi cette flotte sortir du brouillard comme sur un coup de baguette magique.

Dans le blockhaus voisin, Heinz Tiebler, qui avait fêté trois jours plus tôt ses dix-huit ans, pensa qu'il ne reverrait jamais son pays. Les fantassins âgés qui l'entouraient avaient l'air complètement abattu. Le lieutenant Wagner examina longuement la flotte à la jumelle, puis dit d'une voix calme : « Mes amis, on va prendre un billet de bateau pour New York avec changement à Londres. » Ainsi, le lieutenant lui-même prévoyait qu'ils seraient faits prisonniers... Tiebler en fut surpris (le Führer n'avait-il pas affirmé que le Mur de l'Atlantique était infranchissable ?) mais aussi soulagé : mieux valait être prisonnier que mort.

Helmut Ullmann n'avait que dix-sept ans. Accompagné d'un camarade, il galopait depuis des heures dans la nuit hostile. On les avait chargés de vérifier les câbles téléphoniques reliant les blockhaus d'observation aux batteries. Ces câbles auraient dû être enterrés. Ils ne l'étaient pas. On s'était contenté de les tendre d'une branche d'arbre à une autre, ce qui les rendait vulnérables aux éclats de bombe. Les deux garçons enviaient leurs camarades restés dans la chaleur rassurante de l'abri. Ils arrivèrent à la côte au moment où le brouillard artificiel se levait sur la flotte ennemie. « On a simplement fait : "Oh !", dit Helmut. On était submergés, écrasés. » Puis ils repartirent consciencieusement vérifier les lignes. Toute la journée, au milieu des explosions d'obus, ils allaient jouer à cache-cache avec les Jabos américains.

Quant à Edmund Sossna, qui transmettrait bientôt les ordres de tir du capitaine Ferking, la vue des bateaux lui coupa le souffle et, pendant plusieurs minutes, il fut incapable de penser à quoi que ce soit.

La peur a changé de camp. Dans leurs barges, les 1 850 Américains chargés d'attaquer Omaha regardent avec confiance la côte française recouverte d'un épais nuage de fumée et de poussière mêlées : ils sont persuadés qu'aucun défenseur n'a survécu au pilonnage. Dans leurs blockhaus et dans leurs tranchées, les 800 Allemands qui les attendent derrière leurs armes intactes restent hypnotisés par cette flotte monstrueuse tirant de tous ses canons.

— Hein ! A toi de jouer ! Montre-nous que tu sais viser.

Severloh regarde le capitaine Ferking. Celui-ci lui désigne la mitrailleuse de 42 en batterie dans un renfoncement du parapet. S'il sait viser ? Il est tireur d'élite, et Ferking le sait bien. Le plus fin chasseur de Metzingen, là-bas, en Basse-Saxe. Mais il n'a encore jamais tiré sur un homme. Jamais encore, il n'a pointé le canon d'une arme sur un cœur humain. Hein est encore plus troublé que lorsqu'il a vu la flotte alliée. Il sait qu'il va tuer, que des centaines d'êtres humains vont, dans quelques minutes, recevoir la mort de sa main. Il a envie de pleurer. Mais il surmonte son malaise et va se mettre en position derrière la mitrailleuse. Un ordre est un ordre. Et puis l'Allemagne est en danger. Bon patriote, Hein se battra pour elle comme l'ont fait les anciens en 1914.

Les barges d'assaut approchent de la plage.

Encadrant Hein, les dix-huit fantassins commandés par l'adjudant Pieh. Celui-ci vient d'être blessé au cou par un éclat d'obus. Le sang inonde sa tunique. Mais Pieh s'irrite si l'on s'inquiète de son état : « Ce n'est rien ! Juste un éclat ! » Il inspecte une dernière fois la petite troupe. Ses hommes disposent de deux mitrailleuses modèle 34, beaucoup plus anciennes que la 42 de Hein, d'une mitrailleuse tchèque dont on ne sait trop ce qu'elle vaut, d'un fusil-mitrailleur 08/15 à refroidissement par eau (un très vieux modèle) et d'un lance-grenades.

Les barges filent sur la mer, moteur à plein régime. Les pilotes n'ont pas à se soucier des pièges de Rommel puisque la marée basse les a laissés au sec. Ce sont les fantassins qui paieront la note : ils devront franchir sous le feu ennemi quelques sept cents mètres de plage avant d'arriver aux premiers blockhaus allemands. Convaincus qu'une attaque à marée haute aboutirait à une hécatombe d'embarcations, les chefs alliés avaient dû, la rage au cœur, fixer l'assaut à la marée basse. Hein et ses camarades auraient, grâce à l'ingéniosité de leur maréchal bricoleur, un champ de tir d'une dimension inespérée.

Le capitaine Ferking, d'une voix calme, donne ses indications de tir au lieutenant Giesing. On ouvrira le feu dès que les barges auront touché terre, mais pas avant : les instructions sont formelles.

Le bateau qui se dirige droit sur leur blockhaus est nettement plus important que les barges dont il est entouré. Son avant ne s'abaisse pas comme le leur : il comporte, à droite et à gauche de l'étrave, deux larges escaliers par lesquels trois ou quatre hommes peuvent descendre de front. Le bateau stoppe. Les fantassins, que Hein distingue parfaitement, se ruent dans les escaliers. Quand les premiers pataugent dans l'eau, le

mitrailleur entend l'ordre hurlé par le capitaine Ferking :
« Feu ! »

Hein Severloh appuie sur la détente. Son œil d'aigle dirige sur les Américains un tir meurtrier. Il les fauche à mi-corps, comme on le lui a appris à l'exercice. Sa 42 balaye impitoyablement un escalier après l'autre.

Sur toute la longueur de la falaise, le feu allemand s'est déchaîné, coulant les barges, fauchant les hommes par dizaines, achevant les blessés qui ne savent où s'abriter. La première vague est clouée sur place.

Omaha-la-Sanglante s'imprègne de sang américain.

Un général peu ordinaire

Sur les trois régiments désignés pour débarquer à Omaha, l'un appartient à la 29e division, les deux autres à la 1re. L'insigne de la 1re division représente le chiffre 1, teint en rouge, aussi a-t-on surnommé cette unité la « Grand Un Rouge ». Parachutistes mis à part, c'est à coup sûr la meilleure division américaine en Europe, la plus aguerrie, la plus ardente au combat. Ses hommes viennent pour la plupart de New York. Citadins, employés de bureau, ouvriers, ils n'ont pas la carrure impressionnante des géants du Texas ou de l'Ouest américain, mais ils proclament que le meilleur entraînement militaire, c'est encore la bagarre deux fois par jour dans le métro new-yorkais pour conquérir une place assise. Et leur général répète à ses collègues : « Mes types sont peut-être petits, mais ils y vont de bon cœur. »

La Grand Un Rouge en était à son troisième débarquement. On l'avait jetée une première fois sur les plages d'Afrique du Nord, en 1942, et elle avait écrasé en Tunisie les restes de l'Afrikakorps de Rommel. En 1943, c'était le tour de la Sicile. Dure bataille... Le deuxième jour, l'état-major allemand lance contre la Grand Un Rouge la division blindée Hermann Goering, ses chars Tigre et ses grenadiers d'élite. Les New-Yorkais voient sans trembler le formidable rouleau compresseur dévaler de la montagne, détruisent la moitié des chars, se blottissent dans leurs trous individuels tandis que passent sur eux les Tigre rescapés, refont surface pour contre-attaquer durement les grenadiers allemands, les mettent en déroute, obligent ainsi les monstres blindés, privés de tout soutien d'infanterie, à regagner leur base de départ. Un fait d'armes remarquable de courage et de sang-froid.

Mais sa gloire était montée à la tête de la Grand Un Rouge. Elle avait l'impression de gagner la guerre à elle toute seule. Orgueilleuse, indisciplinée, elle traitait par le mépris les ordres venus d'en haut et ne respectait que les deux généraux qui la commandaient. L'un s'appelait Allen. Son adjoint, encore plus populaire parmi la troupe, portait un nom célèbre en Amérique : Roosevelt. Cousin très éloigné de Franklin Roosevelt, président des États-Unis en 1944, il était le fils aîné de Theodore Roosevelt, qui avait été lui aussi élu président en 1901. C'était un petit homme au visage ridé, à la voix rauque, dont le général Bradley devait dire après sa mort : « Je n'ai jamais rencontré d'homme aussi courageux que lui. » Ses soldats l'adoraient pour sa bravoure mais aussi pour sa simplicité. Il leur parlait comme s'il n'avait pas d'étoiles sur ses épaulettes. Et il savait trouver les mots capables de plaire à des New-Yorkais dégourdis que les grands discours faisaient bâiller d'ennui. En Tunisie, alors que l'Afrikakorps résistait tenacement aux assauts américains, Roosevelt avait crié à ses hommes : « Allons, les gars, on aplatit les Boches et on retourne ensuite à Oran casser la gueule à tous les types de la Military Police ! » Les membres de la Military Police, chargés de maintenir la discipline dans l'armée américaine, n'étaient pas très populaires parmi les durs à cuire de la 1re division. Et la Grand Un Rouge avait fait ce que lui avait demandé son fou de Roosevelt : après avoir aplati les Boches, elle avait cassé la gueule à la Military Police d'Oran...

Les grands chefs, exaspérés, s'étaient finalement décidés à mettre au pas l'intenable 1re division. On avait commencé par lui enlever ses deux généraux. Roosevelt en avait profité pour réaliser son troisième débarquement : il avait attaqué et enlevé la Corse avec les Français libres. Mais il s'était retrouvé dans un état-major, occupé à faire de la paperasse, ce que détestait plus que tout au monde cet homme dynamique qui avait été explorateur avant d'entrer dans l'armée. Aurait-on la cruauté de le priver, lui le spécialiste, de son quatrième débarquement ? Resterait-il le derrière sur une chaise tandis que ses hommes iraient une fois de plus à l'abordage ? Cette seule pensée plongeait Roosevelt dans le désespoir. Il écrivit à son supérieur, le général Bradley : « Si vous me demandez d'y aller à la nage avec un obus de 105 ficelé dans le dos, je suis d'accord. D'accord pour n'importe quoi ! Aidez-moi seulement à sortir de ce trou à rats. » Bradley, tranquille et réservé, aimait beaucoup Roosevelt, dont les qualités et les défauts étaient exactement à l'opposé des siens. Il le convoqua et lui dit : « Pas question pour vous de retourner à la Grand Un Rouge. Mais nous avons une autre division qui attaquera en première ligne : la 4ᵉ. Ses soldats n'ont jamais vu le feu. Votre présence parmi eux serait bien utile, mais je vous préviens que vous y laisserez probablement votre peau. »

Ainsi le général de brigade Theodore Roosevelt se retrouvait-il pour la quatrième fois, en cette aube du 6 juin 1944, dans une barge d'assaut filant à pleins gaz vers le rivage ennemi. « Parmi les soldats de la 4ᵉ division », comme le lui avait demandé Bradley ? Non : à leur tête, comme il en avait la dangereuse habitude. Il avait supplié qu'on le laissât partir avec la première vague : « Ça rassurera les gamins de me voir dans le coup. » Il était le seul général à accompagner cette première vague et, des six mille hommes qui la composaient, il était certainement le plus âgé : cinquante-sept ans, avec un cœur qui battait la breloque et une épaule raide de rhumatismes. Mais Roosevelt avait vu juste : sa présence réconfortait les soldats qu'il menait à l'assaut avec, pour seules armes personnelles, un pistolet à sept balles et une canne. Contemplant cet homme au visage creusé de rides qui aurait pu être leur père, les garçons de vingt ans se disaient : « Si le vieux tient le coup, je dois pouvoir aussi. »

Il reste au général Theodore Roosevelt cinq semaines à vivre.

« *Vous prendrez tous les risques* »

Son objectif est l'immense plage de sable blond de Sainte-Marie-du-Mont, que les Américains ont baptisée Utah. Elle a déjà une très vieille expérience des débarquements. Il y a plus de mille ans, en 841, les Vikings y ont débarqué de leurs drakkars et ont conquis le pays. En 1793, lors de la Révolution française, les Anglais ont tenté à leur tour une descente pour venir au secours des chouans royalistes. La plage allait donc subir le troisième débarquement de son histoire.

Elle est située à une quinzaine de kilomètres d'Omaha, qu'attaquent au même moment les vieux complices de Roosevelt, les durs de la Grand Un Rouge, parmi lesquels se trouve son propre fils, Quentin Roosevelt, capitaine de vingt-cinq ans. Derrière la plage, des dunes farcies de blockhaus allemands et de champs de mines. Au-delà des dunes, un immense marais artificiel que les Allemands ont fait surgir en fermant des écluses. Ni les tanks ni les camions américains ne pourront progresser à travers le marais : ils devront emprunter les quatre routes étroites qui le traversent et rejoignent la terre ferme, trois kilomètres plus loin. C'est pourquoi les paras américains ont reçu mission de tenir à tout prix le débouché de ces quatre routes. Il s'agissait d'empêcher les Allemands d'y installer des bouchons antichars qui, tenant les chaussées sous leur feu, auraient bloqué toute progression.

Les paras ont rempli leur contrat. C'est maintenant le tour des « gamins » de Roosevelt d'entrer en action. Ils doivent enfoncer la première ligne de défense installée dans les dunes.

L'officier allemand qui commande face à Theodore Roosevelt est un simple lieutenant de vingt-trois ans : Arthur Jahnke.

Ce grand garçon sympathique n'a pas l'allure bien martiale, avec sa silhouette d'étudiant et ses yeux rieurs derrière les verres de ses lunettes. Mais c'est un vétéran du front de l'Est, où il a été grièvement blessé. Mal rétabli, il a été muté sur le Mur de l'Atlantique, le service y étant moins pénible. Au contraire de Roosevelt, qui pourrait être le père et presque le grand-père de ses soldats, Jahnke a sous ses ordres des hommes dont il pourrait être le fils. Presque tous ont largement dépassé la quarantaine. Rares sont ceux qui ont déjà combattu. Il s'agit de braves pères de famille mobilisés en dernier recours par une Allemagne saignée à blanc.

La nuit avait bien commencé pour le lieutenant Jahnke. Une patrouille envoyée dans le marais lui avait ramené dix-huit paras américains prisonniers. Il les avait fait enfermer dans un abri en se demandant ce que signifiait une telle attaque aéroportée. Le premier acte du débarquement ? Mais la mer baissait et serait à l'aube à huit cents mètres des dunes. Or, si Jahnke avait une certitude, c'était celle-ci : les Alliés attaqueraient à marée haute. Il tenait le renseignement d'un homme généralement bien informé : Rommel lui-même, qui était venu inspecter les défenses d'Utah moins d'un mois plus tôt, le 11 mai.

Quelle visite ! Jahnke et ses hommes n'étaient pas près de l'oublier... Rommel, d'une humeur de dogue, avait arpenté les dunes en grommelant sans cesse : « Insuffisant ! Insuffisant ! » Pas assez d'obstacles sur la plage, pas assez de mines autour des blockhaus, pas assez d'asperges dans le marais, pas assez de barbelés ! Là, Jahnke ne s'était pas laissé faire : « Monsieur le Maréchal, avait-il protesté, je pose tous les barbelés qu'on m'envoie. Je ne peux pas faire plus. Quant aux obstacles, il suffit d'une marée un peu forte pour les ramener à la côte. Le sable ne tient pas. » Rommel, de sa voix sèche, avait alors ordonné : « Vos mains, lieutenant. Je veux les voir. » Stupéfait, Jahnke avait retiré ses gants. Voyant les traces de profondes écorchures sur les paumes, Rommel finit tout de même par se radoucir : « Très bien, lieutenant. Le sang que vous avez perdu en travaillant aux fortifications est aussi précieux que celui que vous avez versé au combat. » Et il était remonté dans sa Horch en conseillant à Jahnke : « Ouvrez l'œil à chaque marée haute. C'est à marée haute qu'ils viendront. »

La marée était basse. Ils n'allaient donc pas venir. De toute façon, on était prêt à les recevoir. Les hommes de Jahnke avaient à leur disposition un canon de 88, deux antichars de 50, deux canons de 75, un obusier de 160, sans parler des mitrailleuses, des lance-grenades et des lance-flammes. Il y avait là de quoi défendre le point fortifié, cette presqu'île sablonneuse coincée entre la mer et le marais.

« Mais pourquoi, se demandait Jahnke, pourquoi les paras prisonniers sont-ils si inquiets et exigent-ils d'être transférés vers l'arrière ? »

La malchance du lieutenant Jahnke fut que, contrairement à Omaha, les opérations alliées se déroulèrent à Utah conformément au plan prévu. Et quand se produisit l'erreur qui aurait pu tout compromettre, Theodore Roosevelt se trouvait là pour redresser la situation.

Les bombardiers portèrent le premier coup. Leur chef était le colonel Wood, un Texan de vingt-cinq ans qu'on imaginait mieux acteur à Hollywood que pilote de guerre. Mais Wood, aussi grand et beau que Roosevelt était petit et... plutôt laid, Wood possédait au même degré que le vieux baroudeur la volonté farouche de se battre et de gagner. Il réunit ses hommes avant le décollage et leur dit : « Cette mission est la plus importante de toutes celles que vous avez déjà accomplies. Je me fiche de savoir si vos avions sont fin prêts. Vous allez les piloter jusqu'à cette plage et vous prendrez tous les risques pour apporter aux gars de l'infanterie toute l'aide qu'ils sont en droit d'attendre. »

Jahnke vit arriver sur lui les bombardiers de Wood. Au contraire de ceux d'Omaha, ils volaient à soixante mètres *au-dessous* des nuages et pouvaient donc viser à vue. Le lieutenant s'enfonça dans son abri (un simple trou recouvert de poutres en bois) et ferma les yeux quand le tapis de bombes s'abattit sur la dune. L'effet fut celui d'un grand coup de pied dans une taupinière. Le sable gicla et tourbillonna à plusieurs mètres de hauteur. Une bombe, tombée à quelques mètres de son abri, ensevelit le lieutenant Jahnke. Il se dégagea à grand-peine, blessé au bras. Au-dessus de lui, les oiseaux de mort continuaient leur carrousel. Le lieutenant se jeta dans un entonnoir de bombe, assommé, les tympans douloureux. Même en Russie, avait-il jamais été soumis à pareil traitement ? La blessure qu'il avait reçue sur le front de l'Est avait été l'occasion, exactement une semaine plus tôt, d'une émouvante cérémonie.

Jahnke avait été décoré par le général Marcks de la Croix de fer de chevalier devant tous ses hommes rassemblés en face du blockhaus principal. On avait bu, festoyé et chanté en chœur. Comme tout cela était loin... Il y avait eu aussi la visite d'une troupe théâtrale qui avait donné une représentation dans le hameau de la Madeleine. Le meneur de jeu avait fait son entrée sur la scène en s'écriant : « Combien de temps allons-nous rester assis sur un baril de poudre ? » Tout le monde s'était esclaffé. Mais voici que le rire se terminait en grimace : le baril de poudre avait explosé et la pièce n'était plus drôle...

Accalmie. Les avions se regroupent au large. L'air sent la poudre et le brûlé. Un nuage de poussière et de fumée flotte sur le point d'appui bouleversé de fond en comble. Les réserves de munitions explosent dans les abris béants. Peu de pertes humaines : Jahnke avait prudemment laissé ses hommes dans les blockhaus bétonnés. Mais les nerfs de ces pacifiques pères de famille ont craqué. Plusieurs hurlent comme des bêtes ; d'autres pleurent ; beaucoup parlent déjà de se rendre. Plus grave encore : le tir implacablement précis de Wood a détruit le canon de 75 et endommagé le précieux 88 — la meilleure pièce du point d'appui.

« Attention ! Ils reviennent ! » Cette fois, ils sont au ras des pâquerettes, comme disent les aviateurs. Les avions foncent à deux mètres au-dessus du sol et visent les embrasures des blockhaus. Leurs fusées détruisent les deux pièces de 50. Il y a des morts et des blessés.

C'est alors que les survivants découvrirent la flotte. Son apparition donna le coup de grâce au moral déjà bien entamé des hommes de Jahnke. Eux qui croyaient naïvement que leur point d'appui farci de canons était imprenable, ils constatent qu'il n'est qu'un jouet d'enfant déjà démantibulé face à la forteresse navale surgie de la mer.

Quelques-uns gardaient assez de courage pour se battre. Quand un destroyer américain se détache de la ligne des navires de guerre et fonce vers la côte, l'adjudant Heim et une poignée d'hommes mettent en batterie l'obusier de 160. C'est la dernière pièce en état de marche. Deux obus tombent à la mer : trop court. Le destroyer réplique avant le troisième tir. Sa salve détruit la pièce, déchiquette les servants. Comme à un signal, les autres navires entrent dans la danse. Un déluge d'acier s'abat sur les dunes. Tout explose, tout craque, tout vole en

De gauche à droite et de haut en bas :
1. Le général de Gaulle à Londres.
(Ph. Keystone)
2. Le général Montgomery. (Ph. Sygma)
3. Le général Eisenhower en compagnie
de Winston Churchill. (Ph. Keystone)
4. Le président des Etats-Unis :
Franklin D. Roosevelt. (Ph. Keystone)
5. Staline. (Ph. L'Illustration / Sygma)

En haut, à gauche :
Soldats américains partant au combat.
(Ph. P. P. P.)
En haut, à droite
Troupes américaines débarquant d'une péniche
sur la côte normande. (Ph. P. P. P.)
Ci-dessus :
Débarquement du matériel.
(Ph. P. P. P.)
Ci-contre :
Les renforts arrivent. (Ph. P. P. P.)

Ci-contre :
Les barges d'assaut.
(Ph. P. P. P.)
Blessé ramené sur la plage.
(Ph. P. P. P.)
Ci-dessous
Officier de marine de
la France Libre. (Ph. Viollet)

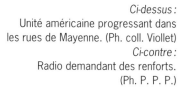

En haut, à gauche :
Parachutistes américains à l'intérieur
d'un C-47. (Ph. P. P. P.)
En haut, à droite :
Parachutage des soldats américains
derrière les lignes allemandes.
(Ph. P. P. P.)

Ci-dessus :
Unité américaine progressant dans
les rues de Mayenne. (Ph. coll. Viollet)
Ci-contre :
Radio demandant des renforts.
(Ph. P. P. P.)

En haut :
Tank américain dans
Coutances. (Ph. P. P. P.)
Au milieu, à gauche :
Combat pour la libération
de Brest.(Ph. Keystone)
Au milieu, à droite :
Médecin soignant
un soldat blessé lors
du débarquement.
(Ph. P. P. P.)
Ci-contre :
Officier allemand se
rendant à un soldat
américain dans
la bourgade d'Illy.
(Ph. P. P. P.)

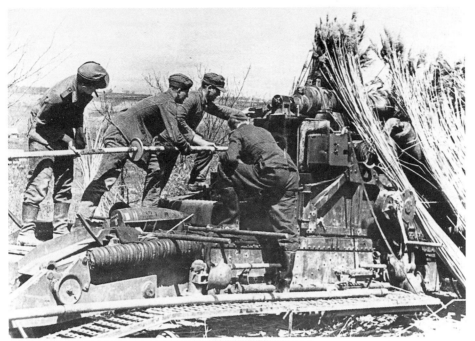

En haut page de gauche:
Devant l'hôtel de ville
de Nuremberg, le Führer
passe en revue une
compagnie d'honneur.
(Ph. Keystone)
En haut page de gauche:
Hitler prononçant
un discours.
(Ph. Roger-Viollet)
En bas page de gauche:
Chasseur-bombardier
Focke-Wulf FW 190 F8
en Normandie.
(Ph. Lapi/Viollet)

En haut page de droite:
Canon allemand sur
le front de Normandie.
(Ph. Lapi/Viollet)
Ci-dessus:
Des S.S. prêtent serment
de fidélité à Hitler.
(Ph. Keystone)
Ci-contre:
Examen des photographies
prises par les avions de
reconnaissance allemands.
(Ph. coll. Viollet)

De gauche à droite et de haut en bas :
Goebbels. (Ph. Lapi / Viollet); Himmler. (Ph.Lapi / Viollet);
Rommel. (Ph. Keystone); Gœring. (Ph. Keystone)

éclats. Et cela dure une demi-heure. Trente-sept minutes exactement, trente-sept minutes de folie et de mort pour ces hommes que les obus d'une tonne vont tuer jusqu'au fond de leurs blockhaus.

Le lieutenant Jahnke est toujours vivant lorsque l'avalanche cesse enfin, mais les bombes de Wood et les obus de la flotte ont détruit *tous* ses canons, *tous* ses lance-flammes. Son point d'appui n'a plus aucune valeur défensive : blockhaus éventrés, tranchées nivelées. Ses soldats survivants errent, hébétés, entre les ruines. La plupart ont perdu leur arme. Jahnke ne peut même pas demander du secours : son central téléphonique n'est plus qu'un amas de décombres. Il envoie vers l'arrière un homme à bicyclette. Un Jabo le tue avant même qu'il n'arrive au débouché de la route, où sont embusqués les paras américains. Jahnke va devoir lutter seul contre les vagues d'assaut venues du large. Il lui reste en tout et pour tout deux mitrailleuses et un lance-grenades...

Goliath contre Sherman

En face, dans les barges, il y a ceux qui vomissent — comme l'ordonnance de Roosevelt, Smoky David — et ceux qui ont peur. La mer démontée submerge sept embarcations et engloutit la plupart de leurs occupants surchargés. Un gros chaland saute sur une mine. Il transportait quatre chars. La déflagration soulève l'un d'eux à plus de trente mètres. Les survivants appellent à l'aide, mais quand le pilote d'une barge fait mine d'aller les repêcher, les vedettes de contrôle surgissent comme l'éclair en hurlant de tous leurs haut-parleurs : « Continuez droit devant ! Vous n'êtes pas un bateau de sauvetage ! Continuez droit devant ! » Bouleversés, les soldats se bouchent les oreilles pour ne plus entendre les supplications de leurs camarades en train de se noyer.

La côte est à peine visible sous les nuages de fumée et de sable que soulèvent les obus. Dix-sept barges lance-fusées, approchant de la plage jusqu'à racler leur quille, lancent des salves qui, dans un rugissement déchirant, zèbrent le ciel de traînées jaunes avant de s'abattre sur les dunes avec des éclairs de fin du monde.

Encore quelques dizaines de mètres. D'une barge s'élève une fusée fumigène. C'est le signal convenu avec la flotte. Aussitôt, les canons de marine haussent le tir et expédient leurs obus à l'intérieur des terres. Ils vont apprendre ce qu'est la guerre aux jeunes paras allemands aux prises avec les Aigles hurlants.

Les premières barges s'échouent dans le sable mou.

Le lieutenant Jahnke n'en croit pas ses yeux. Il pensait avoir tout vu et tout connu de la guerre, mais voici un spectacle qui lui paraît démentiel : d'énormes matelas pneumatiques, hauts de plusieurs mètres, montés sur chenilles, surgissent de la mer entre les barges et avancent en patinant sur le sable humide. Jahnke a-t-il des visions ? Le bombardement l'a-t-il rendu fou, comme plusieurs de ses hommes ? Non : les matelas se dégonflent soudain, retombent comme des jupes, découvrant aux yeux médusés des Allemands les tourelles et les canons de chars Sherman. Des chars amphibies, masses d'acier pesant plusieurs tonnes, que leur ceinture pneumatique a maintenus à la surface ! Cette fois, c'en est trop. Comment leur résister ?

Avec les Goliath, l'arme secrète de Jahnke. Ce sont des tanks miniatures, de la taille d'une voiture d'enfant à pédales, bourrés de dynamite. Un système de téléguidage permet de les diriger sur l'ennemi, puis de déclencher à distance l'explosion de la charge. Mais c'est en vain que le jeune lieutenant actionne ses boîtes de commande : le bombardement a tout cassé et les Goliath refusent de démarrer.

Il ne lui reste qu'à livrer un baroud d'honneur. Quelques rafales de mitrailleuses, quelques tirs de lance-grenades, les coups de fusil de ceux de ses hommes qui veulent encore se battre. Il en faudrait plus pour stopper la charge de six cents hommes que Roosevelt mène tambour battant. Les assaillants franchissent sans grand mal le glacis de huit cents mètres, s'abritent au pied du mur antichar. Aux sapeurs de jouer ! Ils pratiquent à coups d'explosif de larges brèches dans ce mur. Les Sherman se ruent pour un ultime assaut. Les hommes de Jahnke lèvent les bras. Le lieutenant, jeté à terre par une explosion d'obus, est relevé à moitié inconscient. Il finira la guerre dans un camp de prisonniers. Son point d'appui a été submergé. Le débarquement à Utah a réussi.

On s'aperçoit alors qu'il a réussi au mauvais endroit. Les barges, déportées par un courant marin, ont déposé leurs passagers deux kilomètres trop au sud. C'est grave, car une route seulement s'offre ici à l'écoulement des troupes. Que faire ? Diriger les deuxième et troisième vagues sur le bon endroit ? Ce serait perdre l'avantage du succès obtenu et courir les risques d'une nouvelle opération. Laisser tomber les plans et foncer sur la route unique ? Gare à l'embouteillage ! 30 000 hommes et 3 500 véhicules vont débarquer sur la plage.

La décision était lourde de conséquences, si lourde que

plus d'un officier aurait hésité à en prendre la responsabilité et aurait prudemment attendu des instructions. Or, à la guerre, les occasions et le temps perdus ne se retrouvent jamais. Mais, par chance pour les Américains, l'un des six cents hommes de la première vague d'Utah était un général qui n'avait pas plus peur des responsabilités que du reste. L'erreur commise ne troubla pas Theodore Roosevelt. Sa vieille expérience lui avait appris qu'aucun débarquement ne se déroule conformément au plan prévu. Un jour, en Angleterre, il avait été reçu par un officier d'état-major qui se faisait un souci noir à propos des plans d'opération de la 4ᵉ division. « Arrêtez donc de vous tracasser, mon vieux, lui avait dit Roosevelt. Quels que soient vos plans, mes gars fonceront dans le tas et mettront le paquet. Alors, à quoi bon toute votre paperasse ? »

Le général Roosevelt se promena de long en large sur la dune, sa canne à la main, le nez au vent, « comme s'il cherchait un terrain à acheter ». Puis il lança de sa voix rauque : « En avant ! On démarre d'ici ! »

A l'abordage du Hoc

A la pointe du Hoc, l'assaut avait déjà une demi-heure de retard. C'était plus grave encore que l'erreur commise à Utah, car le succès de chaque opération dépendait d'un respect très strict de l'horaire. Tout avait été calculé à la minute près. Bombardement aérien, pilonnage naval et assaut de la première vague devaient se succéder sans interruption pour ne pas laisser aux défenseurs allemands le temps de se ressaisir. Grâce à cet enchaînement impitoyable, la troupe de Jahnke, réduite à l'état d'hébétude d'un boxeur K.O., avait été submergée au premier assaut.

Mais il y avait trente minutes que bombardiers et navires de guerre avaient cessé de faire pleuvoir sur la pointe du Hoc un déluge d'acier, et aucun des Rangers chargés d'enlever à l'abordage la position allemande n'avait encore mis le pied sur la plage étroite bordant la falaise. Ils étaient 225, entassés dans neuf barges. Leur chef, le lieutenant-colonel Rudder, s'aperçut juste à temps que la vedette qui les guidait les avait menés devant la pointe de la Percée, à plus de cinq kilomètres de la pointe du Hoc. Les neuf barges virèrent de bord et longèrent la côte, cap sur l'objectif. Mais les Rangers savaient que chaque minute perdue était un cadeau précieux offert à l'adversaire. Celui-ci, assommé par le bombardement le plus écrasant qui ait été dirigé ce matin-là sur une position allemande, allait avoir le temps de récupérer.

Si les bombardiers alliés attaquaient le Hoc depuis près de deux mois, si le cuirassé *Texas* et plusieurs croiseurs et destroyers le tenaient depuis l'aube sous le feu de leurs canons, c'est que la position fortifiée par les Allemands était véritablement formidable. La pointe du Hoc est un saillant rocheux qui s'avance dans la mer à peu près à égale distance entre les plages d'Omaha et d'Utah. Sa falaise, haute de trente mètres, tombe à pic sur une petite plage que recouvre la marée haute. Le service de renseignements allié croyait savoir que les Allemands avaient installé sur cet éperon de pierre une batterie de six canons de 155. La portée des 155 leur permettant de balayer Utah et Omaha, il fallait absolument les neutraliser. Le problème était donc le même que pour la batterie de Merville qui, croyait-on, pouvait tenir sous son feu les plages de débarquement anglaises.

Il n'était pas question de lâcher des paras directement sur le saillant du Hoc : la plupart seraient tombés à la mer. Une attaque lancée de l'intérieur des terres était également vouée à l'échec car l'ennemi, se croyant suffisamment protégé, côté mer, par la hauteur de la falaise, avait consacré tous ses soins à fortifier le côté terre. La seule solution était donc d'amener les hommes par bateau jusqu'au pied de la falaise et de leur faire escalader sous le feu ennemi ce mur de pierre haut comme une maison de neuf étages.

Lorsque les plans furent établis, un officier supérieur appartenant à l'état-major de l'amiral Hall se pencha sur eux avec intérêt, puis il murmura en secouant la tête : « C'est infaisable. Trois vieilles bonnes femmes armées de balais pourraient empêcher les Rangers d'escalader cette falaise. »

Infaisable ? Il faudrait pourtant bien le faire. Les six 155 du Hoc étaient à eux seuls capables de transformer Omaha et Utah en cimetières. Infaisable sans aucun doute par une troupe « normale », mais peut-être pas par les Rangers.

Le lieutenant-colonel James Rudder, fermier au Texas avant la guerre, faillit éclater de rire quand le général Bradley lui montra les photos de la falaise que ses hommes devraient attaquer. « J'ai cru que c'était une blague, avoua-t-il ensuite au général, et que vous vouliez me flanquer la frousse. » Mais Bradley n'était vraiment pas homme à faire des blagues de ce genre. Il expliqua à Rudder que la forteresse du Hoc devait absolument être prise d'assaut et que lui, Bradley, ne voyait parmi toutes les troupes placées sous ses ordres aucune unité plus apte que les Rangers à réaliser cet exploit. James Rudder ne présenta qu'une seule exigence : il voulait mener ses hommes à l'attaque. « Sûrement pas ! hurla le général Huebner, nouveau commandant de la Grand Un Rouge. Vous n'allez pas risquer de vous faire descendre dès le premier round ! — Je regrette, reprit Rudder, mais je vais être forcé de vous désobéir. Si je ne le fais pas, ça... eh bien, ça peut rater. » Rudder, comme Roosevelt, était de ces chefs qui, en matière d'assaut, pratiquent la recette si efficace mais si peu appliquée : courir devant ses hommes au lieu de se contenter de les suivre à distance prudente ou même... à la jumelle !

Le plan final prévoyait que Rudder attaquerait avec 225 Rangers. Quand ils auraient pris pied au sommet de la falaise, le lieutenant-colonel tirerait une fusée, et 500 hommes de renfort viendraient aider l'avant-garde à liquider la garnison allemande. S'il n'avait pas tiré cette fusée à sept heures, on saurait que son assaut avait échoué, que le Hoc était imprenable par mer, et les renforts seraient dirigés sur Omaha.

Rudder, dans la barge de tête, consulte sa montre et hausse les épaules. Cette fois, c'est fichu. Sept heures dix. Il n'aura pas ses 500 hommes. Comme Otway à Merville, il ne lui reste plus qu'à risquer le tout pour le tout. Il va attaquer avec 225 hommes une position qu'il n'était pas sûr d'enlever avec 725 et que défendent non pas « trois vieilles bonnes femmes armées de balais », mais plus de 200 Allemands bien pourvus en mitrailleuses, fusils-mitrailleurs et grenades.

Sur des échelles de pompiers

Rudder sait pouvoir compter sur ses Rangers. Tous sont des volontaires. On les a sélectionnés en fonction de leurs qualités physiques et morales. Depuis un an que l'ancien paquebot *Queen Elizabeth*, transformé en transport de troupes, les a amenés en Angleterre, ils sont soumis à un entraînement intensif, presque inhumain. Leurs paumes sont devenues dures comme de la corne à force d'escalader les plus hautes falaises d'Angleterre. Ils ont grimpé à la force du poignet des centaines de kilomètres de corde. La vie qu'on leur faisait mener était si dure qu'ils suppliaient depuis des mois qu'on les envoyât en mission — n'importe quoi plutôt que ces exercices épuisants ! Mais on les réservait pour l'« infaisable » opération du Hoc. Les voici maintenant au pied du mur. Un mur de trente mètres — peu de chose pour ces acrobates —, mais défendu par une garnison à laquelle les quarante minutes de retard ont permis de se ressaisir.

A un kilomètre de la falaise, une vague submergea la barge 860.

« L'eau était glaciale, raconte Dominic Sparaco, Ranger de vingt ans, et les vagues étaient si hautes qu'une fois à la mer on ne voyait plus personne. J'avais mon fusil, mes munitions, des grenades un peu partout, mes affaires personnelles et une grande corde enroulée autour de moi. Mon gilet de sauvetage a quand même réussi à retenir tout ça à la surface, et moi avec. Un copain a eu la jambe prise dans l'hélice de la barge et il a coulé aussitôt. Nous autres, on nageait comme on pouvait, mais le plus pénible, c'était le froid qui nous paralysait. J'en ai vu au moins trois qui se sont noyés sous mes yeux sans que je puisse rien faire pour les aider. Finalement, une autre barge nous a repêchés, claquant des dents. J'étais assez fier de moi car je n'avais rien lâché de mon équipement. Ça tiraillait dur. Il était clair que les bombardements n'avaient pas nettoyé tous ces Allemands. Ils nous ajustaient tranquillement du haut de la falaise. La barge a touché le sable. Le seul abri, c'était sous la falaise. Là, ils ne pouvaient pas nous viser, tout juste nous balancer des grenades à la main. Vous étiez mort si vous vous couchiez sur la plage. Non, il fallait atteindre la falaise. J'ai fermé les yeux et j'ai foncé en zigzag. »

On vit alors, au Hoc, ce que personne n'avait plus jamais vu depuis le Moyen Age et ses attaques de châteaux forts.

Les lance-fusées installés sur les barges s'efforçaient d'expédier au sommet de la falaise des cordes munies d'un grappin à leur extrémité. Si le grappin trouvait une prise, comme une ancre au fond de la mer, les Rangers agglutinés au pied de la muraille pourraient se hisser à la force du poignet. Mais les cordes, trempées d'eau, pesaient si lourd que les fusées retombèrent à mi-pente. D'autres Rangers, sur la plage, furent plus heureux avec des lance-fusées à main : quelques grappins s'accrochèrent au sommet. Des hommes s'élancèrent, puis retombèrent lourdement : les Allemands avaient tranché les cordes. Spectacle incroyable en ce vingtième siècle : deux grandes échelles de pompiers, montées sur des véhicules amphibies, oscillaient doucement en direction de la falaise. Rudder les avait empruntées aux pompiers de Londres. Juchés au sommet, des Rangers intrépides balayaient le sommet de leurs mitraillettes. Mais les amphibies ne peuvent traverser la plage, creusée de trous d'obus, et s'approcher suffisamment de la muraille pour plaquer contre elle les échelles. Malgré les grenades qui pleuvent du sommet, les Rangers s'obstinent. Ils quittent l'abri du surplomb et relancent inlassablement leurs cordes, que les Allemands coupent aussitôt. Deux destroyers alliés, voyant que Rudder est en difficulté, s'approchent de la côte et ouvrent le feu. Leurs obus arrosent le sommet, projetant sur les assaillants des fragments de roc mais neutralisant partiellement le feu des défenseurs. Quelques Rangers enragés décident de se passer de corde et tentent l'escalade. La pierre, trop friable, cède sous leur poids. Certains recommencent en se taillant des marches au couteau. Les autres emboîtent leurs échelles portatives en aluminium léger et s'élèvent lentement.

Le vacarme est assourdissant : rafales, explosions d'obus et de grenades, hurlements des blessés et — plus affreux encore — le cri d'un homme qui tombe de vingt mètres, sa corde tranchée net par un défenseur allemand...

« Infaisable ? » Pas pour les Rangers. « On était plutôt nerveux, très nerveux même, reconnaît Dominic Sparaco. Après avoir passé la nuit à jouer au poker, à chanter et à se déguiser, on se rendait compte dans quoi on avait mis les pieds. Mais la mission était de grimper au sommet de cette falaise et il n'était pas question d'échouer. C'était une idée fixe : grimper, grimper, grimper ! »

Certains sont déjà à mi-pente grâce aux échelles portatives. D'autres se hissent le long des quelques cordes qui semblent hors d'atteinte des Allemands. Dominic est parmi eux. La corde humide glisse entre ses mains, mais il monte. Il est le dixième à atteindre le sommet. Un rétablissement : c'est fait ! Il rampe vers un trou d'obus et ajuste un projectile à l'extrémité de son fusil lance-grenades. C'est sa spécialité : grenadier. Les Allemands ont disparu. Plus personne. Dominic, haletant, contemple l'extraordinaire spectacle qu'offre la pointe du Hoc. On se croirait sur une autre planète. Ce ne sont partout que cratères immenses, trous béants, amoncellements de pierres, blocs de béton épars. Les canons ? Pas de canons. Les artilleurs les ont camouflés dans des champs voisins pour les soustraire aux bombardements aériens. Ils gisent là, abandonnés par leurs servants, inutiles, inoffensifs. Les résistants locaux avaient bien informé Londres de ce retrait soudain des pièces d'artillerie, mais leur message était arrivé trop tard.

Ils sont maintenant une trentaine de Rangers au sommet de la falaise, dont le lieutenant-colonel James Rudder. Les hommes se relèvent prudemment et progressent à l'intérieur de la position. Une rafale de mitrailleuse les renvoie à terre. Qui a tiré ? Personne en vue. La progression reprend. Nouveau tir, mais venant cette fois d'une direction différente. L'ennemi est toujours invisible. Clouée au sol, la poignée de Rangers cherche désespérément à découvrir les tireurs. Ils n'y parviendront pas. *Les Allemands sont sous eux.* Ils utilisent le réseau de souterrains reliant les ouvrages fortifiés, apparaissent ici, réapparaissent ailleurs, jouent une mortelle partie de cache-cache avec leurs adversaires.

Elle va durer toute la journée. Le soir venu, sur les 224 camarades de Dominic Sparaco, 135 auront été tués ou blessés.

Mais les Rangers de Rudder ont enlevé la pointe du Hoc.

Un Sherman explose comme une grenade

Heinz Tiebler est debout depuis minuit. C'est long pour un garçon qui vient de fêter ses dix-huit ans. Les événements se succèdent en avalanche. Cette première cigarette que le lieutenant Wagner l'a forcé à fumer et qui lui a soulevé le cœur. Ça va déjà mieux. Il en est à sa cinquième ou sixième cigarette, et il commence à leur trouver moins mauvais goût. Ensuite, l'apparition presque surnaturelle de la flotte ennemie et la petite phrase du lieutenant annonçant qu'ils allaient prendre un billet de bateau pour New York avec changement à Londres. Et puis la canonnade dont l'intensité avait bouleversé Heinz : « J'ai d'abord cru qu'il y avait des milliers de pigeons volant dans le ciel : les gros obus faisaient le même bruit. » Les salves sont par bonheur tombées à trois kilomètres derrière son abri, mais le seul fracas des explosions a mis en fuite un occupant du blockhaus : le petit chien mascotte. « Il a dressé ses oreilles, remué la queue, et s'est faufilé dehors en gémissant. Nous ne l'avons jamais plus revu. »

Pas le temps de regretter ce gentil compagnon des nuits de garde : voici qu'un navire de guerre allié s'avance juste en face du blockhaus. Il est si proche qu'on distingue nettement les matelots s'agitant sur le pont. Deux tourelles pointent leurs canons en direction de la falaise. Chacun des occupants du blockhaus retient son souffle dans l'attente de la mort que vont cracher ces noires bouches à feu. La salve part dans un nuage de fumée et va s'abattre à l'intérieur des terres. Soupir de soulagement. Heinz a vu les obus énormes sortir des canons. Il se sent vidé de toute énergie, anéanti. Mais le lieutenant Wagner, l'œil collé à son appareil optique, crie les ordres de tir qu'il doit transmettre à la batterie : « Distance : 8 000 mètres ! Fusée instantanée ! Ouvrez le feu ! » Heinz répercute par radio. Le deuxième canon de la batterie est chargé du tir de réglage. « Allongez de 200 mètres ! » hurle Wagner. La batterie tout entière entre dans la danse. Trois obus touchent le navire. « C'était un spectacle atroce, raconte Heinz. Les marins touchés se tortillaient sur le pont comme des vers et il y avait aussi des morts. Le capitaine du bateau a tout de suite compris et il a fait machine arrière pour se mettre hors de portée. Je ressentais un grand malaise. C'était la première fois que je voyais l'ennemi, la première fois que j'assistais à un spectacle aussi horrible. »

A quelques kilomètres de là, Franz Gebauer, radio de dix-huit ans affecté à la 1re batterie, reste sous le choc du bombardement. Il tremble comme une feuille et ne comprend rien aux ordres de tir qui lui sont transmis de la côte. Autour de lui, des garçons paniqués pleurent à chaudes larmes. Un soldat plus âgé doit remplacer Franz, momentanément hors de combat. Le sergent s'approche, un paquet de cigarettes à la main : « Fume et tu verras que ça ira mieux. » Franz, tout comme Heinz, n'a jamais fumé. Il prend entre ses doigts tremblants l'une de ces cigarettes qui semblent décidément être le grand recours de l'armée allemande contre la peur. La première bouffée lui soulève le cœur.

Il en sera des cigarettes comme de la mort : Heinz et Franz vont s'habituer. Les premières barges s'échouent dans le sable face au poste d'observation de Heinz. Le lieutenant Wagner continue de crier ses ordres et le radio de les transmettre. La batterie tire salve sur salve, pulvérisant les embarcations, entassant les cadavres par paquets sanglants. Un Sherman est touché de plein fouet par deux obus dès que la rampe abaissée de sa barge le découvre. Il prend feu et explose comme une grenade, fracassant les autres chars d'où aucun tankiste ne sortira vivant. De nouvelles barges arrivent et le massacre recommence. C'est déjà une routine. La mécanique fonctionne bien. On l'a mise au point au cours d'exercices que les artilleurs trouvaient ennuyeux mais qu'ils ne regrettent plus. La plage a été quadrillée en une série de carrés dont chacun porte un nom de code, par exemple Anna. Il suffit à Heinz de lancer ce nom à la radio pour que la mort s'abatte sur le coin de la plage où l'ennemi désemparé tente de débarquer.

Les Américains sont cloués au sol.

Le rivage de l'enfer

La barge de David Silva fonce vers Omaha. Vingt-cinq hommes sont entassés dans l'embarcation submergée d'embruns. Ils ont si froid que des crampes leur martyrisent le corps. La mer est démontée, avec des vagues de plus d'un mètre cinquante qui giflent sèchement la coque de la barge. Chaque soldat accroupi est recouvert d'une montagne d'équipement. David porte plus de vingt-cinq kilos : son fusil, ses grenades, ses munitions personnelles, une corde enroulée autour de sa taille, et surtout les bandes qui approvisionneront la mitrailleuse dont il est le servant. Il n'a pas emmené d'affaires personnelles. Son portefeuille ne contient aucune photo. Mais il a, autour du cou, un chapelet se terminant par une croix en matière plastique (pour qu'elle ne le blesse pas) et, dans sa poche, un petit livre de prières. Sur le transport de troupes, quelques heures plus tôt, il a assisté à la messe et communié. David a décidé qu'il serait prêtre, plus tard, s'il survit à la mêlée sauvage dans laquelle on va le jeter. Il se croit fin prêt.

Il va aborder au rivage de l'enfer.

La côte est embrasée de flammes. Un nuage de fumée, haut de plus de deux kilomètres, obscurcit le ciel. « Il faisait aussi sombre qu'au crépuscule, raconte le lieutenant Giesing. Les bombes et les obus au phosphore teignaient l'air en vert, en marron, en jaune. » L'odeur âcre de la poudre prend les hommes à la gorge. Le passage des obus de marine crée une telle aspiration d'air qu'ils ont l'impression de suffoquer : « On ne pouvait plus respirer », dit Reinhold Wagner.

A peine la rampe de la barge de David s'abat-elle que les mitrailleuses allemandes ouvrent le feu. Les balles piquettent les vagues, remontent vers l'embarcation, claquent sur ses flancs. Les soldats placés devant David sautent à l'eau. Ils sont immédiatement fauchés par une rafale. David saute à son tour, épouvanté par le tir si dense que la mer, autour de lui, écume comme de l'eau bouillante. Instinctivement, il s'accroupit, ne laissant dépasser de l'eau que sa tête casquée et le haut de son barda. Les balles lacèrent le sac contenant ses rations pour trois jours. L'une de ces balles ricoche et le blesse à la jambe. Il a si peur qu'il ne ressent aucune douleur. Peu importe une blessure quand la mort est imminente. Des camarades s'écroulent autour de lui, tués ou blessés. Les survivants se regroupent. « Nous voulions être ensemble, dit-il. La peur nous rassemblait. Nous n'aurions pas dû le faire, naturellement, car nous offrions ainsi une bien meilleure cible aux mitrailleurs allemands qui n'avaient plus qu'à tirer dans le tas, mais c'était plus fort que nous. »

Ironie de la nature : cette mer dans laquelle ils s'écroulent l'un après l'autre grouille de petites méduses dont le dos offre le même aspect qu'un trèfle à quatre feuilles. L'emblème de la chance... Les survivants pataugent lentement vers la plage. Ils ne la reconnaissent pas. La barge ne les a pas déposés face aux objectifs qu'on leur avait assignés. Mais qui pense encore aux objectifs ? Il ne s'agit plus de se battre mais de survivre. Les fusils pleins de sable ne peuvent tirer. On n'aperçoit d'ailleurs aucun adversaire sur cette haute falaise qui crache la mort de toutes ses invisibles mitrailleuses. C'est le désastre. Les tanks ne sont pas là. Les troupes que devaient épauler David et ses camarades ont sans doute été déposées ailleurs. Ils sont seuls, impuissants, condamnés à se faire tuer jusqu'au dernier dans cette mer que leur sang teinte de rouge.

Une seule solution : la fuite. La fuite en avant jusqu'à ce mur qui, là-bas, protège la petite route côtière des assauts de la mer. Il n'est pas bien haut, mais il offrira un bouclier suffisant contre le tir des mitrailleuses. Un à un, les Américains quittent l'abri illusoire de la mer. Titubant comme des ivrognes sous le poids de leur fourniment, ils courent en zigzag sur le sable piqueté par les balles. Quelques-uns s'écroulent, tués net. D'autres s'abattent lentement, grièvement blessés. Leurs cris de douleur et leurs appels à l'aide portent l'horreur à son comble. Les survivants se jettent enfin à l'abri du mur. Sauvés ! Provisoirement sauvés... Car si l'ennemi dispose de mortiers, leur compte est bon.

Hors d'haleine, toujours insensible à sa blessure, David se colle au béton providentiel. Que faire à présent ? Son voisin se redresse pour jeter un coup d'œil par-dessus le mur. Un coup de fleu claque. L'homme retombe en arrière, une balle en pleine tête. Il n'est pas mort. Comment le soigner ? Il n'y a là aucun médecin, aucun infirmier. On le panse sommairement avec des bandages individuels. Personne n'ose plus lever la tête. La poignée d'hommes qui a survécu au massacre est bloquée, offerte sans réaction possible à un tir de mortier ou à une contre-attaque lancée de la falaise. Plusieurs soldats balbutient des prières. Les autres restent prostrés. Officiers et sous-officiers ont disparu, tués dès les premières minutes. Il n'y a plus de chefs, plus d'ordres. Aucune arme automatique n'est en état de tirer.

Sur toute la longueur d'Omaha, sur cette plage de six kilomètres encaissée en arc de cercle au pied de la falaise, l'assaut américain tourne au désastre. Les barges, prises sous le feu des canons allemands, coulent l'une après l'autre. Certaines, surchargées de munitions, explosent en projetant des corps disloqués. Plusieurs, touchées par des obus, sont abandonnées en catastrophe par leurs occupants qui se jettent dans une eau si profonde qu'ils s'y noient. Les survivants offrent une cible parfaite aux mitrailleurs ennemis. Pour se protéger, ils se collent aux obstacles semés sur la plage, ou bien se jettent à plat ventre derrière les cadavres de leurs camarades morts que la marée montante ramène doucement vers la plage. Les hurlements des blessés transpercent la canonnade et le claquement sec des armes automatiques déchaînées. Ce n'est partout qu'horreur, souffrance et mort désespérée. Une affreuse tragédie. La guerre dans sa simple cruauté. La vraie guerre et non pas la guerre héroïque, pleine de couleurs, de chants et de cris martiaux qu'on invente après coup pour séduire l'imagination. Ces hommes qui tombent en cette aube du 6 juin n'ont pas l'impression d'être héroïques. Ils ne sont même plus des combattants puisqu'ils ne peuvent tirer sur un ennemi restant invisible. Ils ne se battent pas : *on les assassine*.

Sauver sa peau. Échapper à cette mort qui vous pourchasse. Sortir de cette mer couverte d'essence, teintée de sang, qui n'empêche pas les balles de vous transpercer. Quitter l'abri trompeur des pieux de Rommel que les canons allemands déchiquettent comme des allumettes. Fuir en avant, puisqu'il n'est pas possible de reculer. Les soldats que la peur ne paralyse pas font comme David Silva et ses camarades : ils foncent à travers la plage vers l'abri qui les protégera du tir ennemi. Pour les uns, à l'ouest de la plage, c'est ce même mur de soutènement, au pied de la petite route qui longe la côte sur quelques centaines de mètres, entre mer et falaise, avant de bifurquer vers l'intérieur des terres. Pour les autres, à l'est, là où il n'y a plus de mur, c'est un remblai de galets que les marées successives ont accumulés à deux cents mètres de la falaise.

L'infirmier Robert Trout débarque face au remblai. Le mal de mer l'a torturé pendant toute la traversée, et il a l'impression affreuse d'être si épuisé qu'il ne pourra pas faire un pas. Mais cette impression se dissipe comme par miracle dès qu'il a mis le pied sur le sable. Il n'a guère le temps de s'en réjouir : le tir ennemi fauche autour de lui ses camarades de la Grand Un Rouge. « J'ai vu le remblai et je me suis dit : "Si tu arrives là-bas, c'est gagné. Si tu n'y arrives pas, tu es fichu." » Il s'élance à travers la plage et arrive indemne.

Le remblai est encore moins haut que le mur. Il faut rester à plat ventre pour échapper au tir ennemi. Ses grosses pierres rondes et lisses font ricocher les balles, mais le soldat qui relève la tête est un homme mort. Personne ne songe d'ailleurs à l'action. Il n'y a pas, au pied du mur et du remblai, des troupes organisées ou commandées. Toutes les unités sont mélangées. On les a débarquées au mauvais endroit. Pourquoi ? Parce que les pilotes des barges ont décidé qu'il valait mieux accoster là où les fantassins avaient une chance de survivre plutôt que de les lâcher dans le secteur prévu quand celui-ci était battu par les obus et arrosé par les mitrailleuses. Parce que le tir allié a mis le feu à l'herbe de la falaise et que la fumée épaisse cache les points de repère. Mais l'explication essentielle est la même qu'à Utah : un courant marin, dont on avait sous-estimé la force, a déporté les barges de plusieurs centaines de mètres vers l'est. Il en résulte une épouvantable pagaille. L'entraînement minutieux imposé aux troupes alliées se retourne contre elles : les hommes cherchent en vain le paysage qu'ils avaient si bien étudié sur photos qu'ils en connaissaient chaque mètre carré. Où est *leur* coin de falaise ? Où sont *leurs* blockhaus ?

Tassés au pied du mur, aplatis contre les galets, blessés, désorientés, hébétés, épuisés, les survivants de la première vague n'ont plus d'espoir. Ceux de la 29e division, à laquelle appartient David Silva, n'avaient encore jamais combattu. Leur baptême du feu est impitoyable. Mais les vétérans de la 1re division, les durs à cuire de la Grand Un Rouge, sont eux-mêmes submergés par le désastre. Ce qu'ils subissent là est pire que la Tunisie, pire que cette côte de Sicile où ils avaient tenu bon devant la ruée de la division blindée Hermann Goering. Ils croyaient connaître la guerre et ils avaient prouvé qu'ils savaient se battre. Ils découvrent l'horreur d'un assassinat.

Que font donc les chars amphibies ? Ils devaient surgir de la mer, comme à Utah, frapper de terreur les défenseurs allemands et tendre devant les fantassins alliés un bouclier d'acier à l'abri duquel ils seraient arrivés d'un seul élan jusqu'au pied de la falaise.

Où sont les chars ?

Tragédie pour les amphibies

Vingt-sept ont coulé à pic avec leurs équipages. Les barges qui les transportaient les avaient mis à l'eau à cinq kilomètres du rivage, conformément au plan prévu. Mais le plan prévoyait que la mer serait calme et elle était déchaînée. Les spécialistes alliés ne se faisaient aucune illusion sur les capacités nautiques des chars amphibies qu'ils avaient construits. Ces engins n'étaient certes pas conçus pour courir des régates. Il était déjà bien beau de faire flotter une telle masse d'acier par temps calme.

Le système avait l'avantage d'être simple mais l'inconvénient d'être fragile. Pour transformer un Sherman normal en char amphibie, on commençait par rendre sa coque parfaitement étanche. Puis on lui ajoutait deux hélices reliées au moteur. On soudait enfin à ses flancs une armature métallique légère sur laquelle était fixé un matelas pneumatique gonflé d'air. Le conducteur, en entrant dans l'eau, actionnait un levier qui déployait le matelas comme des nageoires. Le char flottait juste au-dessous du niveau de la mer, ce qui avait l'avantage de le dissimuler aux artilleurs ennemis. Seul le chef de char était à l'air libre, juché sur une plate-forme derrière la tourelle. Le conducteur disposait d'un périscope. Les trois autres tankistes, à l'intérieur de l'engin submergé, étaient aveugles et sourds. Ils savaient seulement qu'ils étaient dans un char de trente-quatre tonnes recouvert d'eau, et que la moindre balle ou même une vague un peu forte pouvait crever ses nageoires et le faire couler à pic.

Il était si évident que les chars amphibies ne pourraient pas naviguer par mauvais temps qu'on n'avait même pas pris la peine de les essayer sur une mer démontée. A Utah, ils avaient pu passer. Mais au large d'Omaha, la mer était beaucoup plus mauvaise qu'à Utah...

La première barge abaissa sa rampe à cinq kilomètres du rivage et le premier de ses quatre chars se mit à l'eau comme un gros hanneton maladroit. Il coula aussitôt. Le second char le suivit et coula de même. L'équipage du troisième ferma hermétiquement les meurtrières de visée, puis le conducteur lança le moteur et descendit la rampe. Il réussit à parcourir une centaine de mètres avant d'être englouti par une vague. Le quatrième char l'avait déjà précédé au fond de la mer.

Cela aussi, c'était la guerre, la vraie, sans fanfare ni trompette. La guerre qui, dans sa cruauté imbécile, envoie des soldats à une mort certaine, sans panache, inutile, comme pour se moquer de leur héroïsme.

Vingt-sept chars perdus en trois minutes sur les trente-deux qui devaient ouvrir le chemin de la falaise aux hommes de la 29e division, les camarades de David Silva. Deux seulement parviennent à naviguer jusqu'à la plage. Trois sont sauvés par un incident : une vague a secoué violemment leur barge, entrechoquant les chars qui ont déchiré leur matelas pneumatique. L'officier de marine a pris la seule décision possible : porter les engins jusqu'à la plage et les débarquer au sec.

C'est aussi ce que décide Dean Rockwell, ancien boxeur professionnel dont la guerre a fait un enseigne de vaisseau. Il commande huit grosses barges transportant les trente-deux chars destinés à appuyer la Grand Un Rouge. Plutôt que de les condamner à un naufrage certain en les lâchant à cinq kilomètres de la plage, Rockwell ordonne à ses pilotes de foncer pleins gaz vers la côte. Il sait qu'il prend un risque énorme. Ses embarcations difficilement manœuvrables, non blindées, offrent une cible idéale aux artilleurs ennemis. Une barge coulée signifiera quatre tanks perdus d'un seul coup (l'avantage des amphibies était précisément d'éparpiller les cibles). D'autre part, les lourdes embarcations risquent de s'échouer dans le sable et de ne plus pouvoir regagner le large. Les obus allemands auront tôt fait de les détruire. Mais Rockwell est convaincu que le succès de l'assaut dépend de l'appui qu'apporteront les chars. Sacrifice pour sacrifice, il préfère périr avec ses hommes plutôt que d'envoyer les tankistes à une mort certaine et inutile.

Le fracas est terrifiant. Un enfer sonore. Moteurs des barges lancés à plein régime, moteurs des trente-deux chars que leurs conducteurs font chauffer, plainte déchirante des barges lance-fusées que longent les embarcations de Rockwell, claquement sourd des canons des chars qui tirent par-dessus les bastingages sur la côte recouverte d'un épais nuage de fumée d'où émerge le sommet de la falaise. L'une après l'autre, les barges talonnent dans le sable. Une grêle d'obus s'abat aussitôt sur elles tandis que les chars, grondant et cahotant, franchissent les rampes abaissées. Un 88 allemand, qui prend la plage en enfilade, touche successivement trois des barges, dont deux s'enflamment. Les tanks sont sur la plage. Rockwell donne l'ordre de faire machine arrière. Une embarcation reste prisonnière, échouée dans le sable. Les autres, transpercées comme des écumoires, parviennent à regagner le large. Mais les équipages désespérés voient les chars qu'ils ont, au péril de leur vie, portés jusqu'à la plage prendre feu sous les coups des artilleurs allemands. Rien à faire. Tous les sacrifices sont vains. Omaha-la-Sanglante n'est déjà plus que le cimetière de la première vague d'assaut américaine.

Mais n'y en aura-t-il pas une seconde, une troisième, beaucoup d'autres ? L'armada alliée transporte dans ses flancs cent fois plus d'hommes que les Allemands n'en ont déjà tué. Cinquante chars coulés ou détruits, est-ce que cela compte pour une armée qui en possède des milliers ?

Encore faudrait-il que les renforts puissent débarquer. La marée remonte, recouvrant peu à peu la forêt des obstacles de Rommel. Quand elle sera haute, il deviendra impossible aux pilotes des barges de se faufiler entre les pièges qu'ils ne verront même pas.

Que font donc les équipes de démolition ? 272 sapeurs avaient été sélectionnés et soigneusement entraînés. Débarqués avec la première vague, ils devaient détruire les obstacles à l'explosif et ouvrir seize passages, délimités par des bouées, qui serviraient à l'acheminement des renforts. On leur avait cent fois répété à quel point leur mission était importante. S'ils échouaient, les barges devraient attendre la marée basse suivante pour franchir les obstacles, et la première vague resterait isolée sur la plage, promise au massacre.

Les sapeurs se sacrifient

Le sort de ces sapeurs fut encore plus atroce que celui des fantassins.

Leurs barges étaient surchargées d'explosif. Chaque coup au but des artilleurs allemands transformait l'embarcation en un volcan crachant feu et flammes. Tout sautait, se désintégrait, s'éparpillait dans le ciel avant de retomber sur la mer en pluie de métal et de sang. Les barges qui échappèrent aux obus furent déportées par le courant, de sorte que les équipes débarquèrent en désordre et au mauvais endroit. Les sapeurs, comme les fantassins, furent aussitôt hachés par les mitrailleuses ennemies. Mais, contrairement aux fantassins, il n'était pas question pour eux de se ruer à l'abri du mur de la route ou du remblai de galets. Ils ne pouvaient même pas s'abriter derrière les obstacles de Rommel puisque leur mission consistait précisément à les détruire.

Ils se mirent héroïquement à l'ouvrage. Tandis qu'autour d'eux chacun ne songeait qu'à se mettre à couvert, les hommes des équipes de démolition chargèrent sur de petits chariots l'explosif qui n'avait pas déjà sauté ou coulé, puis ils se dispersèrent à travers la forêt d'obstacles — portes belges, hérissons tchèques, pieux minés, dents de dragon — et, calmement, méthodiquement, consciencieusement, fixèrent les charges explosives reliées par des cordons détonateurs. Ils firent cela sous un feu d'autant plus terrible que les défenseurs allemands s'acharnaient sur eux : l'ennemi avait bien compris, lui aussi, l'importance de leur rôle. De la falaise, les tireurs d'élite ajustaient les sapeurs ou, mieux encore, visaient la mine du pieu sur lequel ils s'affairaient : en explosant, cette mine déchiquetait plusieurs hommes à la fois.

La moitié d'entre eux moururent sur la plage. Les autres continuèrent leur tâche. Mais si courageux que fussent ces hommes aux nerfs d'acier qui allaient et venaient, debout sous la mitraille, il y eut un courage qu'ils ne possédèrent pas : celui de tuer leurs propres camarades. Beaucoup de fantassins, paralysés par la peur, n'avaient pas quitté le bord de l'eau. Ils restaient collés aux obstacles, plaqués contre les pieux, agenouillés derrière les dents de dragon. Ceux-là, on pouvait encore les faire déguerpir à coups de pied au derrière ou en les prévenant, après la mise à feu, qu'ils avaient vingt secondes pour fuir l'explosion. Mais les blessés ? Ils étaient des centaines à gémir de souffrance derrière les obstacles qui les protégeaient du coup de grâce. Quel sapeur aurait eu l'implacable courage de les faire périr pour assurer l'arrivée de renforts pourtant indispensables ?

Le plan prévoyait l'ouverture de seize passages. Cinq seulement purent être pratiqués et balisés avec des bouées surmontées d'un fanion. Mais les tireurs allemands crevèrent à coups de fusil la plupart de ces bouées, de sorte que les pilotes des barges ne pourraient même pas repérer toutes les brèches ouvertes par les sapeurs. L'arrivée des renforts était compromise.

Deux heures ont passé depuis que le premier fantassin américain a mis le pied sur le sable d'Omaha. Les survivants n'ont toujours pas atteint la falaise. Ils sont bloqués au niveau du mur et du remblai de galets. Les quelques chars qui ont échappé au tir ennemi ne peuvent franchir ce remblai, qui devait être rasé par des bulldozers. Sur les seize bulldozers prévus, treize ont coulé avec leur barge ou ont été détruits à l'accostage. Les trois qui ont pu débarquer servent d'abri à des fantassins qui les empêchent de manœuvrer. Entre la mer et le mur ou le remblai, l'espace ne cesse de se rétrécir puisque la marée monte, roulant doucement dans son ressac les morts et les agonisants, entrechoquant des armes brisées, des casques transpercés, des outils, des caisses de munitions, des rouleaux de fil téléphonique, tout l'invraisemblable bric-à-brac qui accompagne une déroute militaire. Ernie Pyle, vétéran de tous les débarquements américains, avait constaté qu'il y avait toujours au moins un soldat qui s'élançait vers la côte avec une guitare en bandoulière. Il découvre cette fois-ci plus étrange encore : une raquette de tennis sous presse, ses cordes intactes...

En mer, des dizaines de barges achèvent de brûler. Les épaves pointent lamentablement leur proue vers le ciel. Au large, les renforts tournent en rond, attendent leur tour de se jeter dans la fournaise. La mer recouvre déjà les dents de dragon et les hérissons. Elle ne va plus tarder à submerger les redoutables pieux, leurs mines casse-noisettes et leurs ouvre-boîtes...

Trois cents dollars à la mer

La barge du sergent de vingt ans, Anthony Errico, met à son tour le cap sur la plage. Il est huit heures et demie. La traversée de la Manche a été longue et angoissante, malgré la partie de poker avec les camarades. Après leur avoir gagné trois cents dollars, Anthony s'est allongé sur le pont avec l'affreuse certitude qu'il allait être tué. Puis, les heures passant, il a décidé qu'il ne servait à rien de se lamenter et il s'est promis de faire son travail aussi correctement que possible avant de mourir. Son travail ? Il va consister à débarquer avec une jeep, un officier et un autre sergent, puis à guider une compagnie de la 1re division vers un petit bois, situé à un kilomètre et demi du rivage, où les hommes se regrouperont avant de passer à l'attaque.

Bien entendu, les fantassins de la première vague auront déjà nettoyé la plage, la falaise et les prés qui s'étendent entre la côte et le petit bois.

La barge est prise sous le feu ennemi. A travers la fumée que le vent refoule en nuages épais, Anthony et ses camarades constatent avec stupeur qu'on se bat toujours sur la plage. Et ils vont se jeter dans cette bagarre avec leur jeep prévue pour une avance sans histoire à travers la campagne ! La proue de la barge s'abat dans l'eau et le sergent qui est au volant de la jeep enfonce l'accélérateur. Le véhicule coule à pic avec toutes les affaires d'Anthony et les trois cents dollars gagnés au poker. « Une vraie honte ! » dira-t-il plus tard en songeant au trésor englouti. Mais sur le moment, il pense moins à l'argent qu'à sauver sa peau. Barbotant dans l'eau, puis titubant dans le sable mou, il a la même idée fixe que tous ceux qui l'ont précédé ou qui le suivront : atteindre l'abri offert par le mur de soutènement. Il y réussit et s'écroule, balbutiant des prières.

Le tir allemand reste implacable.

« J'aurais pu reconnaître un ami »

« C'était une boucherie, raconte Hein Severloh. Nous en avions tué des centaines alors qu'ils descendaient du gros bateau par le double escalier et je continuais à tirer avec ma mitrailleuse 42 sur les barges qui n'arrêtaient pas d'accoster. Le meilleur moment se situait quand la rampe s'abaissait : ils étaient encore bien groupés. C'est à ce moment-là que j'en tuais le plus. Après, ceux qui avaient eu le temps de sauter à l'eau s'éparpillaient et se plaquaient derrière les obstacles. Il fallait les tirer au fusil. Il y avait à côté de moi deux jeunes de seize ou dix-sept ans armés de fusils, mais ils avaient si peur qu'ils tiraillaient sans même viser. Ils se sont fait engueuler par l'adjudant Pieh. Finalement, Pieh et un autre gars se sont relayés pour me charger un fusil. Entre deux rafales de 42, je tuais au fusil ceux qui avaient pu échapper à ma mitrailleuse.

« C'était un horrible assassinat. A cette distance, je voyais leur visage, j'aurais pu reconnaître un ami. Rares sont ceux qui ont pu atteindre le rivage : je les attrapais quand ils barbotaient encore dans l'eau. Même ceux qui sont arrivés au sable, il fallait qu'ils se planquent bien pour m'échapper. Il y avait un soldat américain qui avançait, courbé sous son chargement, avec à la main une arme que je n'ai pas reconnue. C'était peut-être un lance-flammes. Pieh m'a crié : "Attention à celui-là ! Il va t'échapper !" L'homme se dirigeait vers une bétonnière qui nous servait à construire des obstacles et qui était restée en rade sur la plage. Je l'ai visé et j'ai tiré. Son casque a volé en l'air, puis a roulé sur le sable. L'homme était toujours debout. Ensuite, sa tête s'est abaissée très lentement sur sa poitrine et il s'est écroulé d'un seul coup. Après, pendant des mois, chaque fois que je fermais les yeux, je voyais tomber cet homme. C'était comme un cauchemar, un terrible cauchemar. Ce n'est pas pareil quand vous tirez à la mitrailleuse. D'abord, vous tirez sur des cibles plus lointaines et vous n'avez pas le temps de voir qui vous touchez. Tandis qu'au fusil vous voyez le visage de l'homme que vous tuez, vous voyez même où votre balle l'a atteint. Personne ne peut savoir comme c'est horrible. Je sais bien que je serais incapable de refaire une chose pareille aujourd'hui. »

Sur le moment, il ne se pose pas de questions : il tue. Son coup d'œil infaillible guide des milliers de balles de mitrailleuse ou de fusil vers les corps de garçons de son âge venus de l'autre côté de l'Atlantique. Parmi les centaines de victimes de ce qu'il appelle lui-même un horrible assassinat, plusieurs dizaines ont reçu la mort de ses mains. Pourquoi ? Hein Severloh, paisible cultivateur, n'est certes pas un nazi. Pas plus que le capitaine Ferking, qui règle le tir de sa batterie. Un jour, Ferking, rentrant plus tôt que prévu dans son bureau, a surpris Hein en train d'écouter la radio anglaise. C'était interdit, sous peine de mort. Mais Ferking n'a rien dit. Il s'est assis comme s'il n'avait rien remarqué. Et Edmund Sossna, qui transmet aujourd'hui les ordres de tir du capitaine, n'est pas plus nazi que Franz Gebauer qui les reçoit et les communique au lieutenant Giesing. Ce dernier, qui fait partir salve sur salve sur les barges américaines, est plein de méfiance vis-à-vis du nazisme : « La seule chose qui comptait, c'était l'armée. Tout était simple : il y avait les chefs qui donnaient les ordres et les soldats qui devaient les exécuter. Chacun devait faire son boulot aussi bien que possible. »

Surhomme ? Membre de la race des seigneurs ? Hein n'en croit pas un mot. Il voudrait que la guerre se termine pour pouvoir rentrer à la ferme. Mais, comme ses camarades, comme ses officiers, Hein est un ardent patriote. L'Allemagne est en danger : il doit donc se battre pour elle, mourir pour elle, comme l'ont fait les anciens en 1914. C'est aussi simple que ça. « J'aurais pu m'en aller, déserter au lieu de tirer, dit-il, et j'aurais certainement réussi. Mais je n'aurais pas été fier de moi et l'idée ne m'en est même pas venue. Et Heinz Tiebler, qui se bat dans le blockhaus voisin : « Pour nous, la patrie passait avant tout. La Grande Allemagne, comme on disait à l'époque. Personne ne pouvait refuser de donner sa vie pour elle. »

Pour elle, ou bien pour les chefs criminels qui sont à sa tête et qui mettent l'Europe à feu et à sang ? Heinz et ses camarades ne vont pas chercher si loin. Ils ne se posent pas la question. Et c'est bien la chance des dirigeants nazis, qui exploiteront jusqu'au bout, jusqu'à la défaite finale, le patriotisme de ces garçons qui avaient tout juste six ou sept ans en 1933, quand leurs parents ont voté pour Hitler, et qui ne sont donc pas responsables du nazisme. Hein Severloh massacre les Américains pour sauver son pays. Il ne sait pas que chacune de ses balles condamne à mort Anne Frank, cachée dans son grenier d'Amsterdam. Le patriotisme est sans doute admirable en soi, mais combien de fois a-t-il servi et servira-t-il encore de prétexte et de paravent aux plus mauvaises causes ?

Une tempête de feu

Un horrible assassinat ? C'est vrai, mais la guerre en a connu d'autres, dont les victimes étaient parfois allemandes. Cela fait des mois que, jour après jour, nuit après nuit, les escadres aériennes alliées vont porter la mort et la terreur en terre allemande. Les villes, là-bas, ne sont plus qu'amas de ruines sous lesquelles demeurent enfouis les cadavres. Cinquante mille habitants de Hambourg sont morts en une semaine. Les bombardiers lâchèrent vague après vague les énormes bombes explosives de près de quatre tonnes qui soufflaient d'un seul coup un pâté de maisons, mais ils inondèrent surtout la ville de bombes incendiaires. Les incendies furent si violents que la température au sol monta par endroits à 1 100 degrés. Des ouragans naquirent de l'atmosphère surchauffée, attisant encore les flammes qui jaillirent en un brasier visible à plus de deux cents kilomètres. La tornade avait une force effrayante, déracinant les arbres, arrachant les bébés des bras de leurs parents et les précipitant dans le feu. « Une grande flamme fonçait droit sur nous, raconte une femme, une flamme aussi haute que les maisons et presque aussi large que la rue. Tandis que je regardais, frappée de stupeur, la flamme sursauta, recula, puis de nouveau fonça sur nous. "Mon Dieu, qu'est-ce que c'est ? dis-je. — C'est une tempête de feu", me répondit un vieillard. » Elle souffla sur Hambourg toute une longue semaine, carbonisant pêle-mêle adultes et enfants, femmes et vieillards. On n'y échappait qu'en se jetant dans le fleuve ou dans les canaux dont l'eau fumait sur son passage. Elle laissait derrière elle un air si brûlant qu'il tuait de chaleur ceux qui s'y exposaient trop tôt. Beaucoup d'enfants et de vieilles gens moururent noyés : à bout de forces, ils avaient fini par lâcher la berge ou le quai auxquels ils s'accrochaient.

Cinquante mille morts. Dix fois plus que de soldats alliés tués sur les plages de débarquement.

C'était la guerre. Une guerre voulue par les nazis et menée par eux avec une cruauté impitoyable. Ils étaient les vrais responsables des monceaux de cadavres accumulés sous les ruines allemandes. Mais ces pauvres morts, ces femmes brûlées vives, ces enfants déchiquetés, c'étaient les mères, les frères, les compatriotes de Hein Severloh, de Franz Gebauer, d'Edmund Sossna... Depuis des mois, ils recevaient sur la lointaine falaise d'Omaha les lettres apportant le deuil et la désolation. Et ils trouvaient injuste que fussent massacrés des civils inoffensifs, sans penser que les bombardiers allemands avaient autrefois allumé des incendies dans toutes les grandes villes anglaises. Ainsi les peines et les souffrances de la guerre hitlérienne durcissaient-elles le cœur de ces garçons et les déterminaient-elles à combattre avec acharnement.

Et puis, très simplement, comme tous les soldats, Hein Severloh tue pour ne pas être tué. C'est en temps de paix qu'il faut résister à la guerre, contester, la rendre impossible. Après, il est trop tard. L'instinct vital est le plus fort. On ne se demande pas, quand les balles sifflent, si la guerre est juste ou injuste : chacun ne songe qu'à sauver sa propre vie, même s'il faut pour cela exterminer l'ennemi.

A Omaha, le prix est lourd : sur les six kilomètres de plage, un mort ou un blessé américain tous les deux mètres. Le piège de Rommel a bien fonctionné. L'assaut est brisé. C'est l'avis du commandant allemand de la pointe Percée, qui envoie à ses chefs un message triomphant : « L'adversaire est anéanti ! » Le général Bradley en vient lui-même à le penser, tant sont désespérants les messages qui lui arrivent sur le croiseur *Augusta*, où est installé son poste de commandement. Si désespérants en vérité que Bradley envisage d'abandonner les premières vagues à leur sort et de diriger tous les renforts sur Utah.

Ce serait la victoire absolue pour Hein Severloh et ses camarades. Pour David Silva et les siens, toujours recroquevillés derrière le mur ou le remblai de galets, la décision de Bradley équivaudrait à une condamnation à mort.

Un petit homme vêtu à la diable

Chez les Américains, un succès à Utah et un échec à Omaha. Où en sont les Britanniques ?

Ils ont débarqué, rigolos en tête, sur leurs trois plages baptisées Gold, Sword et Juno.

Les rigolos ne pouvaient probablement naître qu'en Angleterre. Leur surnom même était typiquement anglais : quel autre peuple aurait eu l'idée d'appeler ainsi des machines de guerre ? Sûrement pas les Allemands, qui baptisèrent leurs chars Tigre ou Panther et donnaient à leurs armes nouvelles des noms bien effrayants.

Dans cette guerre, toutes les grandes nations européennes firent preuve d'un courage extrême, de sorte que le succès ne pouvait pas dépendre de la seule valeur des soldats engagés puisqu'ils témoignaient d'une égale volonté de vaincre. Il fallait autre chose pour faire pencher la balance. L'Union soviétique avait ses inépuisables réserves humaines et l'immensité de son territoire. L'Allemagne jeta dans la balance les ressources de l'Europe occupée et les millions d'hommes qu'elle contraignit à travailler comme des esclaves. La puissance industrielle des États-Unis dépassait celle de leurs adversaires et de leurs alliés réunis. La Grande-Bretagne ne possédait rien de tout cela : son territoire était étroit ; sa population peu nombreuse ; son industrie incapable de rivaliser avec celle des géants. Elle suppléa toutes ces infériorités par un extraordinaire génie inventif. Sa victoire fut celle du courage associé à l'imagination.

Les rigolos eurent en vérité trois parrains. L'un était un général anglais que ses collègues considéraient comme un dangereux fantaisiste : Percy Hobart. Le second, également général, était le beau-frère d'Hobart ; il s'appelait Bernard Montgomery. Le troisième, Winston Churchill, avait une véritable passion pour les trouvailles les plus farfelues qui permettraient de surprendre l'adversaire en économisant le sang anglais. Tous trois durent lutter contre l'esprit de routine qui caractérise les militaires.

Comme Charles de Gaulle en France, comme le général Guderian en Allemagne, le général Percy Hobart avait compris, après la Première Guerre mondiale, le rôle essentiel que joueraient les blindés dans les batailles à venir. Mais, tout comme de Gaulle, on refusa de l'écouter. Il avait en commun avec le futur chef de la France libre des théories révolutionnaires et un caractère difficile. Il ne se gêna pas pour traiter d'imbéciles les généraux britanniques qui repoussaient ses thèses d'un pied dédaigneux tandis que Guderian, en Allemagne, se hâtait de les mettre en application. On brisa sa carrière. On mit à la retraite ce gêneur qui prétendait avoir raison contre tout le monde. En 1940, après l'écrasement des armées polonaise, hollandaise, belge, française et anglaise qui avaient été culbutées par les divisions blindées allemandes, Percy Hobart était caporal dans la Home Guard, une milice levée en toute hâte pour tenter de repousser un débarquement allemand que chacun croyait imminent. Comme ses hommes n'avaient pas de fusils, le caporal Hobart leur faisait faire l'exercice avec des manches à balai...

Winston Churchill intervint personnellement en sa faveur. Il aimait les originaux, les précurseurs, ceux qui ont raison avant les autres et contre les autres. Percy Hobart fut sur son ordre réintégré dans l'armée avec son grade de général. Mais il fallut encore un désastre pour qu'on lui laissât vraiment les mains libres. Il fallut les cinq mille hommes sacrifiés à Dieppe.

Ce fut une affreuse aventure. Le 19 août 1942, six mille Canadiens et Britanniques se jettent tête baissée sur la plage de galets de Dieppe que surplombent, comme à Omaha, de hautes falaises truffées de canons et d'armes automatiques. Il s'agit de tâter les défenses allemandes. Les troupes ont pour mission de débarquer, d'exterminer les défenseurs et de faire sauter leurs blockhaus, puis de rembarquer sous le couvert de l'artillerie de marine. « Une reconnaissance en force », a expliqué Winston Churchill. Les fantassins seront appuyés par les nouveaux chars qui portent son nom, engagés pour la première fois dans la bataille. Des équipes de sapeurs doivent raser les obstacles et ouvrir des passages dans les champs de mines.

Ce 19 août 1942, à Dieppe, Canadiens et Britanniques subissent le même calvaire que vivront deux ans plus tard leurs camarades américains à Omaha. Leurs barges, prises sous un feu nourri, coulent ou s'enflamment. Les chenilles des tanks patinent sur les galets ronds. Les sapeurs, cloués au sol par le tir allemand, ne peuvent détruire les obstacles, constitués essentiellement par des réseaux très denses de barbelés. Pas un des chars Churchill débarqués par vingt-quatre barges ne reviendra en Angleterre. Six seulement parviennent à franchir la digue. Les autres, en rade sur les galets, sont rapidement détruits par les artilleurs allemands. Les fantassins, privés de leur appui, se font massacrer sans pouvoir décoller de la plage.

L'attaque avait commencé à trois heures du matin. A midi, tout était fini. Sur les 6 086 soldats envoyés au sacrifice, 4 384 étaient tués, blessés ou prisonniers. La « reconnaissance en force » se soldait par un sanglant désastre.

L'émotion fut profonde en Angleterre, au Canada et aux États-Unis. Les peuples qui souffraient sous la botte nazie accusèrent durement le coup : la défaite de Dieppe signifiait que leur libération restait encore bien lointaine. Par contre, l'événement fut salué par une explosion de joie en Allemagne. Les défenseurs de Dieppe avaient prouvé que les Anglo-Américains n'étaient pas de taille à se frotter à l'armée allemande. De ce côté-là, on était tranquille. Or, ailleurs, tout allait à merveille. L'Armée rouge reculait jusqu'au Caucase et jusqu'à Stalingrad devant la grande offensive d'été lancée par Hitler. En Afrique, Rommel et son Afrikakorps étaient aux portes du Caire, et le Renard du désert pourrait bientôt installer sa tanière dans la capitale égyptienne.

Mais au moment même où les Canadiens s'entassaient dans leurs barges pour aller mourir à Dieppe, le général Bernard Montgomery volait vers l'Égypte. Churchill lui avait confié le commandement des Rats du désert de la 8ᵉ armée britannique. Montgomery, que tous ses hommes appelleraient bientôt Monty, trouva des troupes fatiguées, démoralisées, promises à une défaite qui semblait inévitable. Il en fit en quelques semaines l'armée qui brisa l'Afrikakorps et les troupes italiennes à El-Alamein. Ce n'était qu'un premier round. Deux ans plus tard, les deux adversaires, Rommel et Monty, devaient se retrouver face à face sur les plages de France pour la bataille décisive, celle du Grand Jour.

Un curieux militaire, ce Monty. Il détestait l'uniforme. Sa tenue favorite ressemblait plus à celle d'un artiste peintre qu'à celle d'un digne officier de Sa Majesté britannique : pantalon de velours jamais repassé et chandail à col roulé. Vissé au crâne, un béret noir de tankiste qu'il ne quittait jamais depuis que l'équipage d'un char des Rats du désert le lui avait offert. Deux fois, il avait reçu l'ordre d'arborer un couvre-chef plus conforme à son grade, mais il n'en avait tenu aucun compte. Cette négligence vestimentaire n'excluait pas une coquetterie certaine : petit de taille, Monty portait pour se grandir des chaussures à triple semelle.

Il était dangereux, dans son cas, de se fier aux apparences, comme le découvrirent vite les officiers qui ne le connaissaient pas et qui, voyant arriver ce petit bonhomme habillé à la diable, en conclurent qu'il serait un chef coulant, débonnaire. Fils de pasteur, très croyant, Monty était le contraire d'un joyeux luron. Il n'avait jamais bu une goutte d'alcool ni fumé une cigarette. Il considérait d'ailleurs que la forme physique était essentielle et, de retour en Angleterre après son triomphe africain, imposa aux troupes un cross-country hebdomadaire de onze kilomètres. Ses généraux approuvèrent avec enthousiasme mais firent triste mine quand il ajouta, comme si la chose allait de soi, qu'ils devraient galoper avec les soldats. Comment refuser, puisque Monty lui-même ne manquait jamais la séance de gymnastique du matin et courait allégrement ses onze kilomètres ? De toute façon, on ne discutait pas un ordre du général Montgomery. Pas même quand certains officiers supérieurs couverts d'étoiles et de décorations avaient l'impression d'être traités en petits garçons. C'est ainsi que l'impossible Monty, qui détestait éternuements et toussotements, commençait les conférences d'état-major en annonçant aux participants qu'ils avaient deux minutes pour tousser, après quoi la chose serait défendue. L'interdiction de fumer allait de soi, aussi les officiers furent-ils stupéfaits, lors d'une conférence, d'entendre leur chef déclarer qu'ils pouvaient exceptionnellement allumer une cigarette. Ils comprirent en voyant apparaître, quelques minutes plus tard, Winston Churchill et son éternel cigare...

Mais Churchill lui-même devait subir ce caractère intraitable. Un soir, Montgomery, qui se couchait tôt et se levait tôt, reçut un appel téléphonique du Premier ministre, qui se couchait tard et se levait encore plus tard. Churchill demanda à Monty de le rejoindre à minuit pour qu'ils examinent ensemble quelques affaires importantes — c'était peu de temps avant le Grand Jour. « Mais c'est impossible, Sir, répondit calmement le général. A minuit, je serai dans mon lit depuis longtemps. Tout à fait impossible. » Churchill insista vainement et raccrocha.

Les soldats adoraient Monty. Enfin un général qui ne ressemblait pas aux vieilles culottes de peau de l'état-major. Un homme qui courait avec eux, mangeait comme eux et vivait dans l'inconfort d'une simple roulotte alors qu'il aurait pu installer son quartier général dans un somptueux château réquisitionné. Montgomery avait remplacé dans leur admiration le chef ennemi, Erwin Rommel, qu'ils avaient cru invincible jusqu'au jour où leur nouveau général l'avait battu à plate couture. Beaucoup d'officiers d'état-major, par contre, gardaient envers lui la même réserve qu'envers Percy Hobart, l'homme des chars. Mais s'ils détestaient son originalité et ses bizarreries, ils devaient reconnaître qu'on pouvait faire confiance à ses talents militaires.

Il était encore tout jeune lieutenant quand il donna un aperçu de ce qu'allait être sa tactique. Il ne s'agissait pas encore de guerre, mais de football. C'était en 1911, et le lieutenant Montgomery occupait les fonctions d'officier des sports dans un régiment en garnison à Bombay, aux Indes. Le Kronprinz, fils de l'empereur d'Allemagne, vint en visite officielle sur le cuirassé *Gneisenau*. Montgomery fut chargé d'organiser une rencontre de football entre son régiment et l'équipage du navire allemand, mais comme il disposait d'excellents joueurs et qu'on ne voulait surtout pas vexer le Kronprinz, ses chefs recommandèrent au jeune lieutenant de ne pas aligner sa meilleure équipe : les remplaçants suffiraient. Dès le début du match, raconte Alan Moorehead, qui a écrit une biographie de Montgomery, la gêne fut grande dans la tribune officielle où avaient pris place les personnalités anglaises et allemandes. L'équipe anglaise surclassait les malheureux marins allemands. A la fin du match, ce n'était plus de la gêne, mais une vraie consternation : les Anglais l'emportaient par 40 à 0 ! Personne n'osait regarder le Kronprinz. Montgomery, convoqué par son colonel, avoua qu'il avait désobéi et aligné ses meilleurs joueurs. Il ajouta : « Avec les Allemands, Sir, je ne veux pas prendre de risques. »

Trente ans plus tard, le jeune lieutenant de l'armée des Indes était devenu général, mais sa méthode restait la même : il refusait de prendre des risques avec les Allemands. Avant de lancer ses Rats du désert contre l'Afrikakorps et l'armée italienne, il avait, douze jours durant, écrasé les troupes de Rommel sous un déluge d'obus qui avait brisé leur résistance. Chacune de ses batailles avait suivi le même scénario : d'abord, acquérir une supériorité matérielle absolue sur l'adversaire ; ensuite, matraquer ce dernier à coups d'obus et de bombes ; enfin, passer à l'attaque lorsque les chances de succès sont proches de cent pour cent. C'était une tactique lente, peu spectaculaire, mais elle avait valu à Monty de n'être jamais vaincu et à ses hommes d'éviter l'hécatombe. Plus que son béret de tankiste ou son pantalon de velours côtelé, c'était la véritable explication de la popularité extraordinaire du général Montgomery : ses soldats savaient qu'il était économe de leurs vies. Il n'était pas homme à les lancer dans des opérations sans espoir. Avec lui, on ne risquait pas un nouveau Dieppe.

La bande à Hobo

Dieppe ! Monty y pensait beaucoup dans sa petite roulotte. Il avait épinglé au mur la photo d'Erwin Rommel. Ce n'était pas du tout un témoignage d'affection : Montgomery voulait au contraire que cette photo lui rappelât constamment quel redoutable adversaire l'attendait sur les côtes de France. Elle l'aiguillonnait. Elle le maintenait sur le qui-vive.

Dieppe... Le général britannique savait que son adversaire en avait tiré la leçon. On pouvait bloquer l'assaillant sur les plages et l'y écraser en quelques heures à condition de multiplier obstacles et puissance de feu. Rommel s'y employait avec son acharnement habituel. Si le camp allié ne tirait pas, lui aussi, les leçons de son échec dieppois, le débarquement finirait en bain de sang.

Grâce à Montgomery, certaines défaillances ont déjà été surmontées. Ainsi, à Dieppe, la flotte alliée avait cessé de tirer quand les barges s'étaient rapprochées des côtes et les défenseurs allemands avaient eu le temps de se ressaisir avant l'arrivée de la vague d'assaut. Il fallait supprimer ce temps mort pour contraindre l'ennemi à rester terré dans ses abris. Monty a trouvé une solution simple mais révolutionnaire : les blindés et les pièces d'artillerie embarqués sur les barges tireront jusqu'à leur arrivée sur la plage. Et tant pis si cette canonnade chahute les barges au risque de les faire couler : l'essentiel est qu'un tapis d'obus ne cesse de s'abattre sur les défenses allemandes.

Dieppe avait également démontré que les barges transportant les tanks étaient très vulnérables. Un seul coup au but signifiait la perte de plusieurs chars. On devait à tout prix diminuer les risques, donc éparpiller les cibles en dispersant les chars. Une seule solution à ce problème : le char amphibie.

Il avait été inventé par un ingénieur d'origine hongroise, Nicholas Strausler, mais l'Amirauté britannique s'opposait à sa fabrication en série sous prétexte qu'il ne pourrait jamais naviguer puisqu'il n'avait pas de gouvernail. De mémoire de marin anglais, on n'avait jamais vu sur la mer une « chose » sans gouvernail et on n'en verrait jamais. Percy Hobart releva le défi et arracha aux autorités une commande de neuf cents Sherman amphibies. Mais les bureaucrates freinèrent efficacement la production. Il fallut toute l'autorité d'Eisenhower en personne pour surmonter ce sabotage administratif. Enthousiasmé par une démonstration d'Hobart, il expédia le soir même aux États-Unis un ingénieur anglais porteur de tous les plans. Quelques jours plus tard, les usines américaines travaillaient à plein régime. Elles construisirent en quelques semaines plusieurs centaines de chars amphibies. On les nomma D.D. (Duplex Drive), mais les tankistes eurent tôt fait de les appeler Donald Duck, du nom du célèbre canard de Walt Disney.

Il n'est pas suffisant d'amener des chars intacts jusqu'à la plage : encore faut-il qu'ils puissent traverser rapidement cette plage pour attaquer les points de résistance. Or, l'expérience de Dieppe a démontré que les sapeurs, cloués au sol par les mitrailleuses, ne peuvent leur ouvrir les passages nécessaires. Encore les plages dieppoises n'étaient-elles protégées que par des champs de mines et des réseaux de barbelés, tandis que celles du Grand Jour seront protégées par la forêt d'obstacles biscornus sortis de l'imagination du maréchal Rommel.

Par qui ou par quoi remplacer les sapeurs trop vulnérables ? Comment briser les pieux minés, combler les fossés, déblayer les champs de mines, raboter les murs et les digues antichars ? Et lorsqu'on aura permis aux tanks d'arriver au contact des blockhaus ennemis, comment pourront-ils détruire des masses bétonnées assez épaisses pour résister à l'impact d'obus de marine ?

Le beau-frère de Montgomery, Percy Hobart, apporte une solution à chacun de ces problèmes dont dépendent la vie de milliers d'hommes et le succès même du débarquement.

Il a beaucoup travaillé, le général Hobart, surnommé Hobo par son équipe de fidèles (« la bande à Hobo »). Bureaucrates et militaires encroûtés dans la routine continuent à lui mettre des bâtons dans les roues, mais il bénéficie de la protection de Churchill et de l'appui du général Brooke, chef d'état-major.

Brooke a lui aussi compris la leçon de Dieppe. Il est décidé à donner carte blanche au seul homme capable de résoudre des problèmes apparemment insolubles. La bataille du débarquement commence par un match Hobart-Rommel, le général inventeur contre le maréchal bricoleur. Pour escamoter les hérissons tchèques, les portes belges et les « jardins de l'enfer » truffés de mines et hérissés de barbelés de Rommel, la bande à Hobo met au point la plus étonnante collection d'engins que l'art militaire ait connus depuis les vieilles machines de siège du Moyen Age. Leurs noms officiels ? On les oublie avant même de les avoir bien appris. Pour tout le monde, depuis l'officier supérieur un peu scandalisé jusqu'au dernier troupier hilare, ce sont « les rigolos d'Hobo ».

Les champs de mines ? Le Crabe s'en chargera. Il est équipé à l'avant d'un gros rouleau tournant sur lui-même. Des chaînes, fixées au rouleau, frapperont durement le sol et feront exploser les mines, dégageant un couloir large d'une dizaine de mètres.

Les réseaux de barbelés ? La forêt des pieux minés ? L'épaisse lame d'acier spécial d'un bulldozer blindé fera de la dentelle avec les premiers et culbutera les seconds comme des allumettes.

Les plaques d'argile découvertes par les Commandos au cours de leurs missions nocturnes et sur lesquelles les chars risquent de patiner comme ils l'ont fait sur les galets de Dieppe ? Les dunes dans lesquelles ils risquent de s'ensabler ? L'engin Bobine porte un rouleau de toile épaisse renforcée par un treillis métallique. En avançant, il déroule sous lui, comme un tapis, cette toile large de deux mètres cinquante qui permettra aux autres véhicules de traverser sans encombre les passages périlleux.

Les fossés antichars ? L'engin Fascine s'en charge : il transporte une lourde charge de rondins qu'il déversera dans les fossés pour les combler. Si le fossé est trop profond et trop large, l'engin Avre jettera sur lui, en trente secondes, son pont ambulant qui permet au tank le plus lourd de franchir une fosse large de neuf mètres ou le vaste entonnoir creusé par une bombe.

Les digues ? Les murs antichars ? Un rigolo viendra s'appuyer contre eux et les chars lui passeront tout simplement sur le dos, car ce rigolo-là est une rampe automotrice dont le pan incliné réglable peut s'adapter à diverses hauteurs.

Tous les problèmes techniques posés par la traversée des plages étant ainsi résolus, reste celui de la destruction des blockhaus. La bande à Hobo s'en est occupée. Trois rigolos sont spécialement conçus pour l'attaque des points fortifiés.

Le premier est recouvert de tubes tirant des fusées Bangalore. Il passera en tête, lâchant successivement ses fusées dans les réseaux de barbelés où elles ouvriront les brèches nécessaires aux fantassins.

Le deuxième est l'engin Pétard, que les soldats surnomment, on ne sait pourquoi, « la poubelle volante ». Il lance à bout portant un obus énorme, une vraie bombe capable de volatiliser une dune farcie de mitrailleuses ou de percer la muraille de béton la plus épaisse.

Le troisième finira le travail. C'est l'engin Crocodile. Il est équipé d'un lance-flammes projetant à cent vingt mètres une mortelle langue de feu qui s'introduira par les embrasures des blockhaus et grillera leurs occupants. La réserve de combustible (1 800 litres) est contenue dans une remorque tractée par l'engin.

Est-ce tout ? Pas encore. Hobo et sa bande savent que les combats se prolongeront à la nuit tombée. Des rigolos équipés de puissants projecteurs braqueront ceux-ci sur les points fortifiés à nettoyer, de sorte que les assaillants combattront avec la protection de l'ombre tandis que les défenseurs, épinglés par les projecteurs, seront offerts à leurs coups.

Ces rigolos, porteurs de rondins, équipés de lance-flammes ou de chaînes à mines, ne sont pas seulement des engins commodes, mais d'un emploi limité. Ils restent des chars d'assaut qui participeront au combat comme les autres. Hobo et sa bande se sont contentés de bricoler des tanks classiques. L'engin Avre, par exemple, est tout simplement un char Churchill sur lequel on a adapté un pont pointé devant lui comme une longue corne, qu'il abaissera pour franchir fossé ou rivière et laissera à la disposition des autres véhicules. Cessant alors d'être un engin Avre, la machine redeviendra un char de combat tirant au canon et à la mitrailleuse. Il en est de même pour le Bobine, dont les chaînes feront exploser les mines, et pour le Crocodile, qui n'a perdu que sa mitrailleuse, remplacée par le lance-flammes.

Erwin Rommel avait trouvé son maître.

« *Joue-nous un air de cornemuse !* »

Ils débarquèrent depuis Le Hamel, près d'Arromanches, jusqu'à Ouistreham, à l'embouchure de l'Orne, sur des plages baptisées Gold, Juno et Sword. Ils étaient anglais, écossais, canadiens, australiens, néo-zélandais. Tout l'Empire britannique était de la fête. Il y avait aussi 172 Français. La plupart de ces soldats n'avaient jamais combattu. Parmi ceux qui avaient connu le feu, beaucoup reprenaient la guerre là où ils l'avaient quittée : dans l'eau. C'étaient les vétérans de 1940, les vaincus de la bataille de France qu'on avait à grand-peine rembarqués sur les plages de Dunkerque bloquées par les triomphantes divisions blindées de Hitler. Ils s'étaient jetés à l'eau pour fuir la captivité, et voici qu'après quatre années ils barbotaient de nouveau dans la mer. Mais, cette fois, ils faisaient face au rivage.

Certaines unités avaient lutté en Afrique contre l'Afrikakorps et les troupes italiennes. L'expérience qu'elles y avaient acquise allait se révéler parfois néfaste. Habitués à rouler tourelle ouverte à travers le désert dénudé, beaucoup de chefs de char seront abattus par les tireurs d'élite allemands installés dans les arbres. Les canonniers, devenus experts dans les duels à longue distance (en Afrique, ils ouvraient le feu à huit cents mètres), devront apprendre la technique du combat rapproché. Des chars seront pris à l'abordage par des groupes d'assaut allemands embusqués derrière les haies qui surplombent les chemins creux du bocage normand. C'est une guerre sans rapport avec celle qu'ils ont connue que vont livrer les glorieux Rats du désert.

Mais, pour la plupart de ces hommes, le Grand Jour met-

tait fin à une attente qui avait duré quatre années interminables. Cantonnés dans des casernes ou dans des camps, ils
avaient à peine l'impression d'être des soldats, malgré l'entraînement fastidieux auquel on les soumettait. Être soldat, cela
consiste à risquer sa vie. Or, pour les Britanniques, c'étaient
leur femme et leurs enfants qui étaient en danger dans les villes
bombardées par la Luftwaffe. C'était quand ils allaient chez eux
en permission qu'ils avaient l'impression de monter au front. Et
lorsqu'ils voyaient les monceaux de ruines, lorsqu'ils entendaient les enfants leur raconter les nuits de peur et de mort, ils
ressentaient une secrète et profonde humiliation. A quoi ser-
vaient-ils ? Les femmes, au moins, travaillaient dans les usines,
participaient à l'effort de guerre. Eux, les fantassins, ils tournaient en rond tandis que leurs camarades aviateurs combattaient nuit et jour dans les cieux et que les marins sillonnaient
les mers, aux prises avec les meutes sous-marines lâchées par
Hitler. Quatre années à ne rien faire, sinon remâcher son
ennui. C'était comme si la guerre s'était arrêtée pour eux.

Ils se trompaient. La guerre ne s'arrête jamais. Simplement, elle change de forme. Tout au long de ces interminables
mois d'attente, la guerre se livre dans les conférences d'état-
major où Hobo tente d'imposer ses rigolos aux généraux scep-
tiques, dans les bureaux où s'élaborent les plans, dans les
usines où l'on fabrique l'arsenal de la victoire.

Puis, à partir de janvier 1944, il devint clair pour tous que
le Grand Jour approchait. Ce serait pour le printemps, au plus
tard pour les premières semaines de l'été. Alors, chez ces
hommes inactifs depuis si longtemps, l'angoisse succéda à
l'ennui. Le débarquement devint une idée fixe. On l'avait tant
attendu qu'on en avait peur, maintenant qu'il était tout proche.
Des prévisions funestes circulèrent. On annonça que huit
hommes sur dix seraient tués — peut-être plus. Chacun se
résigna à mourir. Or, une troupe qui attaque persuadée qu'elle
va se faire massacrer est sans aucun doute une troupe coura-
geuse, mais l'expérience démontre qu'elle est rarement victorieuse.

Montgomery comprit le danger. Surchargé de besogne,
accaparé par les ultimes préparatifs, il décida que le moral de
ses soldats était plus important que tout. Il abandonna son
quartier général et parcourut l'Angleterre en train spécial, prononçant devant les troupes rassemblées six ou sept discours

par jour. Des discours ? Le mot est faible, et même inexact. C'était une croisade que prêchait Monty, et il retrouvait pour ce faire les accents de son père, pasteur protestant, plutôt que ceux d'un politicien. Il commençait par inviter à s'asseoir en cercle autour de lui les soldats figés au garde-à-vous qu'on lui présentait à sa descente du train. Puis il parlait de sa voix un peu nasillarde, sans chercher à être éloquent, mais avec une émotion et une sincérité telles que ceux qui l'écoutaient oubliaient qu'ils avaient devant eux un général s'adressant à des subordonnés : il n'y avait plus qu'un homme parlant à cœur ouvert à d'autres hommes. Et cet homme expliquait qu'ils étaient engagés dans quelque chose qui les dépassait tous, dans une croisade contre le mal, l'injustice, l'oppression. Il leur disait que cette guerre avait assez duré et qu'il était décidé, lui Monty, à en finir cette année même. Il leur rappelait qu'il n'avait jamais livré bataille sans être certain de gagner — et chacun savait qu'il disait vrai. « Vous et moi, concluait-il, tous ensemble, nous allons vaincre une fois de plus parce que nous sommes la meilleure équipe. » Il fit le tour de l'armée, s'adressant à trente mille hommes par jour en moyenne, puis il retourna s'enfermer dans sa roulotte avec ses cartes et ses crayons rouges, certain que tout irait bien.

Ça allait bien. On chantait dans les barges qui fonçaient vers la côte, et le cornemuseux des Commandos à béret vert de lord Lova soufflait comme un enragé dans son instrument. Même si l'on avait peur — et certains avaient peur à en crever —, on était heureux d'y aller et d'en finir une bonne fois. L'heure des règlements de comptes avait enfin sonné. Tous les comptes : Dunkerque, Dieppe, les villes anglaises rasées sous les bombes, les morts couchés dans le sable d'Afrique, les aviateurs descendus et les marins noyés. Vieille et grande Angleterre ! Elle a pendant des siècles possédé l'empire le plus vaste de l'histoire et, dominant le monde, lui a imposé sa loi. Mais elle n'aura jamais été si grande qu'au cours de cette guerre où, réduite à ses îles, coupée de son empire, elle a tenu tête à la fureur nazie. Seule et pratiquement désarmée, elle a refusé de signer en 1940 la paix « honorable » que lui proposait Hitler, disposé à se contenter du continent européen. Elle a combattu seule jusqu'à l'arrivée à ses côtés, en 1941, de l'Union soviétique et des États-Unis. Quand tous étaient déjà vaincus ou attendaient encore, l'arme au pied, elle a été l'unique soldat de la liberté. La victoire venue, puis la paix, on l'oubliera un peu. Les historiens additionneront les masses soviétiques au matériel américain pour expliquer comment fut gagnée cette guerre. Mais l'Histoire est autre chose que les comptes des historiens, et, plus que sa puissance passée, plus que l'immensité de son empire ancien, elle inscrira à la gloire éternelle de l'Angleterre cette mortelle année où elle fut à la fois le roc sur lequel se brisa la marée nazie et la flamme, vacillante mais inextinguible, qui réchauffait le cœur désespéré des peuples réduits en servitude.

Ils chantent et, pour beaucoup, c'est leur dernière chanson. Car on a beau tout prévoir, tout calculer, tout envisager, la guerre réserve toujours des surprises. A Utah et à Omaha, c'est ce courant marin qui a déporté les barges et semé la pagaille. Sur Sword, God et Juno, c'est la marée qui remonte plus vite que prévu, poussée par un vent violent, et qui recouvre déjà une partie des obstacles. Barges qui s'éventrent sur les ouvre-boîtes et que pulvérisent les mines casse-noisettes, avec ces corps projetés dans le ciel comme des pantins désarticulés... Chars amphibies qui, çà et là, s'engloutissent dans les flots... Mais, malgré les pertes, le gros de la flotte d'assaut passe et s'échoue dans le sable. C'est alors l'heure triomphale du général Percy Hobart, l'époustouflant ballet des rigolos en pleine action. Un champ de mines ? Les Crabe s'y engagent sans hésiter car leur rouleau à chaînes, projeté vers l'avant par deux bras d'acier, est suffisamment loin de l'engin pour que l'explosion des mines ne lui cause aucun dommage. Un Crabe patine-t-il sur une plaque d'argile ? Voici qu'une Bobine arrive et déroule son treillis métallique. Un fossé antichar ? Le Bobine s'écarte et laisse la place au Fascine qui déverse son chargement de rondins. Un entonnoir de bombe ? L'engin Avre jette sur lui sa solide passerelle. Voici enfin la digue qui marque la limite de la plage. Un engin-rampe vient s'y accoter et tous les autres chars grimpent sur son dos pour déboucher sur la route côtière. Grâce à Percy Hobart, la première vague d'assaut britannique a submergé la plage qui, à cause de Rommel, pouvait être son cimetière.

L'attaque ne fut pas partout aussi facile qu'à Utah Beach, mais elle ne fut nulle part aussi sanglante qu'à Omaha. La résistance allemande, brisée dès le premier choc dans la plupart des secteurs, se durcit cependant autour de certains points d'appui supérieurement fortifiés et défendus jusqu'à la dernière cartouche. Le régiment anglais du 1er Hampshire dut lutter huit heures et perdre deux cents hommes avant d'enlever la hauteur du Hamel. Le 48e commando du Royal Marines combattit au corps à corps dans les rues de Langrune, petite station balnéaire dont les Allemands avaient fait une redoutable forteresse : maisons aux fenêtres obstruées, murs en béton hauts de deux mètres et larges d'un mètre cinquante qui coupaient les rues, souterrains permettant aux défenseurs encerclés de s'échapper pour reprendre le combat cinquante mètres plus loin, nids de mitrailleuses bétonnés, buissons de barbelés où les assaillants s'empêtraient sans pouvoir bénéficier de l'appui des chars, qui avaient reçu l'ordre de s'enfoncer le plus possible à l'intérieur des terres en laissant aux fantassins le travail de nettoyage. Les officiers tués ou blessés, ce fut un jeune lieutenant de dix-neuf ans, Anthony Rubinstein, qui prit la tête du commando et le relança inlassablement à l'attaque.

Les 177 Français du commandant Kieffer portaient eux aussi le béret vert des Commandos. On leur avait confié la prise de Riva-Bella et de son casino puissamment fortifié. L'état-major savait pouvoir compter sur eux. Plusieurs étaient déjà revenus sur la terre de France par des nuits sans lune pour des raids de reconnaissance. Ils avaient examiné les défenses des plages sous les bottes des sentinelles allemandes. Mais il ne s'agissait plus d'un raid furtif. Ils venaient cette fois au grand jour et sans esprit de retour. La moitié des leurs tomba sous le feu allemand, mais Riva-Bella fut enlevé d'assaut.

La 3e division canadienne, qui débarquait à Juno, tomba dans un enfer comparable à celui d'Omaha. Les bombardiers et les navires de guerre avaient mal visé : tous les canons allemands restaient intacts. La mer, encore plus mauvaise qu'ailleurs, avait retardé les chars amphibies. Des récifs tranchants comme des rasoirs, invisibles sous les vagues, coulèrent les barges qui tentaient de contourner les obstacles minés de Rommel. Des dizaines de blessés restèrent prisonniers de leur embarcation, les jambes coincées dans les tôles, condamnés à mourir noyés sous la marée montante. Un simple infirmier, nommé Jones, en sauva plusieurs en les amputant. Quant aux barges qui avaient réussi à passer, un tir écrasant s'abattit sur elles dès qu'elles échouèrent dans le sable. Comme à Omaha, les hommes de la première vague s'élancèrent à travers la plage sous les balles des mitrailleuses ennemies. Mais, contrairement à Omaha, il n'y avait pas à Juno une falaise pour bloquer leur ruée : ils chargèrent au son du clairon jusqu'aux blockhaus et, après un bref et sauvage engagement, des chiffons blancs apparurent aux embrasures : les défenseurs se rendaient. Juno était conquise. L'état-major allié savait qu'il pouvait compter sur ces Canadiens pour venger leurs camarades tombés à Dieppe.

Au contraire, l'état-major allemand ne pouvait pas compter sur sa 716ᵉ division, chargée de tenir les trois plages attaquées par les Britanniques. Un soldat sur quatre était polonais ou ukrainien. On avait ramassé ces pauvres diables dans les camps de prisonniers en leur donnant le choix entre mourir de faim ou servir dans l'armée allemande. Ils avaient accepté d'endosser l'uniforme de la Wehrmacht, mais si l'habit ne fait pas le moine, comme dit le proverbe, il ne fait pas non plus le soldat. On se fait tuer pour son pays ou pour son idéal, pas pour un uniforme. Ces Polonais ou ces Soviétiques d'Ukraine n'avaient aucune raison de mourir pour une Allemagne qui occupait leur pays et y multipliait les atrocités. La plupart se rendirent à la première occasion. Certains avaient même déjà préparé leur valise...

Donc, tout va bien. Les trois plages sont conquises et les colonnes britanniques s'enfoncent à l'intérieur des terres. Mais pourquoi cette hâte, cette tension ? Pourquoi cette anxiété sur le visage des officiers supérieurs, comme si une terrible menace pesait sur les troupes victorieuses ? Pourquoi la brigade de Commandos de lord Lovat galope-t-elle le long de l'Orne comme si elle disputait une course de vitesse ? Il a fait un débarquement magnifique, lord Lovat. Jadis, les peintres amoureux des scènes de bataille auraient à coup sûr fixé sur leur toile le superbe lord qui, dans l'eau jusqu'aux aisselles, face à Sword, ordonne à son joueur de cornemuse, William Millin : « Joue-nous *Highland Laddie*, mon gars ! » Les hommes au béret vert avaient pris pied sur la terre française aux accents de leur cornemuse qui jouait dans la bataille comme à une fête de village écossais. Mais pourquoi cette hâte à quitter Sword ?

A quinze kilomètres des plages britanniques, tapie autour de Caen, la 21ᵉ division blindée allemande va contre-attaquer. Elle est forte de 170 chars. Cette masse blindée va avancer vers les plages, écrasant tout sur son passage. C'est pour tenter de la retarder qu'on a lâché plusieurs milliers de parachutistes britanniques entre Caen et la mer. C'est pour renforcer les paras que les Bérets verts de lord Lovat foncent le long de l'Orne sur les talons de William Millin, qui souffle toujours dans sa cornemuse. C'est pour conquérir le plus de terrain possible et organiser la défense antichar que les officiers harcèlent leurs hommes, les poussant à l'intérieur des terres et négligeant délibérément les points fortifiés qui résistent toujours. Les Américains n'ont pas cette hantise : aucune unité blindée ennemie n'est en embuscade à proximité d'Utah et d'Omaha. Les Britanniques, eux, savent qu'un double orage d'acier est suspendu sur leur tête. Car aux 170 chars de la 21e division blindée viendront s'ajouter, dès l'après-midi du Grand Jour, les 177 tanks de la 12e blindée Hitlerjugend, stationnée aux alentours d'Evreux. Ses Tigre pèsent 63 tonnes — le double d'un Sherman. Leurs obus de 88 transpercent de part en part n'importe quel blindage allié, tandis qu'un poitrail d'acier épais de 18 centimètres protège le Tigre contre le tir de tous les tanks américains ou britanniques. Les obus de ceux-ci ricochent sur la cuirasse et ils ne peuvent frapper un Tigre à mort qu'en l'enveloppant pour le toucher aux flancs. Les chars Panther de la 12e division ne pèsent que 50 tonnes mais ils possèdent eux aussi le blindage frontal qui dévie les obus. Quant aux hommes, ils sont à la mesure du matériel. Les tankistes de la Hitlerjugend (Jeunesse hitlérienne) sont tous de jeunes S.S. fanatiques. Il faudra les tuer pour les stopper.

Mais les heures passent et nul n'entend encore le rugissement sourd qui annonce l'arrivée des monstres d'acier. Qu'attend donc l'état-major de Hitler pour lancer ses Tigre et ses Panther à la contre-attaque ?

Que font les Allemands ?

« LE FÜHRER
A TOUJOURS RAISON ! »

C'est pour de bon !

Anne Frank allait avoir quinze ans le 13 juin. Triste anniversaire... Elle n'en pouvait plus. Cette vie de prisonnière volontaire était trop dure. Il y avait maintenant près de deux ans qu'elle se cachait dans la maison du canal. Vingt-trois mois exactement sans sortir dans la rue, sans courir, sans respirer les odeurs de la campagne. Vingt-trois mois à regarder tomber la pluie sans sentir les gouttes tièdes ruisseler sur son visage, à voir la neige recouvrir les trottoirs sans l'entendre craquer doucement sous ses semelles. Deux ans bientôt qu'on vivait entassés à huit dans la cachette, avec l'énervement, les disputes, les colères. Deux années à attendre la bombe anglaise qui pulvériserait l'immeuble et ses occupants, ou bien le martèlement des bottes allemandes dans l'escalier et le tambourinement des crosses de fusils contre la porte secrète qui s'ouvrait sur la cachette.

Tout allait de mal en pis. Il y avait eu d'abord ce cambriolage, au mois d'avril. Les voleurs s'étaient rendu compte de l'existence d'une cachette habitée dans la maison. S'agissait-il de cambrioleurs « honnêtes » qui se contentaient de voler, ou bien iraient-ils prévenir les Allemands pour toucher la prime offerte par la Gestapo à tous ceux qui lui livraient des Juifs ? Les semaines suivantes avaient été vécues dans l'angoisse, mais sans nouvelle alerte, de sorte que les huit malheureux commençaient à se rassurer lorsque le sort les frappa de nouveau. Le 25 mai, le marchand de légumes hollandais qui les ravitaillait était arrêté par la Gestapo, qui trouvait deux Juifs cachés dans sa maison. Le pauvre homme serait fusillé ou déporté avec ses deux protégés. Quant à ceux de la maison du canal, cette arrestation les condamnait à mourir lentement de faim. Leurs réserves étaient épuisées ou pourrissantes. Il ne restait plus qu'à se serrer la ceinture encore davantage. Plus de petit déjeuner. A midi, un morceau de pain et de la farine de gruau. Le soir, quelques rondelles de pommes de terre sautées. « Ça veut dire la famine, écrivait Anne Franck dans son Journal, mais toutes ces privations ne sont rien en comparaison de l'horreur d'être découverts. »

Elle notait cela le 25 mai. Dès le lendemain, 26 mai, le cafard s'emparait d'elle. « Je suis tout à fait raplapla. » A chaque jour son coup dur. Cette fois, les W.C. bouchés... Petit ennui ? Pas pour huit personnes entassées les unes sur les autres. Non, une misère de plus qui vient s'ajouter à la faim, à la peur, à l'énervement de n'avoir jamais une minute vraiment à soi, une seule minute de tranquille solitude. Sans compter qu'il faudra faire venir le plombier et qu'on ne sait jamais sur qui l'on tombe : un brave homme ou un dénonciateur... Encore une nouvelle raison d'avoir peur. Anne n'en peut plus. A quoi bon se cacher si c'est pour vivre aussi misérablement ? Elle ouvre son Journal, qui est son meilleur confident, et trace ces lignes désespérées : « Plus d'une fois, je me demande si, pour nous tous, il n'aurait pas mieux valu ne pas nous cacher et être morts à l'heure qu'il est, plutôt que de passer par toute cette misère... Même cette pensée nous fait reculer, nous aimons encore la vie, nous n'avons pas oublié la voix de la nature, nous espérons encore, envers et contre tout. Que quelque chose arrive bien vite, des bombes s'il le faut, car elles ne pourraient nous écraser plus que cette inquiétude. Que la fin vienne, même si elle est dure, du moins nous saurons si, au bout du compte, nous devons vaincre ou périr. »

« Que quelque chose arrive bien vite... » « Que la fin vienne... » Onze jours plus tard, son vœu est exaucé : c'est le Grand Jour.

On le sait dès le matin dans la cachette d'Amsterdam où les adultes, qui n'ont rien d'autre à faire, vivent l'oreille collée au poste de radio. Les Allemands l'annoncent les premiers : parachutages ennemis. Puis les Anglais parlent de navires de débarquement...

La nouvelle met les huit prisonniers volontaires en ébullition, mais la peur d'être déçus modère leur joie. S'agit-il du débarquement ou d'un nouveau Dieppe ? Un simple raid destiné à tâter le Mur de l'Atlantique ou bien l'assaut en force pour le fracasser ? A dix heures, on est fixé. C'est le *vrai* débarquement. Le général Eisenhower l'annonce en personne à la radio : « Nous avons devant nous de durs combats, mais aussi la victoire. L'année 1944 sera celle de la victoire totale. Bonne chance ! » Et les renseignements affluent, lancés sur les ondes par des speakers à la voix troublée par l'émotion. Onze mille avions parachutent des hommes derrière les lignes allemandes, plus de quatre mille bateaux ont amené les troupes qui attaquent la côte française. Le Premier ministre de Hollande, réfugié à Londres, s'adresse à ses compatriotes captifs, et aussi le roi de Norvège, le Premier ministre de Belgique, le général de Gaulle...

La cachette dans la maison du canal ? « Un volcan en éruption, écrit joyeusement Anne. L'espoir nous fait renaître, nous rend le courage, nous rend la force. » Mais comme la vie impitoyable lui a appris de dures leçons, elle ajoute, cette enfant de quatorze ans pour laquelle luttent et meurent au même instant des milliers de soldats alliés : « Il va falloir endurer courageusement bien des angoisses, des privations et des souffrances. Il s'agit de rester calmes et de tenir bon. Dès maintenant et plus que jamais, il va falloir s'enfoncer les ongles dans la chair plutôt que de crier. »

Tenir bon. A Amsterdam comme à Omaha Beach.

Charles Douin est mort. Le sculpteur qui observait les défenses allemandes du haut des clochers normands, l'homme qui avait dessiné une carte de seize mètres où figuraient tous les détails du Mur de l'Atlantique dans la zone de débarquement, le professeur de l'école des Beaux-Arts que tous ses élèves aimaient, le père qui emmenait son garçon se promener avec lui à bicyclette sur les routes de la côte pour vérifier au ras du sol si ses observations aériennes étaient justes, il est étendu sans vie dans une cour de la prison de Caen parmi les cadavres de quatre-vingt-dix résistants assassinés avec lui. Les Allemands n'ont pas voulu risquer de se voir arracher leurs proies. Ils ont extrait les prisonniers de leurs cellules, les ont entassés dans la cour face à une mitrailleuse en batterie et les ont massacrés sans merci. Charles Douin et ses compagnons meurent alors que débarquent, à quelques kilomètres d'eux, les troupes alliées auxquelles leur action aura évité tant de pertes. Ils meurent à l'aube de ce Grand Jour qui, depuis quatre ans, était l'espoir qui les faisait vivre, agir, risquer la torture et la mort. L'heure qui marque pour des millions d'êtres la fin du cauchemar est pour eux, qui ont tant fait pour qu'elle sonne à l'horloge de l'Histoire, celle du sacrifice suprême et de l'adieu à la vie.

On ne retrouvera pas leurs corps, enfouis quelque part pàr les massacreurs.

Pour Jacques Auverpin, à Paris, le 6 juin 1944 est un mardi comme les autres. Il se lève, s'habille, avale rapidement son petit déjeuner, embrasse sa mère et part pour l'école. La deuxième heure de classe est la moins drôle : composition d'arithmétique. Jacques ne comprend rien à l'arithmétique. M. Lavanson, le professeur, écrit le problème au tableau noir : « Un train A part à 10 heures de Paris et roule vers Bordeaux à 80 kilomètres à l'heure. Un train B part de Bordeaux à 11 heures et roule vers Paris à 75 kilomètres à l'heure. Sachant que 560 kilomètres séparent Paris de Bordeaux, trouver à quelle distance des deux villes se croiseront les trains A et B. »

La barbe... Jacques déteste encore plus les problèmes de trains que les problèmes de robinet. Et pas moyen, avec le redoutable M. Lavanson, de jeter un coup d'œil sur la copie du voisin. Mais que se passe-t-il ? Les premiers rangs se lèvent. C'est M. Podlac, le surveillant général, qui se précipite dans la classe comme quand il vient au secours de M. Lacanne, le très chahuté professeur d'histoire et de géographie. Il se passe sûrement quelque chose d'extraordinaire pour que le visage sévère de M. Podlac, dit Podvache, soit illuminé par un si rayonnant sourire. Les élèves le regardent s'approcher de M. Lavanson, à qui il murmure quelque chose à l'oreille avant de repartir aussi vite qu'il était venu. C'est au tour de M. Lavanson d'arborer un grand sourire. Après une hésitation, il annonce à la classe : « M. le surveillant général a eu la courtoisie de m'informer que les Anglais ont débarqué en France ce matin. La composition est reportée à la semaine prochaine. »

Ouf ! Voilà un 6 juin qui commence bien.

Ce fut pour Betty Bryan un jour comme les autres. La petite vendeuse de seize ans quitta à l'heure habituelle l'abri creusé dans le jardin de ses parents et partit travailler dans son magasin de confection pour dames. Les gens, dans la rue, semblaient surexcités et les clientes du magasin étaient encore plus bavardes que d'habitude. Betty entendit parler toute la journée du débarquement commencé depuis l'aube. Elle se rendait bien compte de l'importance de l'événement, mais elle ne pouvait éprouver la même émotion que celles dont le mari, le fils ou le frère combattaient sur le sol français. Elle était fille unique et son père, ingénieur dans une usine, n'avait pas été mobilisé.

Betty ne pouvait évidemment pas deviner que l'homme qui serait un jour son mari, le parachutiste Sidney Capon, avait pris d'assaut la batterie de Merville pendant qu'elle dormait dans son abri, et qu'il s'apprêtait, tandis qu'elle vendait soutiens-gorge et chemises de nuit, à tenir bon devant la contre-attaque des blindés allemands.

Cette journée fut encore plus paisible pour Ida Benson, une Américaine de douze ans plutôt grassouillette, avec un petit nez retroussé au milieu d'un visage toujours souriant. Elle entendait parler de la guerre à la maison et à l'école, mais elle n'avait encore jamais vu un seul soldat en uniforme dans la banlieue de New York où étaient installés ses parents. Le 6 juin 1944, elle apprit la nouvelle en arrivant en classe. On avait débarqué en France. Ida, qui ne savait pas grand-chose de la France, ignorait jusqu'à l'existence de cette falaise du Hoc que son futur mari, le Ranger Dominic Sparaco, avait escaladée à la force du poignet sous le feu des mitrailleuses allemandes.

Mais pour tous ceux qui avaient l'un des leurs sous l'uniforme, le Grand Jour apportait à la fois un grand espoir et une immense angoisse. Espoir d'une conclusion rapide de la guerre, mais angoisse que l'être aimé tombe dans une bataille dont chacun savait qu'elle serait sanglante. Aussi l'annonce du débarquement fut-elle reçue partout avec plus d'émotion que d'exubérance. Aux États-Unis et au Canada, ce furent les ouvriers des équipes de nuit qui, en raison du décalage horaire, apprirent la nouvelle les premiers. Ils interrompirent le travail et observèrent une minute de silence. En Virginie, d'où venaient les hommes de la 29e division en train de se battre à Omaha, les cloches sonnèrent toute la nuit. On chanta le *God Save the King* dans les ateliers d'Angleterre et, dans tous les pays alliés, les églises, les temples et les synagogues se remplirent d'une foule de fidèles venus prier pour les combattants.

A midi, ce 6 juin, Anne Frank dans sa cachette partageait cette certitude avec des centaines de millions d'hommes et de femmes : ce n'était pas un nouveau Dieppe, c'était le *vrai* débarquement.

L'ordre dont tout dépend

L'heure décisive sonnait pour les nazis.

Le débarquement ? Loin de le craindre, ils le souhaitent. C'est pour eux le seul espoir de gagner la guerre. Car, si le monde entier a aujourd'hui les yeux fixés sur la côte française où vient de s'ouvrir le « second front », il y a des mois et même des années que les Allemands, hypnotisés, voient arriver sur eux le « premier front », celui de l'Est. La Wehrmacht ne cesse de reculer depuis 1943 sous les coups de boutoir de l'Armée rouge. De défaite en défaite, elle devra bientôt évacuer le territoire soviétique et se battre en Pologne, en Hongrie, en Roumanie, puis en Allemagne même — terrible cauchemar pour une armée et pour un peuple qui avaient cru pouvoir dominer le monde. Est-elle, cette Wehrmacht, submergée par une marée humaine ? Cède-t-elle devant des vagues d'assaut innombrables que l'état-major soviétique relance à l'attaque sans se soucier des pertes ? Même pas. C'est l'artillerie rouge, arme technique par excellence, qui est la reine des batailles et qui écrase les troupes allemandes sous un tapis roulant d'obus et de fusées. Panther et Tigre sont surclassés par le char lourd Staline. L'aviation soviétique est maîtresse du ciel. Ainsi le rouleau compresseur qui avance irrésistiblement vers le cœur de l'empire nazi n'est-il pas formé de fragiles poitrines humaines : c'est un rouleau d'acier qu'on ne pourra arrêter qu'en lui opposant une muraille d'acier.

Or, la menace d'un débarquement oblige l'état-major allemand à conserver à l'Ouest les divisions blindées, les batteries antichars et les troupes qui, seules, pourraient éviter un désastre à l'Est. Plus d'un soldat allemand sur quatre veille sur le Mur de l'Atlantique. A quoi bon une « Forteresse Europe » intacte sur sa façade ouest si elle s'écroule à l'est ? A quoi bon tenir solidement Cherbourg. Le Havre et Dunkerque, si les troupes soviétiques arrivent jusqu'à Berlin ?

En ce mois de juin 1944, à la veille d'une nouvelle offensive d'été de l'Armée rouge, la dernière chance des nazis est que les Alliés tentent de débarquer et qu'ils échouent. Débarrassés de tout souci à l'Ouest pour des mois et même des années (une opération comme celle-ci exige des préparatifs gigantesques), les stratèges et Hitler pourraient transférer sur le front de l'Est les divisions blindées capables de bloquer la ruée soviétique et de renverser la situation.

Il leur faut donc triompher à tout prix sur les plages de France.

Pourquoi pas ? La victoire est à leur portée. Même si le rideau défensif tendu sur la côte se déchire au premier choc, comme à Utah ou à Juno, il leur reste un atout maître : trois divisions blindées. La 21e Panzer est embusquée autour de Caen. La Hitlerjugend peut intervenir dès l'après-midi du Grand Jour. La Panzer-lehr, en position autour du Mans, est capable d'entrer en action avant la tombée de la nuit si elle démarre à temps.

Tout est là. Tout dépend de la rapidité d'intervention des trois divisions blindées. Il faut les jeter dans la bataille avant que les Alliés aient eu le temps d'organiser leur fragile tête de pont, d'y débarquer chars et canons antichars. Après, il sera trop tard : leur supériorité matérielle deviendra écrasante. Mais pendant quelques heures, ils seront trop faibles pour résister à une puissante contre-attaque blindée.

Il suffit à l'état-major allemand de donner un ordre — un seul : « Foncez droit sur la côte et rejetez à la mer tout ce que l'adversaire a pu débarquer. »

Comment fonctionne une dictature

Un ordre ? Cela devrait aller tout seul. Dans l'Allemagne nazie du Führer Adolf Hitler, on donne beaucoup d'ordres qui sont obéis avec une discipline absolue. « Le Führer a toujours raison. » Personne ne discute, personne ne murmure. Le poteau d'exécution ou le camp de concentration pour ceux qui ne sont pas d'accord. Telle est la règle dans les pays de dictature : un chef qui commande et un peuple qui obéit. Ce n'est pas toujours drôle, admettent les partisans d'un pareil régime, mais c'est sûrement plus efficace que la démocratie, où chacun discute, conteste, proteste, manifeste, réclame, proclame et s'enflamme pour un oui ou pour un non. La dictature est souvent la tentation des peuples terrifiés par le changement, lassés du désordre. Un chef qui commande et un peuple qui obéit, c'est tellement plus simple et surtout plus efficace...

Efficace ? On va bien voir.

D'abord, une constatation. Comme dans toute dictature, il n'y a pas un Führer unique, mais beaucoup de petits Führers excessivement jaloux les uns des autres. Et cela entraîne quelques sérieux inconvénients. Ainsi le maréchal von Rundstedt, qui est censé commander toutes les forces allemandes de l'Ouest, n'a-t-il pas le droit de donner des ordres à l'amiral Krancke, qui commande la marine, ou au général Sperrle, chef de l'aviation. Il peut simplement demander leur collaboration, mais si ces deux petits Führers la lui refusent, le moyen Führer Rundstedt doit demander au grand Führer Adolf Hitler de décider qui a tort et qui a raison. C'est d'autant plus gênant que la moitié des batteries côtières sont tenues par des artilleurs de la marine. A qui obéiront-ils ? Après bien des discussions, on trouve une solution extrêmement comique qui préserve la vanité de chacun : tant que les canons de marine tireront sur des bateaux alliés, ils recevront leurs ordres de l'amiral Krancke, mais dès qu'ils lutteront contre des troupes débarquées, ils passeront sous le contrôle de l'armée de terre. Comme c'est commode !

Goering, gros Führer, est lui aussi très jaloux de son autorité. Chef de l'aviation, il a réussi à se faire attribuer le commandement de la Flak et surtout des régiments parachutistes, qui combattent pourtant à terre. Il a interdit d'employer ses paras à des besognes aussi vulgaires que la plantation des asperges de Rommel : c'est bon pour la Wehrmacht, pas pour ses hommes à lui. On lui désobéit en cachette. De même, les divisions S.S. telles que la Hitlerjugend dépendent directement de Himmler, le Führer S.S., qui, tout heureux de jouer au grand chef militaire après avoir débuté dans la vie comme éleveur de volailles, couve jalousement ses soldats et exige pour eux des égards particuliers.

L'armée allemande est donc plus divisée que l'armée alliée, composée pourtant de contingents appartenant à dix nations différentes. Ike Eisenhower, général souriant et débonnaire, a plus de pouvoir que son adversaire, le rigide maréchal von Rundstedt, puisqu'il n'est pas un seul soldat, un seul avion ou un seul bateau qui échappe à son autorité. La démocratie fonctionnerait-elle plus efficacement que la dictature ?

Mais les blindés ? Ces trois puissantes divisions qui peuvent tout changer, quel chef les a sous son commandement ? Adolf Hitler en personne. Il s'est réservé le droit d'en disposer. Ni Rundstedt ni Rommel ne peuvent les engager sans son accord.

Hitler dort dans son repaire alpin de Berchtesgaden, à des centaines de kilomètres du champ de bataille. Il a organisé sa vie selon des horaires très particuliers : lever à onze heures du matin, conférence d'état-major à midi, déjeuner à quatre heures, nouvelle conférence vers minuit, coucher aux environs de quatre heures du matin. Tous ses généraux sont naturellement obligés de se plier à ces horaires. Il ne viendrait à l'idée d'aucun d'entre eux de dire à Hitler, comme Monty l'a fait à Churchill : « Excusez-moi, mon Führer, mais une conférence à minuit est tout à fait impossible : à cette heure-là, je serai dans mon lit. » En régime de dictature, pareille réponse est aussi inimaginable pour un général que de passer une revue en pyjama, de même qu'il serait impensable pour le plus vénérable des maréchaux allemands de traiter Hitler comme Eisenhower a osé traiter Winston Churchill. Au vieux lion britannique qui exigeait d'assister au débarquement sur un navire de guerre, Ike a répondu doucement : « Non. Vous ne feriez que compliquer ma tâche. » Churchill a tempêté en vain : Ike est resté inflexible. De même encore, et depuis longtemps, aucun des chefs militaires entourant Hitler n'oserait le prévenir qu'une opération conçue par lui aboutira forcément au désastre, aucun n'aurait le courage du maréchal de l'Air britannique Leigh-Mallory qui, dans l'après-midi du 5 juin, alors que les parachutistes américains étaient déjà rassemblés sur les aérodromes, était allé dire à Ike sa conviction qu'il les envoyait au massacre. Le général allemand qui choisirait d'obéir ainsi à sa conscience serait immédiatement limogé, sinon même arrêté, puisque « le Führer a toujours raison ». Si le Führer se trompe, comme il arrive à tous les hommes et surtout aux dictateurs enfermés dans leur orgueilleuse solitude, personne ne prendra le risque de le lui dire, quelles que soient les conséquences. Efficacité, où es-tu ?...

Donc, Hitler dort quand tous les téléphones de Berchtesgaden sonnent en même temps pour annoncer les lâchers de parachutistes et l'arrivée d'une flotte alliée au large des côtes normandes. Qui se précipite pour tirer le Führer du lit ? Personne. Comme c'est étrange, une dictature... Les maréchaux et généraux qui entourent Hitler sont des hommes âgés, couverts d'honneurs et de décorations, responsables du destin de l'Allemagne et du sort de ses armées, mais aucun d'eux n'ose réveiller le Führer. Voici que sonne l'heure tant attendue où leur pays peut ressaisir la victoire qui lui échappe, et pas un seul de ces personnages aux uniformes chamarrés n'ose troubler le sommeil du maître. Des soldats ? Des laquais...

Rommel aurait osé, mais il dort dans sa maison de Herrlingen et ne sait encore rien des événements.

Rundstedt pourrait oser. Les parachutages l'ont décidé à mettre en état d'alerte la Hitlerjugend et la Panzer-lehr. Les deux divisions sont prêtes à démarrer dès trois heures du matin, moteurs en marche, tankistes à leur poste et grenadiers en place dans les camions. Elles attendent le feu vert. Rundstedt fait téléphoner à Berchtesgaden pour l'obtenir. Son

SUPREME HEADQUARTERS
ALLIED EXPEDITIONARY FORCE

Soldiers, Sailors and Airmen of the Allied Expeditionary Force!

You are about to embark upon the Great Crusade, toward which we have striven these many months. The eyes of the world are upon you. The hopes and prayers of liberty-loving people everywhere march with you. In company with our brave Allies and brothers-in-arms on other Fronts, you will bring about the destruction of the German war machine, the elimination of Nazi tyranny over the oppressed peoples of Europe, and security for ourselves in a free world.

Your task will not be an easy one. Your enemy is well trained, well equipped and battle-hardened. He will fight savagely.

But this is the year 1944! Much has happened since the Nazi triumphs of 1940-41. The United Nations have inflicted upon the Germans great defeats, in open battle, man-to-man. Our air offensive has seriously reduced their strength in the air and their capacity to wage war on the ground. Our Home Fronts have given us an overwhelming superiority in weapons and munitions of war, and placed at our disposal great reserves of trained fighting men. The tide has turned! The free men of the world are marching together to Victory!

I have full confidence in your courage, devotion to duty and skill in battle. We will accept nothing less than full Victory!

Good Luck! And let us all beseech the blessing of Almighty God upon this great and noble undertaking.

Dwight Eisenhower

officier d'état-major est réprimandé comme un élève indisci-
pliné : « Vous n'aviez pas le droit de mettre ces divisions en état
d'alerte ! Stoppez tout immédiatement ! Rien ne doit être fait
sans l'ordre de notre Führer. » Mais le Führer dort. Rundstedt
pourrait l'appeler directement et le tirer du lit. Il ne le fait pas.
Le vieux maréchal méprise trop Hitler, qu'il appelle « le caporal
bohémien », pour s'abaisser à le supplier. La dictature, quand
elle ne transforme pas les hommes en marionnettes serviles,
leur inculque un mépris qui peut être tout aussi inefficace. Car
les heures passent et les deux divisions blindées n'ont toujours
pas bougé. La bataille fait rage sur les cinq plages de débarquement, mais ni la Hitlerjugend ni la Panzer-lehr ne reçoivent
l'ordre de démarrer. On a stoppé les moteurs des chars. Les
grenadiers dorment dans leurs camions.

Et la 21ᵉ blindée ? Ses 16 242 soldats, vétérans de l'Afrikakorps, sont sur le pied de guerre depuis deux heures du matin.
Inutile d'annoncer à son chef, le général Feuchtinger, qu'une
opération d'envergure est en cours : il a les oreilles assourdies
par le vrombissement des escadres aériennes survolant la côte.
Les parachutistes anglais s'abattent en pluie serrée au nord de
Caen, sur la rive de l'Orne. Feuchtinger reçoit alors instruction
de les balayer sans tarder. Mais il sait qu'il ne peut pas bouger
sans avoir le feu vert du quartier général hitlérien. Coups de
téléphone, discussions, perte de temps. Feuchtinger, colosse
musclé au visage marqué comme celui d'un boxeur, trépigne
d'impatience. Finalement, à sept heures et demie du matin, il
décide de démarrer en se passant du feu vert. Les troupes de
Monty ont déjà débarqué. Le général allemand expédie des
estafettes à tous ses commandants d'unité. Les colonnes de
chars s'ébranlent vers huit heures. Dans quelle direction ? Vers
l'Orne, vers les paras anglais, alors qu'en fonçant droit sur la
côte, les blindés pouvaient bousculer les maigres effectifs alliés
qui ne tiennent encore le rivage que du bout des ongles.

Feuchtinger va-t-il au moins écraser sous ses chenilles les
paras britanniques envoyés au sacrifice ? Même pas. A peine
ses chars sont-ils au contact de l'adversaire qu'ils reçoivent
l'ordre de faire demi-tour et d'attaquer en direction de la côte.
Quelle pagaille ! On ne manœuvre pas 170 chars lourds et
16 242 soldats comme des jouets d'enfants, d'autant que les
tankistes ont l'interdiction d'utiliser leur radio pour ne pas
alerter l'ennemi et que tous les ordres doivent être transmis par

estafettes. L'énorme machine de guerre piétine sur place, pivote lourdement, repart enfin face à la mer. Mais il faut traverser Caen, dont les rues sont obstruées par des monceaux de ruines : les bombardiers alliés sont passés par là. On y perd encore du temps, alors que chaque minute compte puisque chaque minute signifie un tank de plus débarqué par les Britanniques. Quand Feuchtinger peut enfin déployer sa division en formation d'attaque, c'est déjà l'après-midi du Grand Jour. La 21e division blindée entre dans la bataille avec huit heures de retard.

La Hitlerjugend et la Panzer-lehr n'ont toujours pas bougé.

On est allé sur la pointe des pieds réveiller le Führer à dix heures du matin. La radio anglaise venait d'annoncer officiellement que le débarquement avait commencé. Hitler s'habille en hâte, écoute les rapports et décide : « C'est du bluff, une simple feinte ! » Les officiers supérieurs présents approuvent leur Führer : l'opération déclenchée depuis l'aube n'est qu'un piège tendu par les Alliés. Ceux-ci veulent attirer le maximum de forces allemandes en Normandie avant de réaliser ailleurs le vrai débarquement. Où cela ? Dans le Pas-de-Calais.

Cinq mille navires sont en face des côtes normandes et plus de dix mille avions sillonnent le ciel ; dix-huit mille parachutistes ont été largués sur l'Orne et sur le Cotentin ; un flot de fantassins, de chars, de matériel et de munitions coule depuis l'aube sur les plages ; le Mur de l'Atlantique est percé comme une écumoire et ses défenseurs sont pour la plupart prisonniers ou enterrés sous les décombres de leur blockhaus — mais Hitler et son état-major croient qu'il s'agit d'une feinte et que le coup essentiel sera porté dans le Pas-de-Calais...

Ces nazis sont-ils fous ?

Ils le sont. Plus exactement, on les a rendus fous.

La grande tromperie

L'aviateur allemand n'en croyait pas ses yeux. Il avait décollé quelques minutes plus tôt de l'aérodrome d'Abbeville, dans le Pas-de-Calais, et survolait déjà les blanches falaises de Douvres, en Angleterre. Le ciel était bleu azur comme il l'avait été depuis le début de ce magnifique mois de mai 1944. Le pilote allemand aurait assurément préféré voler au milieu d'une épaisse couche de nuages pour mieux échapper aux chasseurs de la R.A.F. et à la D.C.A. anglaise, mais il n'avait pas le choix : il lui fallait coûte que coûte accomplir sa mission de reconnaissance. La zone côtière anglaise qui lui avait été assignée faisait face au Pas-de-Calais. L'état-major allemand devait absolument savoir si l'adversaire y massait des troupes et des blindés. Un renseignement aussi capital valait bien qu'on risquât la vie d'un pilote de reconnaissance.

Pas un chasseur britannique en vue. Quelle veine ! Quant à la D.C.A., elle est d'une maladresse remarquable et ses obus éclatent à cent mètres au-dessous de l'avion, parsemant le ciel de petits nuages cotonneux parfaitement inoffensifs. Le pilote déclenche ses caméras automatiques. La campagne anglaise défile sous ses ailes. Une campagne qui ressemble plutôt à un entrepôt militaire. Ces Anglais orgueilleux sont si sûrs de leur supériorité aérienne qu'ils ne prennent même plus la peine de camoufler leurs préparatifs. Tant pis pour eux et tant mieux pour l'état-major allemand qui va recevoir le fructueux butin enregistré par les caméras. Ici, des centaines de chars alignés dans des prés. Là, un bois certainement truffé de matériel car les camions ont creusé de profondes ornières dans les champs qui l'entourent. Un peu plus loin, voici de longues files de planeurs éparpillés sous des pommiers. Toujours aucun chasseur anglais en vue et la D.C.A. reste aussi maladroite. Mais la réserve de pellicule touche à sa fin. Le pilote vire sur l'aile droite, cap sur la côte. Encore quelques vues précieuses pour les caméras : des dizaines de barges sont amarrées à des embarcadères en bois. Terminé. Le pilote met pleins gaz et prend de l'altitude. Une mission sans histoires, un complet succès. Les généraux allemands vont savoir que l'ennemi masse des forces considérables juste en face du Pas-de-Calais. Voici déjà la piste d'Abbeville. Le pilote amorce sa descente. Il est ravi. Il se reprocherait presque la peur qui lui avait noué le ventre au moment du décollage. Après tout, on se fait un monde de la chasse adverse, mais la preuve vient d'être apportée qu'avec un peu de chance, on peut se promener impunément au-dessus de la campagne anglaise. Il retournera demain sur l'Angleterre.

Le soir, tandis que notre pilote fête son succès au mess de la base aérienne d'Abbeville et que les spécialistes allemands étudient fiévreusement les films qui leur démontrent que les Alliés s'apprêtent à frapper dans le Pas-de-Calais, une petite équipe de soldats anglais saute de camion et s'approche des longues rangées de chars photographiées l'après-midi même. Il y a là l'effectif d'une division blindée. Elle est anéantie en quelques minutes. Les menaçants mastodontes sont réduits à l'état de monticules dérisoires. Car ces tanks sont en caoutchouc et il a suffi d'ouvrir une valve pour les dégonfler comme une bouée d'enfant. Les soldats les chargent à présent dans des camions qui les transporteront quelques kilomètres plus loin. Regonflés, bien alignés, avec derrière eux des traces de chenilles creusées par des machines spéciales, ils seront prêts pour une nouvelle séance de cinéma.

D'autres équipes travaillent au même moment à replier les ailes des planeurs photographiés et filmés par l'avion de reconnaissance allemand, puis chaque homme transporte un planeur sur son dos jusqu'aux camions. S'agit-il d'hercules doués d'une force surhumaine ? Non pas : les planeurs sont en carton bouilli... Ailleurs, bulldozers et camions défoncent les prés entourant un bois paisible, au grand effroi des oiseaux et des lapins réveillés par ce tapage, tandis que, sur la côte, les équipes de menuisiers posent en hâte des embarcadères auxquels on amarre des barges de débarquement. Les embarcadères sont en mince contre-plaqué et les barges en caoutchouc, mais comment les caméras pourraient-elles le deviner ? Pourquoi les spécialistes allemands soupçonneraient-ils qu'ils sont menés par le bout du nez par d'extraordinaires illusionnistes — ces Anglais qui font surgir du néant divisions blindées et flottilles de débarquement avec la même aisance qu'un prestidigitateur tire un lapin de son chapeau ?

A l'aube, le décor est en place. Notre pilote allemand reviendra le filmer en toute sécurité : la chasse anglaise a reçu l'ordre de ne pas l'attaquer, et la D.C.A. celui de tirer trop bas.

Au sud de l'Angleterre, face à la Normandie, s'amassent les vraies divisions blindées et la véritable flotte de débarquement. Mais les chasseurs et la D.C.A. font bonne garde : aucun avion de reconnaissance allemand ne peut franchir leur double barrage. Aucune photo ne révélera à l'état-major allemand la vraie menace qui pèse sur la Normandie, alors que des centaines de films lui apportent la preuve que le coup sera porté dans le Pas-de-Calais. Comment pourrait-il ne pas croire à cette évidence ?

D'autant que beaucoup d'indices confirment les prises de vues de l'avion de reconnaissance. L'« Opération pigeon-voyageur », par exemple. Les bombardiers anglais avaient parachuté des caisses contenant des dizaines de pigeons voyageurs terrifiés par ce vol plané d'un nouveau genre. Sur les caisses était collée une lettre demandant aux patriotes français de mettre par écrit tous les renseignements qu'ils possédaient sur les défenses ennemies et de fixer leur message à la patte d'un pigeon voyageur pour que celui-ci le rapportât en Angleterre. Où les soldats allemands avaient-ils récupéré le plus grand nombre de ces messagers volants ? Dans le Pas-de-Calais. C'était significatif de l'intérêt porté par les Alliés à cette région.

Mais l'aviation alliée lâchait plus souvent des bombes que des pigeons. Où se situaient ses objectifs favoris ? Dans le Pas-de-Calais. Les statistiques soigneusement tenues à jour au grand quartier général allemand étaient éloquentes : pour une bombe lâchée sur la Normandie, il en tombait deux dans le Pas-de-Calais. « Il faut être logique, constataient gravement les généraux de Hitler : les Alliés ne s'amuseraient pas à "soigner" de préférence cette région-là s'ils n'avaient pas l'intention d'y débarquer. » Le 4 juin, à quarante-huit heures du Grand Jour, le maréchal Rommel écrira encore dans son rapport quotidien :

« La concentration des attaques aériennes sur les défenses côtières entre Dunkerque et Dieppe confirme l'hypothèse d'un débarquement de grand style dans cette région. » C'est-à-dire dans le Pas-de-Calais.

Le service d'espionnage nazi est d'accord. Ses agents en Suisse lui ont communiqué une information fort intéressante : les diplomates alliés raflent dans les librairies de Lausanne et de Genève tous les exemplaires disponibles de la carte Michelin n° 51. Qu'est-ce que la carte Michelin n° 51 ? Celle du Pas-de-Calais. Tiens, tiens...

Il y a aussi les espions allemands en Angleterre. Ils communiquent par radio avec leur quartier général et leur travail est particulièrement impressionnant au printemps 1944 : deux cent cinquante messages affluent dans les bureaux de Berlin. Quelques-uns indiquent que le débarquement aura lieu en Belgique, en Hollande, au Danemark. L'immense majorité désigne le Pas-de-Calais. Pourquoi ne pas y croire ? Comment les chefs de l'espionnage allemand pourraient-ils se douter que *tous* leurs agents ont été capturés par le contre-espionnage anglais, que beaucoup ont été pendus, que les autres, pour survivre, ont accepté de trahir en envoyant à Berlin de faux renseignements ?

Il y a encore le repérage du quartier général de Montgomery. Un beau succès à mettre à l'actif des spécialistes radio de la Wehrmacht. Grâce aux puissantes stations d'écoute installées sur les côtes française et belge, ils sont à l'écoute vingt-quatre heures sur vingt-quatre du volumineux trafic radio échangé en Angleterre. Des vérifications minutieuses leur permettent d'affirmer sans risque d'erreur que le quartier général du plus redoutable des généraux alliés est situé dans le Kent, face au Pas-de-Calais. N'est-ce pas significatif ? Rommel lui-même, le rusé Renard du désert, en est fort impressionné. Il note dans son journal, à deux semaines du Grand Jour : « Le repérage du quartier général de Montgomery au sud de Londres confirme que le centre de gravité des forces alliées se trouve dans le sud et le sud-est de l'Angleterre. »

Les spécialistes allemands ne se trompent pas : les messages qu'ils captent émanent bien du Kent. Comment imagineraient-ils la supercherie montée par leurs collègues britanniques ? Le quartier général de Monty est en fait installé à Portsmouth, face à la Normandie, mais les ordres sont communiqués par téléphone à un faux quartier général établi dans le Kent, d'où ils sont relayés par radio à toutes les unités. Les stations allemandes ne peuvent pas intercepter les communications téléphoniques par câble, ni même en deviner l'existence. Leurs techniciens croient forcément ce qu'ils entendent, et ils entendent un Monty préparant la bataille à partir de son quartier général du Kent. Face au Pas-de-Calais.

Monty se promène à Gibraltar

Le débarquement n'est d'ailleurs pas pour demain : voici que le général anglais tant redouté s'envole pour Gibraltar *dans les derniers jours de mai*. Les espions allemands sont nombreux à Gibraltar. Ils assistent à l'arrivée de Monty, le voient traverser la ville en voiture découverte, répondant d'un geste familier aux acclamations de la foule, et gravir enfin le perron du palais du gouverneur. Celui-ci, Ralph Eastwood, est un vieil ami de Montgomery. Il l'accueille chaleureusement : « Hello, Monty ! Ça me fait rudement plaisir de vous revoir ! » — « Comment va, Rusty ? Vous paraissez en pleine forme ! » Les deux hommes entrent dans le palais. Détail curieux : un valet de chambre qui avait été au service de Montgomery pendant des années a été prié de prendre des vacances, malgré ses protestations véhémentes...

C'est qu'il aurait sans doute découvert le pot aux roses : Monty n'est pas Monty. Plus exactement, le vrai Monty n'a pas quitté sa roulotte de Portsmouth et celui qui se promène à Gibraltar n'est qu'un petit acteur de théâtre que les services secrets anglais ont choisi en raison de son extraordinaire ressemblance avec le général. Pendant trois semaines, ce comédien, nommé Clifton James, n'a pas quitté Montgomery d'une semelle. Il a soigneusement étudié son modèle, noté sa démarche raide, les mains derrière le dos, son geste de la main droite — comme s'il soupesait un objet — lors des discussions et le tic qui consiste à se tripoter la joue gauche entre le pouce et l'index. Il a même réussi à imiter parfaitement la voix nasillarde de Montgomery et sa manière de parler en choisissant ses mots. On lui a enfin confié une Bible semblable à celle dont le général ne se sépare jamais, ainsi qu'une douzaine de mouchoirs marqués aux initiales B.M. qu'il aura soin d'essaimer au cours de son voyage.

La ressemblance est si frappante que des officiers travaillant journellement avec Monty s'y laissent prendre : comment les agents allemands ne seraient-ils pas bernés ? Et pourquoi l'état-major hitlérien, prévenu par eux, ne dormirait-il pas sur ses deux oreilles ? Si le vainqueur de Rommel se promène en Méditerranée, c'est que le débarquement n'est pas pour la semaine prochaine...

Donc, le Pas-de-Calais. Après le retour de Montgomery de Gibraltar, bien sûr, mais si la date reste indécise, le lieu est certain : ce sera dans le Pas-de-Calais et pas ailleurs. La logique ne suffit-elle pas à démontrer lumineusement ce que confirment tant d'indices ? Le Pas-de-Calais est trois fois plus près de l'Angleterre que la Normandie : pourquoi diable les Alliés choisiraient-ils d'allonger une traversée dangereuse et d'obliger leurs avions de chasse à revenir trois fois plus souvent refaire le plein de carburant ? Pourquoi attaqueraient-ils en Normandie, où n'existent que deux ports, Le Havre et Cherbourg, l'un et l'autre puissamment fortifiés, alors que la côte du Pas-de-Calais offre Calais, Boulogne, Dunkerque et plusieurs autres ports de moindre importance, mais très utilisables ? Pourquoi ne choisiraient-ils pas l'itinéraire le plus court, c'est-à-dire le Pas-de-Calais, pour arriver jusqu'à la Ruhr, cœur de l'industrie de guerre allemande ? « Si j'étais Montgomery, répète sans cesse le maréchal von Rundstedt en pointant son doigt sur le Pas-de-Calais, c'est là que j'attaquerais. »

Pauvres nazis qui se prenaient pour des surhommes... Ils sont surclassés, mystifiés, ridiculisés par ces Anglais à l'esprit inventif jamais lassé. On les laisse photographier un pays de conte de fées tout plein de tanks en caoutchouc et de planeurs en carton, on leur fait entendre un trafic radio émanant d'un quartier général imaginaire, on les excite en achetant à tour de bras la carte Michelin n° 51, on leur fait prendre pour argent comptant les rapports mensongers d'espions qui les trahissent depuis longtemps, on leur enfonce dans le crâne, à coups de bombes sur le Pas-de-Calais, que le débarquement aura lieu là et pas ailleurs, on leur fait envoyer par les espions capturés l'annonce que les Alliés attaqueront en avril, puis le 1er mai, puis le 15 mai, puis le 18 mai, puis à la fin juin, peut-être en juillet, sûrement en août, pas avant septembre...

On les rend fous ! Ils sont plus qu'aveugles puisque ce qu'ils croient voir n'est en fait que mirage. Ils sont plus que sourds puisque ce qu'ils entendent n'est que mensonge. Ils sont comme l'idiot du village planté au milieu de la place et qui ne voit ni n'entend l'auto qui va l'écraser. Eux qui vont être écrasés par la plus formidable concentration de navires et d'avions jamais réalisée, ils ne se doutent de rien. La nuit du 5 au 6 juin est une nuit comme les autres, à ceci près que le temps épouvantable achève de les rassurer : on ne débarque pas dans d'aussi mauvaises conditions météorologiques. La meilleure preuve en est que la marine allemande a interdit à ses bateaux de sortir en mer. Les messages captés le soir même par les stations d'écoute et qui demandent aux saboteurs de la Résistance française de passer à l'action ? Encore une feinte de ces fichus Anglais qu'on a attendus tout le mois de mai sans qu'ils montrent le bout du nez. On n'y croit plus. On en a assez de cette guerre des nerfs. Et tandis que se met en branle la machine de guerre alliée, Rommel fête chez lui un anniversaire, son état-major organise un dîner mondain, plusieurs généraux et colonels de Normandie roulent vers Rennes où aura lieu un exercice sur cartes ; le parachutiste Wolfgang Geritzlehner se saoule avec ses camarades, tout comme le caporal-chef Egon Röhrs, le capitaine Ferking et le lieutenant Giesing jouent paisiblement aux échecs, les canons de la pointe du Hoc ne sont pas en place dans leurs tourelles bétonnées, Hitler va écouter des disques de Wagner avec quelques chefs nazis et leurs épouses, le contre-amiral Hennecke a organisé un concert à son quartier général de Cherbourg, Heinz Tiebler monte la garde à Omaha, ses yeux ensommeillés fixés sur la plage, mais avec la conviction qu'il ne va rien se passer...

Cette surprise totale, inouïe, aucun des chefs alliés n'avait osé l'espérer. C'était trop beau. Il y aurait forcément une fuite. Même si les centaines d'officiers anglais et américains connaissant en détail les plans du débarquement savaient tenir leur langue, même si aucun avion de reconnaissance de la Luftwaffe ne parvenait à photographier l'armada rassemblée face à la Normandie, il paraissait certain que la flotte aérienne transportant les parachutistes serait repérée, ainsi que l'arrivée des navires au large des côtes françaises, et que paras et fantassins de la première vague se heurteraient à une défense sur le qui-vive. Monty lui-même écrira dans ses Mémoires : « Nous réalisions que les Allemands seraient alertés dans la nuit, au moment où nos forces approcheraient des côtes de Normandie. Nous savons maintenant que nous atteignîmes un degré de surprise dépassant tout ce que nous pouvions imaginer. »

Le deuxième round

La première manche est donc perdue pour l'armée allemande. Elle s'est fait cueillir à froid comme un boxeur touché dès le premier round. Alors que les Alliés arrivaient pourvus de tous les renseignements possibles grâce aux mille yeux et aux mille oreilles de la Résistance, cette armée, plus qu'aveugle et plus que sourde, a été littéralement tirée de son lit par les parachutistes, Père Noël d'un nouveau genre, au visage noirci et à la hotte remplie de grenades...

Mais le deuxième round, qui pourrait leur apporter une victoire par K.O., pourquoi Hitler et ses généraux le perdent-ils d'avance en refusant de croire à un *vrai* débarquement ? Pourquoi ne lâchent-ils pas immédiatement leurs divisions blindées ? Pourquoi n'envoient-ils pas à la 15e armée allemande du Pas-de-Calais, beaucoup plus puissante que la 7e armée de Normandie, l'ordre de venir attaquer sans délai les forces alliées déjà débarquées ?

C'est qu'ils restent sous le coup des subtiles manœuvres anglaises tendant à faire croire à une attaque dans le Pas-de-Calais : les divisions blindées dont on ignore qu'elles sont en caoutchouc, les planeurs dont on ne sait pas qu'ils sont en carton, les embarcadères dont la fragilité de contre-plaqué n'apparaît pas sur les photos, sans parler des nombreux messages désignant le Pas-de-Calais envoyés par des espions dont on ignore toujours qu'ils sont aux mains des Britanniques.

C'est aussi que les magiciens anglais terminent par un éblouissant bouquet final leur feu d'artifice de supercheries en tous genres. Alors que la flotte alliée taille sa route vers la France, les radars allemands installés sur la côte de Normandie sont incapables de déceler sa puissance : ils ont été détruits ou endommagés par des bombardements massifs. Par contre, quelques radars du Pas-de-Calais, qui ont été « miraculeusement » épargnés, captent sur leurs écrans l'image d'une véritable armada arrivant droit sur eux. Cette seconde flotte ne sort pas des chantiers navals alliés, mais de l'imagination de quelques hommes particulièrement ingénieux. Elle compte en tout et pour tout dix-huit petits chalutiers et... huit bombardiers. Chaque chalutier traîne un ballon enduit d'un produit spécial, couleur bronze, qui crée sur l'écran des radars ennemis un écho comparable à celui d'un cuirassé. Quant aux huit bombardiers, ils ont à leurs commandes les pilotes d'élite du colonel Cheschire, les « briseurs de barrage » spécialisés dans les bombardements de haute précision.

Cette nuit-là, point de bombes dans leurs soutes, mais des tonnes de serpentins métalliques créant, eux aussi, le même écho qu'un navire de transport. L'escadrille se dirige sur Le Havre, puis elle oblique à gauche et remonte vers le Pas-de-Calais. Les avions sont en file indienne. Ils doivent observer rigoureusement leurs distances et conserver la même altitude. Toutes les trente-cinq secondes, ils font demi-tour, volent en sens inverse pendant trente-deux secondes, reprennent alors leur premier cap pour trente-cinq secondes, et ainsi de suite... Chaque fois qu'ils virent pour prendre le cap de trente-cinq secondes, les aviateurs balancent par la portière un ballot de serpentins. L'escadrille manœuvre à la seconde et au mètre près. Les serpentins qu'elle lâche sur la mer inscrivent ainsi sur les radars allemands l'image d'un immense convoi maritime, long de vingt-deux kilomètres, remontant la Manche en direction du Pas-de-Calais et que protègent les « cuirassés » traînés par les chalutiers. Mais un écart de quatre secondes aurait suffi pour que les contrôleurs des radars devinent la supercherie...

Dix-huit cuirassés, un convoi long de vingt-deux kilomètres : comment ne pas croire à l'imminence d'une attaque sur le Pas-de-Calais ?

Mais alors que la flotte fantôme s'évanouira avec l'aube et que les défenseurs du Pas-de-Calais, en alerte toute la nuit, découvriront qu'ils ont été joués par de fameux illusionnistes. Hitler et son état-major s'obstineront dans leur certitude : le débarquement en Normandie n'est qu'une feinte. Ils le croiront tout le mois de juin. Même en juillet, alors que le front allemand craque de toutes parts, ils maintiennent dans le Pas-de-Calais la puissante 15ᵉ armée qui, de l'aveu même d'Eisenhower, « aurait peut-être amené notre défaite, si elle avait été lancée dans la bataille en juin ou juillet, simplement en nous écrasant sous ses effectifs ». Pourquoi cet entêtement stupide ? Pourquoi cet incroyable aveuglement qui sauve peut-être les Alliés d'un désastre mille fois plus dramatique que celui de Dieppe ?

C'est une histoire intéressante parce qu'elle permet de comprendre comment fonctionne une dictature.

Tout part de Dieppe, justement. Après ce beau succès, Hitler, rassuré, prélève des divisions à l'Ouest et les jette sur le front de l'Est pour tenter de bloquer l'avance soviétique. Il pense que l'échec canadien prouve que les Alliés ne sont pas de taille à débarquer. Cette confiance en soi inquiète certains de ses officiers de renseignement qui savent bien, eux, que le vrai débarquement n'aura rien à voir avec le raid de Dieppe. Mais comment le faire comprendre à un Führer qui traite de défaitistes tous ceux qui ne partagent pas son fol optimisme ? Par quel moyen lui faire entendre raison ? Comment l'obliger à laisser sur le Mur les forces indispensables à sa défense ? Les officiers ont recours à une astuce dont ils sont probablement très fiers : ils annoncent l'arrivée en Angleterre de trente divisions américaines supplémentaires. C'est faux, mais Hitler ne peut pas le deviner. Aussi, impressionné par ce renfort massif, le Führer interrompt ses prélèvements à l'Ouest. Triomphe des officiers, mais triomphe de courte durée. Car, après le débarquement en Normandie, les services de renseignement allemands identifient l'une après l'autre les divisions débarquées par les Alliés. Naturellement, aucune des trente ne figure sur les listes puisqu'elles sont imaginaires. Mais Hitler et son état-major ne le savent toujours pas et les officiers de renseignement se gardent bien d'avouer qu'ils les ont inventées : leur châtiment serait terrible. Les chefs nazis croient donc à l'existence de cette énorme force, gardée sans nul doute en réserve pour frapper le coup décisif dans le Pas-de-Calais. Ils y croiront jusqu'à la fin de juillet, quand leur défaite à l'Ouest sera définitivement consommée.

L'orgueil solitaire du maître et la couardise des serviteurs mettaient la touche finale au chef-d'œuvre réalisé par les illusionnistes des services britanniques. Manœuvrés comme des simples d'esprit par les Alliés, les chefs nazis achevaient de sombrer dans le crétinisme en se dupant entre eux...

Efficace, la dictature ?

On a désormais perdu trop de temps pour que la 12ᵉ S.S., la Hitlerjugend et la Panzer-lehr puissent intervenir avant la fin du Grand Jour. La 21ᵉ blindée va contre-attaquer les Britanniques avec huit heures de retard. Utah Beach ? L'état-major allemand ne sait même pas que les Américains y ont débarqué : tous les fils téléphoniques ont été coupés par les parachutistes ou par la Résistance. Ce n'est qu'à cinq heures de l'après-midi qu'il apprendra la nouvelle et il ne dispose d'aucune force blindée pour enrayer l'avance des hommes de Roosevelt.

Seule consolation face à ce bilan désastreux : à Omaha, le Mur tient bon.

LA DERNIÈRE CHANCE

Où sont les rigolos ?

David Silva est accroupi derrière le mur de soutènement d'Omaha depuis bientôt six heures. A ses côtés, cinq camarades survivants, dont le blessé à la tête qui gémit doucement. Tous les autres ont été tués. Impossible de bouger, et même de jeter un coup d'œil par-dessus le mur : une mitrailleuse allemande, en batterie juste en face d'eux, ouvre le feu au moindre mouvement. Rien à faire, sinon attendre une mort qui semble inévitable.

Anthony Errico est lui aussi à l'abri du mur. Comme David, il est collé au sol par le feu ennemi. Comme David, il a peur. Ce n'est pas la même peur que celle éprouvée alors qu'ils traversaient tous deux la plage au milieu des balles. Cette peur-là était si intense qu'elle faisait tout oublier, y compris la blessure à la jambe reçue par David. Ils ressentent à présent une angoisse encore plus pénible, née de la certitude raisonnée de leur mort prochaine, et à laquelle s'ajoutent les souffrances et les misères physiques. David souffre de sa jambe. Il a trop chaud. Anthony, lui, a très froid. Le produit antigaz dont leur col est imprégné irrite leur cou. Le sable humide s'est glissé sous leurs vêtements et dans leurs chaussures.

L'infirmier Robert Trout gît au pied des galets. Il est touché. Un projectile ennemi l'a atteint alors qu'il avait quitté son abri pour porter secours à un blessé qui gémissait sur la plage. Il en a sauvé plusieurs, fauchés en pleine course à quelques mètres du remblai, mais un tireur allemand a fini par l'atteindre.

Devant eux, le mur ou le remblai. Derrière eux, la plage jonchée de morts que la marée montante a amenés avec elle et qui restent échoués dans le sable tandis que la mer redescend. Une plage embouteillée par les centaines de véhicules déjà débarqués qui, coincés entre la mer et les galets, sont démolis à coups d'obus par l'ennemi.

La marée descend et les sapeurs se remettent héroïquement à l'ouvrage. Les cinq brèches qu'ils avaient ouvertes à grand-peine sont obstruées par les épaves. Dans celles-ci, des morts et des blessés qu'il faut évacuer avant de placer les explosifs. Le feu allemand reste meurtrier. Un sapeur a les doigts tranchés net par un éclat d'obus au moment précis où il allumait le cordon détonateur. Les barges, les chars et tous les véhicules détruits sont autant d'obstacles à nettoyer pour permettre l'arrivée des renforts.

Les renforts ? Le commandement a interrompu leur débarquement et un officier d'état-major signale que les barges tournent devant le rivage « comme un troupeau de bétail pris de panique ». A quoi bon lancer fantassins et véhicules sur une plage déjà saturée ? Il faut attendre la percée. Il faut que des brèches soient pratiquées dans le remblai de galets pour que puisse s'écouler l'embouteillage. Les chars d'assaut, bloqués par ce remblai pour eux infranchissable, ne peuvent même pas atteindre le pied de la falaise et tirer à bout portant sur les blockhaus. Ils manœuvrent comme ils peuvent entre la mer et les galets, victimes désignés des artilleurs allemands qui s'en donnent à cœur joie.

Où sont donc les rigolos ? Où est le Fascine qui, déversant sa charge de rondins sur le remblai, donnerait une prise solide aux chenilles des chars ? Ou bien l'engin plate-forme qui, venant s'accoter au mur derrière lequel s'abritent David et Anthony, permettrait aux Sherman de l'escalader ? Ou même le Bobine dont la toile métallique suffisait à empêcher les chenilles de patiner sur les galets... Où est l'engin-fusées qui, à coups de torpilles Bangalore, ouvrirait de larges brèches dans l'épais réseau de barbelés tendu au pied de la colline ? Où est l'engin Pétard, la « poubelle volante », dont l'énorme obus pulvériserait les blockhaus ? Où sont les Crabe dont les chaînes déblaieraient les mines ?

Où sont les rigolos ?

Il n'y en a pas. Il ne peut pas y en avoir à Omaha car le général américain Bradley a refusé en bloc l'étonnant matériel mis au point par la bande à Hobo. Sur l'insistance d'Eisenhower, conquis par les chars amphibies, Bradley avait accepté de mauvais gré les Donald Duck, mais en affirmant qu'il n'aurait pas besoin du reste pour enfoncer les défenses allemandes d'Omaha. Ike n'avait pas insisté car il estimait que chacun de ses généraux devait mener sa bataille comme il l'entendait. La dictature a ses vices mortels ; la démocratie a ses inconvénients. Mais, à la guerre, la moindre erreur se paie avec du sang. C'est pourquoi une guerre n'est jamais une bonne affaire pour les soldats qui, contrairement aux généraux, subissent la conséquence immédiate des erreurs de jugement. Faute de rigolos, le sang américain coule sur la plage d'Omaha verrouillée à double tour par un remblai et un mur qu'aucun char ne peut franchir.

Plus loin encore, au-delà de ces barges qui tournent en rond comme un troupeau en folie, les gros transports de troupes attendent l'ordre de mettre à l'eau d'autres embarcations. Là, sous le parapluie protecteur des ballons antiaériens, protégés par les centaines de canons de la flotte, les hommes de la cinquième et sixième vague dorment, fument, mangent ou jouent aux cartes en écoutant la musique légère retransmise par haut-parleur, et cela à quelques kilomètres de la plage où l'on assassine leurs camarades qu'ils ne peuvent aller secourir.

L'attaque américaine est enrayée.

Ordre est alors donné aux destroyers de rouvrir le feu. Les lévriers des mers s'approchent du rivage à racler le fond de la mer, au risque de crever leur coque sur un roc ou sur une épave. Témérité nécessaire s'ils veulent détruire les blockhaus allemands les plus redoutables : ceux qui, placés aux deux extrémités de la plage, la prennent en enfilade. Les ouvrages opposent aux coups des cuirassés, côté mer, une muraille de béton épaisse de six ou sept mètres, invulnérables aux plus lourds obus. La seule possibilité de les détruire consiste à tirer en diagonale dans les embrasures, mais il faut pour cela s'approcher du rivage en prenant tous les risques.

Les destroyers ouvrent le feu.

« *Je veux un tir par salve !* »

« Que se passe-t-il ? hurle le lieutenant Wagner. Tiebler, demande-leur ce qu'ils font ! » La batterie allemande dont il dirige le tir se tait au moment précis où des barges profitent de l'intervention des destroyers pour prendre leur formation d'assaut. La troisième vague ? La quatrième ? On ne sait plus, on n'a plus le temps de compter, mais ce n'est sûrement pas le moment de cesser le feu !

— Ils disent qu'ils ne peuvent plus tirer, mon lieutenant, explique Heinz Tiebler. Les tubes des canons sont surchauffés. Le chef de batterie dit qu'ils vont éclater si on ne les laisse pas refroidir. Il y a déjà eu une explosion à la 3ᵉ batterie.

Le lieutenant Wagner, grâce à ses jumelles, voit parfaitement ce que transportent les barges : des chars Sherman. Les mitrailleuses et les fusils de l'infanterie allemande ne pourront rien contre eux. Il faut les détruire au canon. Mais les tubes de 105, chauffés à blanc, sont momentanément inutilisables. Pas étonnant : ils tirent sans interruption depuis des heures. Comment faire pour bloquer les chars ?

— Heinz, contacte une autre batterie ! Dis-leur que nous avons un objectif de premier choix à leur offrir.

Si les Sherman débarquent, leurs canons mèneront la vie dure aux défenseurs de la falaise...

— J'ai le contact, annonce Heinz Tiebler. Ils nous envoient la sauce.

Mais au compte-gouttes... Un obus par-ci par-là... Rien de comparable avec le tir dense qui a jusqu'ici maintenu sur la plage un infranchissable rideau d'acier. On n'arrêtera pas les Sherman avec ça. Wagner exige un feu dix fois plus nourri.

— Impossible, mon lieutenant, annonce Heinz après avoir écouté la réponse du lointain chef de batterie. Ordre supérieur. Il faut économiser les munitions.

Les barges chargées de Sherman ne sont plus qu'à une centaine de mètres.

Dans son blockhaus, le radio de dix-sept ans Edmund Sossna, rivé à son émetteur-récepteur, ne voit rien de la bataille mais il entend tempêter le capitaine Ferking :

— Je veux un tir par salve ! Toute la batterie ! Ils reviennent avec des barges chargées de fantassins...

Edmund transmet au lieutenant Giesing. Celui-ci répond d'une voix toujours très calme :

— Dites au capitaine que j'ai reçu l'ordre de ne plus tirer par salves. Il ne nous reste que quelques obus. On ne doit les lâcher que canon par canon et sur des objectifs précis.

Des objectifs précis ? Mais toute la plage grouille d'objectifs précis ! Chars d'assaut, véhicules pare-chocs contre pare-chocs, paquets de fantassins que déversent de nouveau les barges. Chaque obus est assuré de taper dans le mille. Chaque éclat peut coûter une vie à l'assaillant. Le capitaine Ferking en pleurerait de rage. C'est trop bête ! Pourquoi l'état-major a-t-il, quinze jours plus tôt, donné l'ordre stupide de ramener à l'arrière la moitié des réserves d'obus de toutes les batteries d'Omaha ?

Pourquoi ? Pour les mettre à l'abri des bombardiers alliés qui s'acharnaient sur la côte. Leur pilonnage était si intense que les grands chefs avaient craint la destruction totale des stocks. Décision compréhensible, peut-être sage, mais à condition de pouvoir ramener les réserves dont on a maintenant un besoin si urgent. On ne le peut pas. Tous les câbles téléphoniques d'Omaha transmettent à l'arrière les supplications des chefs de batterie : « Envoyez-moi des obus ! » Les camions chargés à ras bord quittent les dépôts, leurs chauffeurs roulant comme des fous, accélérateur au plancher, mais ils n'arrivent pas aux batteries. Les chasseurs-bombardiers font bonne garde. Comment les vigilants Jabos laisseraient-ils passer un camion rempli d'obus alors qu'ils s'acharnent sur un soldat isolé ? Helmut Ullman, qui continue à galoper le long des câbles téléphoniques pour réparer les coupures, les voit sans cesse piquer sur lui. Terrible partie de cache-cache pour ce garçon de dix-sept ans qui, à plat ventre dans un fossé ou plaqué contre un arbre, distingue le visage impassible des pilotes décidés à le tuer... Comment un camion passerait-il quand une simple voiture d'état-major déchaîne sur elle le feu d'une escadrille entière, au point que les occupants des voitures allemandes finissent par arracher toutes les portières afin de pouvoir plonger plus vite au fossé ?

Les chargements d'obus explosent l'un après l'autre sur les routes, foudroyés par les Jabos. L'artillerie allemande doit utiliser au compte-gouttes les derniers projectiles qui lui restent. Elle est, à son tour, pilonnée par les destroyers. Le blockhaus de la pointe de la Percée, qui tenait toute la plage en enfilade sous son feu, a été littéralement arraché de la falaise.

La défense rapprochée repose désormais sur les fantassins, leurs mitrailleuses et leurs fusils.

Hein Severloh a tiré plus de douze mille balles. Depuis que les destroyers ont rouvert le feu, sa tranchée a été touchée trois fois. Les Sherman, libérés du tir allemand, harcèlent la falaise à coups de canon. Trois fois, Hein a été recouvert de terre et sa mitrailleuse renversée. Mais elle fonctionne toujours. Un vrai bijou, cet engin que les spécialistes allemands ont mis au point deux ans plus tôt. Le dernier obus a faussé l'appareil de visée mais les bandes qui restent à la disposition de Hein étaient prévues pour le combat de nuit : une balle sur cinq est traçante, ce qui permet au mitrailleur d'ajuster son tir. L'inconvénient, c'est évidemment que l'ennemi peut aussi le repérer. Et Severloh a de plus en plus de mal à abriter sa grande carcasse dans la tranchée : les obus frappant le remblai la remplissent de terre. Elle est déjà à moitié comblée.

L'adjudant Pieh est à son côté. Il est hors de combat. Son cou blessé a enflé au point de l'empêcher de respirer. Il suffoque mais reste fidèle au poste. Un peu plus loin, deux des fantassins de Pieh tirent au fusil. La 42 arrose toujours les fantassins alliés, ses balles traçantes attirant sur elle la riposte des tanks et des destroyers. Voilà ce qu'est la guerre dans sa cruelle vérité et non pas dans les tableaux héroïques qu'on en peint après coup. Il n'y a pas, à Omaha-la-Sanglante, des soldats luttant à armes égales. Il y a tout simplement des soldats américains qui se font assassiner à coups de mitrailleuses sans pouvoir répondre, et il y a Hein Severloh et ses camarades qui se font assassiner par des destroyers hors de leur portée et des chars contre lesquels ils restent impuissants.

Le massacre a commencé avec l'aube. Apparemment, dans cette situation bloquée, il peut durer jusqu'à la nuit. Et la nuit, au mois de juin, ne baisse son miséricordieux rideau d'ombre qu'après dix heures du soir.

Le sursaut

Ce fut quelquefois un simple soldat et quelquefois un officier supérieur. Nul ne sait pourquoi et comment ils décidèrent, à tel moment plus qu'à tel autre, que cela ne pouvait pas continuer. Eux-mêmes ne le savaient probablement pas. Mais qu'ils fussent généraux ou fantassins sans galon, ils avaient une chose en commun : la colère. Telle une marée, elle montait en eux depuis des heures. Ils ne supportaient plus d'être tirés comme des lapins, de baisser la tête sous le feu ennemi, de serrer les mains sur leurs armes sans pouvoir s'en servir.

Le premier fut probablement le soldat Ingram Lambert. Comme David Silva et Anthony Errico, il était couché au pied du mur de soutènement. Soudain, Lambert se leva, sauta sur le mur et traversa la route. Il avait à la main une torpille Bangalore. Ses camarades, stupéfaits par son audace, le virent actionner la mise à feu. Elle ne fonctionna pas. Lambert s'apprêtait à tirer une seconde fois quand une mitrailleuse allemande toute proche le tua d'une rafale. Tout aurait pu se terminer là si le lieutenant Schwarz n'avait, à son tour, bondi sur la route et ramassé la torpille près du cadavre de Lambert. Derrière le mur, ses hommes, arrachés à leur torpeur, ouvrirent un tir nourri pour le couvrir. La mise à feu fonctionna et la torpille creusa une brèche dans les barbelés protégeant la falaise. Un fantassin inconnu se rua dans cette brèche. Il fit trois pas avant de tomber, fauché par la mitrailleuse allemande. Mais la colère qui avait fait agir Lambert et Schwarz empoignait maintenant, grâce à leur exemple, la trentaine d'hommes qui étaient avec eux. Ils sautèrent ensemble par-dessus le mur et foncèrent jusqu'à une tranchée vide. La mitrailleuse ne pouvait plus les atteindre. Le lieutenant Schwarz, indemne, leur montra la falaise. Les soldats sortirent un à un de la tranchée et, en file indienne à cause des mines, commencèrent à escalader la pente herbue. Ils étaient redevenus des combattants.

Le remblai de galets eut aussi ses héros. Un lieutenant et un sergent blessé le franchirent et examinèrent calmement les barbelés. Puis le lieutenant fit demi-tour et revint se planter, poings sur les hanches, au sommet du remblai. Promenant sur ses hommes un regard dégoûté, il leur dit : « Allez-vous rester vautrés et être tués, ou bien vous lever et faire quelque chose pour l'éviter ? » Personne ne bougea. Le lieutenant et le sergent se chargèrent alors d'explosifs et partirent faire sauter le réseau de barbelés. Un soldat se leva, puis un autre. Toute la section suivit.

Mais l'homme qui fit le plus pour inspirer à la troupe une colère salvatrice portait à ses épaulettes des étoiles de général. Norman Cota était le commandant adjoint de la 29e division. Son gros Colt 45 au poing, il marchait comme un furieux en exhortant les hommes à bouger. Personne ne bougeait et tout le monde suivait d'un œil ahuri ce grand bonhomme sec qu'on s'attendait à voir tomber d'une seconde à l'autre, une balle dans la tête. Mais la mort paraissait avoir oublié Cota, et Cota ne semblait pas se soucier d'elle. Il continuait à marcher, le front haut, et à hurler sa colère, jusqu'au moment où il arriva devant un bulldozer abandonné. L'engin était chargé d'explosifs. On pouvait avec lui faire sauter le mur antichar.

— Qui va me conduire ce sacré machin ? cria Cota.

Personne ne répondit.

— Comment ? rugit Cota. Il n'y a pas un seul type assez gonflé pour ça ?

Un soldat se leva et dit :

— J'y vais.

Cota lui assena une claque sur l'épaule.

— Bravo, mon garçon !

Et il continua sa route, agitant toujours son gros Colt, démontrant par son seul exemple qu'on pouvait s'arracher au sable d'Omaha et ne pas mourir aussitôt. Dans son sillage, des hommes avalaient leur salive, serraient les mâchoires et, dépliant leurs membres raidis par les courbatures, se dressaient face à la falaise.

Il y en eut, tel Lambert, qui ne dirent pas un mot mais dont l'acte de se lever et d'avancer était plus éloquent qu'un discours. Il y en eut qui, comme Cota, hurlèrent des exhortations au courage. Le colonel George Taylor s'en tint, quant à lui, à une remarque pleine de bon sens : « Il y a deux sortes d'individus qui restent sur cette plage, dit-il : ceux qui sont morts et ceux qui vont mourir. Tirons-nous en vitesse ! » C'était à peu près ce que disait à ses hommes, un peu plus loin, le colonel Charles Canham, déjà blessé au poignet : « Ils nous assassinent ici. Allons plutôt nous faire assassiner à l'intérieur des terres ! »

C'est ainsi que, d'un bout à l'autre de la plage, des groupes rassemblés au hasard entreprirent l'escalade de la falaise sous la conduite de chefs qu'ils ne connaissaient pas et dont beaucoup n'avaient aucun titre à commander, sinon leur courage. Il n'y eut nulle part un assaut héroïque, baïonnette au canon et chant guerrier aux lèvres. Les hommes avançaient lentement, les yeux rivés au sol, terrorisés par les mines. Presque tous les détecteurs étaient au fond de la mer ou perdus dans le monceau de matériel recouvrant la plage. Au centre de la falaise, un lieutenant ouvrit la voie en rampant et en fouillant la terre à l'aide de son couteau de chasse. Partout, les hommes s'appliquaient à mettre leurs pieds exactement dans les empreintes de celui qui les précédait. Quand on avait la chance d'en posséder, on déroulait derrière soi le ruban blanc indiquant que l'itinéraire était sûr. Il y eut des morts qu'on enjamba mais aussi des blessés qu'on laissa sur place car personne n'osait faire le dangereux pas de côté nécessaire pour les ramasser. La fumée des incendies était par endroits si épaisse qu'on dut mettre les masques à gaz. Tout ce qui ressemblait à un point d'appui ennemi était prudemment contourné. Il fallait d'abord arriver en haut de cette falaise de cauchemar qui, depuis l'aube, vomissait inlassablement la mort.

Et ils parvinrent enfin au sommet, découvrant un pays verdoyant, quadrillé de haies vives, planté de pommiers en fleur. Ils ne savaient pas où ils étaient ni ce qu'ils allaient faire. La tension nerveuse, la peur des mines et l'effort physique de l'escalade les avaient épuisés, tout comme la traversée de la plage sous le feu ennemi les avait, le matin, vidés de toute énergie pour plusieurs heures. Quelques groupes attendirent sur place des renforts. Mais le seul appui efficace eût été celui des blindés, et ils n'arriveraient pas avant plusieurs heures. Certes, les bulldozers profitaient de l'affaiblissement du feu allemand pour ouvrir des brèches dans le remblai de galets. Sans doute quelques Sherman étaient-ils déjà au pied de la falaise. Ils ne pouvaient cependant pas grimper sa pente de quarante mètres. Il leur faudrait obligatoirement emprunter l'une des quatre petites vallées menant à l'intérieur des terres. Ces quatre issues étaient fermées par un mur de béton épais d'un mètre et haut de deux. Au-delà du mur, les chemins étaient semés de mines antichars. Des blockhaus et des nids de mitrailleuses défendaient leur accès. La victoire ne serait acquise à Omaha que lorsqu'un de ces verrous aurait sauté. Ils tenaient toujours bon. L'avance des fantassins s'était faite dans les intervalles qui les séparaient.

Certains groupes n'attendirent pas un renfort illusoire, continuèrent sur leur lancée et furent capturés aisément par les troupes allemandes en embuscade à l'orée des premiers villages. D'autres repérèrent un objectif sur la falaise — blockhaus, tranchée, point d'appui — et manœuvrèrent pour l'attaquer, malgré le manque d'armes lourdes et d'explosifs. Au moins leur présence sur les arrières de l'ennemi infligeait-elle à celui-ci l'angoisse de l'encerclement.

A cet instant précis, les Allemands n'avaient même pas besoin de Tigre ou de Panther pour l'emporter. Une contre-attaque lancée par des fantassins décidés aurait balayé les squelettiques avant-gardes américaines et, dévalant la falaise, aurait dans son élan tué, capturé ou rejeté à la mer les troupes entassées sur la plage.

Aucune réserve d'infanterie n'est disponible pour contre-attaquer. Les régiments allemands qui auraient fait de la bataille d'Omaha une victoire hitlérienne, ils ont été anéantis sous les murs de Moscou, dans les faubourgs de Leningrad, sous les ruines de Stalingrad. Ils tournent en rond dans les camps de prisonniers ou ils reposent sous un mètre de terre russe. En trois années d'une guerre impitoyable, les soldats soviétiques ont saigné à blanc les armées nazies et continuent de fixer à l'Est l'essentiel de ce qui a survécu. Le prix qu'ils ont dû payer ? Il est écrasant, presque inimaginable. Quinze millions de citoyens soviétiques ont été tués. Mais leur sacrifice n'a pas seulement permis à l'Armée rouge de libérer la patrie envahie : c'est aussi grâce à lui qu'une poignée d'Américains peuvent enfoncer leurs ongles dans la terre d'une lointaine falaise de France.

Heinz Tiebler et ses camarades cassent la croûte dans leur poste d'observation : pain noir (surnommé « pain de singe ») et conserve de bœuf, le tout arrosé d'eau fraîche. La 1re batterie, située à quatre kilomètres à l'intérieur des terres, signale par radio qu'elle se bat au corps à corps. Les Américains ont donc percé la ligne de défense. Le poste est encerclé. La plage, devant lui, grouille de chars et de véhicules blindés. Plus d'obus pour les matraquer. Les artilleurs ont fait leur boulot : à l'infanterie de jouer. Autant se caler l'estomac en attendant l'épisode suivant, que ce soit la contre-attaque allemande victorieuse ou le billet pour New York avec changement à Londres...

Hein Severloh se bat toujours dans sa tranchée presque comblée. Ses rafales sont de plus en plus courtes : à peine appuie-t-il sur la détente de la 42 qu'un faisceau d'obus et de balles converge sur lui et qu'il doit se jeter à plat ventre. De toute façon, sa réserve de bandes s'épuise. Il en est à tirer ses dernières cartouches quand un éclat d'obus frappe son casque et le blesse au visage. Il vacille sous la violence du choc.

Le capitaine Ferking s'époumone à réclamer le tir de barrage qui, seul, pourrait bloquer l'avance américaine.

« J'avais la même impression
que devant un mort »

A quinze kilomètres d'Omaha, de l'autre côté de la pointe du Hoc où les Rangers américains continuent de mourir sous les balles de tireurs invisibles, un camion chargé de munitions roule sur la route conduisant à Sainte-Marie-du-Mont et à la plage d'Utah. Six parachutistes allemands du 6e régiment sont allongés sur les caisses, l'arme au poing. Ils ont mis en batterie deux mitrailleuses, dont l'une est servie par Wolfgang Geritz-lehner. Le moral des six garçons est excellent. Ils ont surmonté le choc du bombardement naval et du harcèlement des Jabos. Leur bataillon, fort de sept cents hommes, a été lancé en coup de poing en direction de la plage. Il s'est arraché à la toile d'araignée tendue par les paras américains et a percé jusqu'aux abords de Sainte-Marie-du-Mont, qui n'est éloignée du rivage que de six kilomètres. Les chasseurs parachutistes ont poussé des « hourras ! » triomphants en découvrant la mer du haut d'une petite colline. Un bond de plus en avant et ils rejetteraient à l'eau l'ennemi impudent qui avait osé les défier. « On s'est dit que c'était terminé, raconte Wolfgang. Nous les avions repoussés et l'affaire allait être réglée en deux heures. » Les munitions commençant à s'épuiser, un officier l'a chargé de retourner en chercher à l'arrière avec quelques camarades.

Mission-suicide ? Elle devrait l'être, mais les Jabos ont miraculeusement disparu du ciel. La randonnée n'a cependant rien d'un voyage d'agrément. Les champs grouillent de paras américains. Le chauffeur stoppe à chaque tournant et ses six passagers arrosent copieusement au fusil et à la mitrailleuse les haies bordant la route jusqu'au virage suivant. Ce nettoyage préventif n'empêche pas le camion d'être criblé de balles, mais personne n'a encore été touché et le moteur tourne rond.

Quelques silhouettes se profilent là où ils ont laissé le bataillon. Amis ou ennemis ? Wolfgang reconnaît le « sac à os » des paras allemands, la combinaison camouflée qu'on passe par-dessus l'uniforme. Un officier au visage las les accueille d'un signe de tête. Où est le bataillon ? Il est là, en face, dans ces bosquets hachés par le tir des mitrailleuses. Le 1er bataillon du 6e régiment de Heydte est encerclé. La fourmilière de paras américains répandue à travers la campagne s'est refermée sur lui comme une nasse. Il essaie en vain de percer depuis deux heures. Les armes lourdes font défaut. Il faudrait des chars. On n'en a pas. Le coup de poing allemand s'est enfoncé dans un édredon dont il ne parvient plus à se dégager.

Des camarades de Wolfgang sont assis ou étendus à l'écart. Ils ont réussi à fuir l'encerclement. « Je ne les ai pas reconnus, dit Wolfgang. Ils avaient vieilli de plusieurs années en quelques heures. Ça ne servait à rien de leur adresser la parole tellement ils étaient absents. Leur visage était comme mort. Ils avaient les yeux vides. J'ai fini par reconnaître un de mes amis, un mitrailleur. Il était aussi noir qu'un ramoneur. Il était assis, raide comme une statue. Je lui ai dit : "Qu'est-ce que tu as ? Tu es blessé ?" Il ne m'a même pas vu. J'avais la même impression que devant un mort. Il restait là, sans bouger, sans parler... Il faisait partie d'un groupe de neuf paras dont il était le seul survivant. »

Egon Röhrs est parmi les soldats encerclés. Il lui semble qu'un siècle s'est écoulé depuis l'arrivée en pleine nuit de l'estafette qui l'a arraché à ses rêves imbibés de calvados. Bien lointaine aussi cette folle équipée à moto, dans la fraîcheur de l'aube, pour rattraper le régiment. Il fait à présent une chaleur étouffante. Egon boit à grandes lampées le cidre dont il a eu soin de remplir sa gourde. Beaucoup de ses camarades moins précautionneux se sont jetés sur les bidons de lait placés devant les fermes et dont les ramasseurs des laiteries n'ont évidemment pas pris livraison. La chaleur a fait tourner le lait, qui tourmente à présent l'estomac des imprudents.

Quelle journée !... On a avancé, puis reculé, et voici qu'on est maintenant bloqué, cloué sur place, encerclé. L'ennemi est partout : sur la mer qu'on n'a fait qu'entrevoir, derrière chaque haie, dans le ciel surtout, infesté de Jabos.

Un grondement sourd naît et s'amplifie. Des chars ? Impossible : il faudrait qu'ils soient des centaines pour faire un tel vacarme. Non, c'est une fois encore dans le ciel que ça se passe. Dans ce ciel abandonné aux Alliés par les pilotes de Goering. Des bombardiers ? Comment feront-ils pour intervenir à coup sûr dans cette bataille où les combattants ne sont séparés que par l'épaisseur d'une haie, où l'on repère l'ennemi à l'odeur de son uniforme imprégné de produit antigaz ou à la forme de son casque ? Ce ne sont pas des bombardiers mais des dizaines d'avions de transport dont chacun tire un planeur. Ils surgissent dans le crépuscule, leurs noires silhouettes se découpant sur la masse des nuages, et volent en formations impeccables, comme à l'exercice. Ils apportent aux paras américains des jeeps, des canons antichars, des munitions et des vivres. Ils leur apportent surtout l'espoir. Pour ces hommes qui se battent en enfants perdus depuis une nuit et un jour, leur apparition signifie qu'ils ne sont pas oubliés. Un pont aérien est jeté entre l'Angleterre et le coin de prairie où ils combattent. Mais pour les paras allemands, quel ultime coup de massue après toutes les désillusions de la journée !... Quelle éclatante démonstration de leur faiblesse et de leur solitude !...

Les pilotes des planeurs actionnent le mécanisme détachant le câble de remorque. Les appareils piquent du nez, se rétablissent d'un coup d'aile et amorcent leur descente vers la terre où les attend la mort.

Tandis que le 1er bataillon de Wolfgang Geritzlehner et d'Egon Röhrs tentait de percer sur Utah Beach, le 2e bataillon, enfin appuyé par quelques chars et des canons tractés, a attaqué en direction de Sainte-Mère-Église. Les paras américains ont stoppé les tanks au bazooka et arrosé à la mitrailleuse les hommes du colonel von der Heydte. Le 2e bataillon, bloqué et incapable même de se dégager pour aller prêter main-forte au 1er bataillon, s'est enterré en position défensive sur une colline dominant le damier des prés.

C'est là, à cet endroit précis, que vont atterrir soixante planeurs bourrés d'hommes et de matériel. Comment les officiers d'état-major responsables de ce choix auraient-ils pu deviner que les hasards de la bataille réuniraient sur cette colline perdue une telle puissance de feu ?

Dès que le premier planeur touche terre, canons et mitrailleuses déchiquettent sa carlingue, hachent ses passagers, pulvérisent sa cargaison. La colline crache la mort de toutes ses haies, de tous ses fossés. Symbole de la puissance alliée tant qu'elle volait dans le ciel, l'armada des planeurs n'est plus qu'une proie sans défense. Les grands oiseaux aux flancs de contre-plaqué se disloquent l'un après l'autre comme jouets d'enfants. La plupart de ceux qui échappent au tir allemand se fracassent sur les arbres ou contre le talus des haies. Rares sont les pilotes qui ont la chance d'atterrir sans casse et sans pertes.

Mais ce carnage est le dernier succès qu'offre le hasard aux hommes de Heydte. Ils ont en face d'eux les indéracinables défenseurs de Sainte-Mère-Église. Et voici qu'une rumeur sourde leur parvient de l'autre côté de la colline, sur leurs arrières. C'est l'avant-garde blindée des troupes victorieuses du général Roosevelt. Le vieux soldat a libéré Sainte-Marie-du-Mont et vient tendre la main aux parachutistes.

Le 2e bataillon du 6e régiment allemand évacuera la colline en pleine nuit, sur la pointe des pieds, pour ne pas être broyé dans la tenaille alliée...

Les paras d'Otway à un contre dix

Il y a plus de douze heures que les hommes de Terence Otway se battent pratiquement sans interruption. Ils ont laissé leurs blessés à Merville et les ont confiés au médecin allemand de la batterie. Celui-ci s'en occupera avec un dévouement admirable, leur prodiguant des soins aussi attentifs qu'à ses compatriotes, puis, ses médicaments épuisés, il prendra le risque d'aller se réapprovisionner à la pharmacie de la batterie, installée dans un abri bétonné. Un obus allemand tuera en pleine course cet homme de cœur qui avait su apporter à tous soutien et réconfort.

Pour Otway, la bataille continuait et il entendait bien la poursuivre avec détermination. Il ordonna à ses vingt-deux prisonniers de précéder ses hommes à travers les champs de mines entourant la batterie : ils devaient connaître mieux que personne les passages sûrs. Les prisonniers affirmèrent qu'ils ne les connaissaient pas. Otway ordonna alors à ses paras de braquer leurs mitraillettes Sten sur les jambes des Allemands et annonça qu'il ferait ouvrir le feu si les prisonniers ne bougeaient pas. Ils se mirent en marche. La petite colonne sortit du périmètre de la batterie et fit halte au pied d'un calvaire qui dominait la route. Chacun avala un *breakfeast* rapide accompagné de l'indispensable tasse de thé. (« Si on ne lui avait pas fourni son thé, affirme en riant le major Roseveare, le héros du pont de Troarn, l'armée anglaise aurait cessé de combattre ! ») Le soleil chauffait les marches du calvaire. La campagne était tranquille et les oiseaux chantaient dans les arbres. Il n'y avait que le grondement lointain des canons de marine pour troubler cette paix et rappeler qu'une bataille était en cours. Les soixante-quinze rescapés d'Otway se sentaient en forme. Ils avaient reçu des pilules spéciales contre le sommeil et l'épuisement nerveux. Leur tasse de thé vidée, ils se remirent en route vers leur prochain objectif. C'était un village appelé Le Plain-Amfreville, dont ils devaient s'emparer pour s'y retrancher en attendant l'arrivée des Commandos de lord Lovat.

La colonne récupéra en chemin six parachutistes canadiens égarés. Ils appartenaient au régiment destiné à capturer les ponts assignés au major Roseveare et que les avions avaient lâché à des kilomètres de ses objectifs. La rencontre suivante, très amère, fut avec les Américains. Les paras qui avançaient dans un chemin creux se virent survoler par une escadre de Forteresses volantes. Spectacle réconfortant... jusqu'au moment où une pluie de bombes tomba du ciel. « On a mangé la poussière du chemin », raconte Sidney Capon. Succédant à la dispersion des parachutages et au bombardement raté de Merville, les bombes américaines achevèrent de convaincre les paras fous furieux que tous les aviateurs alliés avaient perdu la tête. Par miracle, il n'y eut pas de pertes. On s'épousseta en grommelant des injures et l'on repartit de l'avant, Anglais et Allemands mélangés en une longue file qui s'étirait entre les haies.

A l'orée du village, un paysan français sortit en courant de sa ferme et se précipita sur Terence Otway, qu'il embrassa sur les deux joues en lui assenant dans le dos des bourrades vigoureuses. Le colonel, revenu de sa surprise, interrogea l'homme sur la défense allemande. Les réponses dépassèrent les pires craintes d'Otway. Le Plain-Amfreville était solidement tenu par sept à huit cents ennemis. C'était beaucoup pour quatre-vingts hommes... Mais Terence Otway, qui s'était emparé de Merville avec une poignée de combattants, n'hésita pas une seconde à lancer ses rescapés à l'assaut d'une garnison dix fois plus nombreuse.

La surprise joua en sa faveur. Il fit irruption dans le château où était installé un état-major allemand et en chassa tous les occupants. Un mur épais ceinturait le parc, face aux maisons du village. Il répartit ses hommes le long de ce mur — un tous les cent mètres — en leur recommandant d'économiser leurs munitions. Quant aux prisonniers qu'il traînait depuis Merville, il les boucla tout bonnement dans le court de tennis grillagé du château. Les Allemands protestèrent : il les laissait exposés au tir de leurs camarades, qui commençaient à arroser le parc. « Vous n'avez qu'à leur crier de ne pas tirer, répondit Otway : ainsi, il ne vous arrivera rien. » Et il abandonna les prisonniers à leur sort. Le colonel Otway n'avait aucune sympathie pour les Allemands.

Les heures qui suivirent devaient laisser aux paras un souvenir beaucoup plus pénible que l'assaut sur la batterie. La moindre attaque adverse aurait enfoncé sans peine leur mince ligne de défense. Pour tromper l'ennemi, Otway détachait sans cesse des patrouilles de deux ou trois hommes qui attaquaient le village sous tous les angles. Les Allemands, convaincus qu'ils étaient encerclés, ne se risquèrent pas à contre-attaquer. Mais leur feu était nourri et meurtrier. Des tireurs d'élite, installés dans le clocher de l'église, faisaient mouche dès qu'un para se mettait à découvert. Dix hommes et un officier tombèrent. Dusty Miller, qui s'était si brillamment comporté à Merville, reçut une balle qui lui traversa l'épaule droite de part en part. Un officier insista pour lui faire une piqûre de morphine et Dusty, qui se sentait en pleine forme malgré sa blessure, se retrouva, à sa grande fureur, sans force et sans ressort. Il allait dormir neuf heures de suite pour se réveiller toujours pestant contre l'officier dont la morphine avait fait plus de dégâts que la balle allemande...

La situation devint désespérée vers le milieu de l'après-midi. Otway était bloqué par des forces dix fois supérieures. Des chars Panther avaient fait une apparition et pouvaient revenir à tout moment. Plus grave encore : ses munitions s'épuisaient. Chaque homme ne disposait plus que de trois chargeurs. Lorsqu'ils auraient tiré leur dernière cartouche, il ne leur resterait plus que leur dague pour se défendre.

L'aviation alliée se racheta alors de ses nombreux torts envers les paras d'Otway. Quelques avions survolèrent la petite troupe en péril et lui parachutèrent des containers de munitions. C'était la possibilité de tenir un peu plus longtemps. Mais combien de temps ?

Un homme au moins gardait confiance et trouvait absolument normale cette situation angoissante : le capitaine Charles Greenway, futur lord d'Angleterre. Il avait été ravi d'aller au combat par avion, ce qui lui évitait d'être désagréablement mouillé, et ravi de sauter dans la nuit hostile car la banquette de l'avion lui avait paru vraiment inconfortable. A Merville, son optimisme n'avait pas été entamé par l'absence de neuf hommes sur dix et du matériel le plus essentiel. Pendant la marche vers Le Plain-Amfreville, il avait trouvé le temps de « savourer un merveilleux apéritif dans un petit café tenu par un Français sympathique ». Et dans ce village du Plain, dont les paras ne tenaient fragilement qu'une petite moitié, il était enchanté d'avoir découvert un cheval attelé à une carriole qui servirait à transporter l'équipement de ses hommes et sur laquelle il avait déjà fait placer, par mesure de précaution, une impressionnante pile de camemberts qu'il jugeait « absolument délectables ».

Mais il fallait l'indestructible optimisme de Charles Greenway pour ne pas être accablé par cette évidence : si les Bérets verts de lord Lovat n'arrivaient pas rapidement à la rescousse des Bérets rouges d'Otway, ces derniers avaient toute chance d'être anéantis avant le crépuscule.

« *Nous n'étions pas faits pour ce boulot* »

Leur exploit de Troarn accompli, Roseveare et ses six compagnons ont déguerpi. Ils ont poussé leur jeep au fossé (impossible de repasser par la route où la garnison allemande doit maintenant faire bonne garde) et ont marché à la boussole en direction de la mer. Marché ? C'est beaucoup dire... Piétiné dans la vase, pataugé dans les prairies marécageuses que sillonnent nombre de petites rivières qu'ils ont dû traverser à la nage. Ils atteignent enfin le bois de Bavent et s'écroulent au pied des arbres. La plupart s'assoupissent, écrasés de fatigue. Bill Irving remet en ordre son équipement lacéré par les balles lors de la folle traversée de Troarn. Soudain, il relève la tête. Un martèlement de bottes. Il se jette à plat ventre. Là, à quelques mètres, deux compagnies de soldats allemands défilent sous les arbres. Le sergent Henderson, qui les a vues lui aussi, lance un coup d'œil inquiet à Bill : que se passera-t-il si l'un de leurs camarades se réveille en sursaut et a le mauvais réflexe d'ouvrir le feu ? Deux compagnies contre sept paras épuisés... Personne ne bouge. Les Allemands s'éloignent. Alerté, le major Roseveare donne le signal du départ. Il serait périlleux de s'attarder dans un bois si mal fréquenté.

Le ciel, hélas ! se met de la partie. Une escadrille de la R.A.F. les prend pour cible, tout comme les Forteresses volantes américaines s'étaient acharnées sur Otway. A croire que l'aviation alliée en veut spécialement aux paras ! Et les obus de marine commencent, eux aussi, à pleuvoir dru. Les sept malheureux se faufilent entre les entonnoirs, convaincus que le monde entier est acharné à leur perte.

Ils rallient enfin le gros des paras anglais. Bonne nouvelle :

les cinq ponts ont sauté. Un groupe est même allé jusqu'à Troarn après le départ de Roseveare et a détruit la deuxième arche du pont. Mais le temps des félicitations réciproques n'est pas encore venu. L'Allemand attaque de tous côtés. A peine rassemblés, les hommes de Roseveare sont engagés en première ligne.

« Et c'est alors que la vraie guerre a commencé », constate le major. Tirs d'artillerie, arrosage par mortiers. L'infanterie ennemie tâte le dispositif britannique. « Le plus dur, raconte le caporal Ted Reynolds, dix-neuf ans, c'était de résister au sommeil. » Il a fait partie de l'équipe qui est allée détruire la seconde arche du pont de Troarn et se retrouve dans un trou, face à un carrefour arrosé d'obus. « J'avais tout le temps envie de dormir. J'étais si fatigué que je croyais toujours voir quelque chose bouger. Je tirais. Il n'y avait rien. » Les paras harcelés n'ont pas toujours le temps de se creuser l'indispensable trou individuel. « Nous n'étions pas faits pour ce boulot, dit William Poole, qui avait détruit un pont avec quinze kilos de plastic. Le rôle des paras est d'agir par surprise. Quand il n'y a plus de surprise, c'est terminé : on se retrouve aussi vulnérable qu'un autre soldat. » Et Poole, désespéré, voit ainsi mourir à ses côtés un garçon de dix-neuf ans qui habitait, en Angleterre, une maison voisine de la sienne.

Quand donc arriveront les renforts ?

Au son aigre de la cornemuse

Thomas Waring est l'un des quatre-vingt-dix soldats du Grand Jour qui ont à leur actif le combat le plus long. Il lui semble qu'un temps infini s'est écoulé depuis qu'il a jailli de son planeur comme un diable de sa boîte pour capturer avec ses camarades le pont du canal de Caen, tandis qu'un autre groupe s'emparait du pont de l'Orne, à quelques centaines de mètres.

Le major Howard a immédiatement organisé la défense des ouvrages qu'il doit tenir coûte que coûte : c'est par là — et par là seulement — que les troupes débarquées pourront aller à la rescousse des hommes de Roseveare, d'Otway et de toutes les forces parachutistes isolées. Howard lui-même a été renforcé au cours de la nuit par des paras de la 6ᵉ division, mais la pression allemande s'exerce sans relâche sur son périmètre défensif. L'ennemi a rameuté contre lui un bataillon de grenadiers appuyé par trois 75 autotractés, une section de Flak dont les canons de 20 peuvent être utilisés contre l'infanterie, une section de lance-grenades et une section antichars. Les grenadiers, bien couverts par leur artillerie, sont arrivés jusqu'à l'extrémité est du pont, mais une vigoureuse contre-attaque des paras les a refoulés dans le village de Bénouville. Les chars de la 21ᵉ Panzer, qui auraient tout balayé devant eux, ont reçu l'ordre de faire demi-tour en direction de la côte au moment précis où leur avant-garde arrivait au contact des hommes de Howard. La position de ceux-ci n'en demeure pas moins d'une extrême fragilité. Ils sont sous le feu des canons et des mitrailleuses ennemis. Le pont du canal est balayé par des rafales. Les tireurs d'élite allemands bloquent dans leurs trous les paras épuisés par un combat qui dure depuis plus de treize heures.

Les Commandos de lord Lovat n'arrivent pas. Une heure et demie de retard sur l'horaire. Que s'est-il donc passé sur la plage ? Les vagues d'assaut auraient-elles été rejetées à la mer ? Dans ce cas, la mort ou la captivité attendent à brève échéance Howard et ses soldats.

Thomas Waring crut que la fatigue lui jouait des tours : il entendait de la musique. Il secoua la tête et essaya de penser à autre chose. La musique persistait. Il eut même l'impression de reconnaître les plaintes aigres d'une cornemuse. Une cornemuse, ce 6 juin, en plein combat !... Il était tout simplement en train de devenir fou. Quelques secondes plus tard, le doute n'était plus permis : l'instrument jouait « Blue Bonnets Over The Border » (« Bonnets bleus par-dessus la frontière »), un air célèbre. Les paras, l'un après l'autre, sortirent prudemment la tête de leur trou individuel. Le spectacle qu'ils découvrirent les stupéfia par son étrangeté et par son panache. Le cornemuseux Bill Millin en tête, les Bérets verts de lord Lovat marchaient vers le pont, tête haute, d'un pas tranquille, comme s'ils arrivaient pour défiler et non pour livrer bataille.

Les Allemands, ahuris, cessent le feu quelques secondes, puis tirent de plus belle, tandis que lord Lovat prie courtoisement le major Howard d'excuser son léger retard. Les Bérets verts lancent des fumigènes sur le pont battu par les mitrailleuses ennemies et foncent au pas de course dans la fumée. Trois sont blessés. Les autres passent sans dommage. Il y a parmi eux les Français du commandant Kieffer, dont la moitié sont déjà tombés au combat.

Ils continuent vers Le Plain-Amfreville où, côte à côte avec les rescapés d'Otway, ils briseront la défense allemande.

Bérets verts et Bérets rouges ont accompli leur jonction. L'ennemi avait une chance de les battre en les attaquant séparément. Il a laissé passer cette chance. Il ne la retrouvera plus.

Les Panther attaquent

Le général Erich Marcks s'était déplacé en personne. Chef du 84e corps d'armée allemand, il avait quitté son quartier général de Saint-Lô pour assister à l'attaque dont tout dépendait : celle des Panther de la 21e division blindée.

Le colonel von Oppeln-Brokinowski, qui commandait le 22e régiment de chars de la division, arrivait avec huit heures de retard. Les ordres contradictoires avaient semé la pagaille et il avait perdu un temps considérable à essayer de traverser Caen, dont les rues étaient obstruées par des amas de ruines. En désespoir de cause, le colonel allemand avait donné l'ordre à ses Panther de ressortir de la ville et de la contourner par les champs.

Il reconnut immédiatement le commandant du 84e corps d'armée à sa démarche claudicante : Marcks avait perdu une jambe sur le front de l'Est et portait une prothèse. C'était un chef austère et sévère. On ne servait à son mess que les rations officielles sans y ajouter le moindre supplément. Ses officiers d'état-major avaient même hésité, la nuit précédente, à aller lui souhaiter son anniversaire au douzième coup de minuit, conformément à la tradition, avec une bouteille de bon vin. Erich Marcks avait cinquante-trois ans ce 6 juin 1944. Ses officiers avaient reçu un accueil cordial et l'on avait vidé la bouteille de chablis sans se douter que les Alliés s'apprêtaient à célébrer l'anniversaire à leur manière.

Le général s'approcha du colonel von Oppeln-Brokinowski et lui dit :

— Oppeln, mon cher ami, il faut que vous rejetiez les Anglais à la mer, sinon l'Allemagne aura probablement perdu la guerre.

Le colonel répondit en saluant :

— J'attaque, mon général.

Et, à la tête de ses tankistes, il lança cet assaut dont dépendait le sort de son pays.

Tout fut réglé en quelques minutes.

Vingt-cinq Panther attaquaient en direction de Biéville. Il leur fallait gravir la pente dénudée d'une colline, après quoi les chars pourraient dévaler jusqu'aux plages. Les conducteurs poussèrent leur moteur au maximum et les monstres d'acier grimpèrent en rugissant. Les artilleurs britanniques avaient mis leurs antichars en batterie au sommet de la colline. La première salve stoppa le char de tête. Tous les Panther ouvrirent le feu. Mais leur canon de 75 long avait un appareil de visée limité à deux kilomètres et demi. Les obus tombèrent bien avant des pièces anglaises, dont la puissance était supérieure. Lorsque six Panther eurent été mis en flammes, les autres firent demi-tour pour se retirer hors de portée.

A quelques kilomètres de là, les trente-cinq chars du 22e régiment qui attaquent sur Périers connaissent un sort identique. Dix sont détruits sans pouvoir atteindre une seule pièce adverse. Les rescapés se replient sur leur base de départ.

C'est à hurler de rage !... Les ordres et les contrordres qui se sont succédé depuis la nuit sont responsables du désastre. On a attaqué huit heures trop tard. Les Britanniques ont mis à profit ce délai pour débarquer leurs antichars. Lancés dès l'aube, les Panther pouvaient écraser l'ennemi sur les plages. Lâchés en fin d'après-midi, ils se sont heurtés à une résistance insurmontable.

Et voici que le ciel s'emplit à nouveau du grondement trop familier des moteurs. Les tankistes allemands se perdent dans le décompte des avions qui les survolent et dont chacun tire un planeur. Combien sont-ils ? Deux cents ? Trois cents ? Deux cent cinquante exactement. Jamais dans l'histoire autant de planeurs n'ont volé en même temps. Des escadrilles de chasseurs, très haut dans le ciel, veillent sur leur lent troupeau. Les carlingues en contre-plaqué sont bourrées de renforts pour les parachutistes du général Gale, de canons, de jeeps, de chars légers. La Flak débordée ne réussit à en abattre qu'un seul. Les autres atterrissent tant bien que mal, cassent du bois, mais les pertes sont minimes. Un planeur Hamilcar prend feu. On croit ses passagers perdus, mais la carlingue éclate sous le coup de boutoir du tank qu'elle transportait et que son conducteur a mis en marche sans s'émouvoir.

Le colonel von Oppeln-Brokinowski a ordonné à ses hommes d'enterrer leurs chars jusqu'aux tourelles, seul moyen d'échapper au tir de l'artillerie ennemie et aux innombrables Jabos. On enterre avec eux la dernière chance allemande de réussir ce 6 juin une contre-attaque décisive. La 21e division blindée est réduite à la défensive. Elle ne pourra repartir à l'assaut qu'avec l'appui de la 12e division S.S. Hitlerjugend et surtout de la Panzer-lehr. Cette Panzer-lehr dont le général Guderian, inspecteur suprême des blindés allemands, a dit au général qui la commande : « Avec ça, vous rejetterez à l'eau les Anglo-Américains. » La Panzer-lehr, seule division allemande entièrement cuirassée, forte de deux cent soixante chars et de huit cents véhicules blindés. La Panzer-lehr, dont tous les sous-officiers sont des instructeurs spécialistes qui ont transformé en tankistes d'élite les milliers de garçons qu'on leur a confiés. La Panzer-lehr, meilleure division blindée de l'armée hitlé-rienne...

« *Quand allons-nous démarrer ?* »

Le caporal Hasso Brodtke, dix-huit ans, servait comme radio dans une section antiaérienne de la Panzer-lehr. Les 88 lourds et les 37 jumelés ou quadruples étaient en batterie sur l'île Seguin, à Boulogne-Billancourt. Ils protégeaient les usines Renault qui fabriquaient des chars pour la Wehrmacht.

« J'étais de service dans la nuit du 5 au 6 juin, raconte-t-il. Vers trois ou quatre heures, j'ai reçu un message annonçant que des forces ennemies avaient pénétré en France. Ça ne m'a pas ému. J'étais persuadé qu'il s'agissait encore d'un exercice d'alerte. J'ai réveillé mon lieutenant et je lui ai annoncé la nouvelle. Il m'a répondu : "Bon, d'accord." Et il s'est tourné de l'autre côté pour se rendormir. Je suis revenu à ma radio et j'ai demandé par acquit de conscience : "Dites, c'est un exercice ou quoi ? — Un exercice ? Sûrement pas. C'est du sérieux." J'ai secoué le lieutenant en lui criant que c'était sérieux. Il a sursauté et a immédiatement donné l'alerte. Nous avons ensuite reçu un message : "Préparez-vous à partir. Vérification du matériel. État d'alerte permanent." »

Le canonnier Ludwig Hämmerle dort dans son char Panther, assis sur son siège métallique, la tête nichée au creux de ses bras qu'il a posés sur la mitrailleuse. La position est inconfortable mais les ordres prévoient qu'un membre de l'équipage doit passer la nuit dans le char : on craint les sabotages de la Résistance. Les quatre autres tankistes dorment à l'aise sous une tente. Il y a l'adjudant Unger, chef de char ; le sergent Kessler, mitrailleur ; le caporal Walter Surbeck, radio, qui a le même âge que Ludwig Hämmerle : dix-huit ans. Le conducteur, cinquième homme d'équipage, s'appelle Heinz Gussmann et il lui reste quatorze jours à vivre.

Le cantonnement était plaisant. Les vingt-deux chars de la compagnie étaient embusqués dans une forêt dont le feuillage touffu les dissimulait aux trop curieux Jabos. Une rivière coulait à proximité et il faisait bon s'y baigner. Les champs de blé étendaient leur nappe blonde jusqu'à Chartres, à une trentaine de kilomètres au nord. On se sentait bien loin de la guerre.

« J'ai le sommeil léger, raconte Ludwig Hämmerle. Au milieu de la nuit, j'ai été réveillé par le bruit d'une moto et l'alerte a été donnée aussitôt après. On nous a dit que des troupes ennemies avaient été lâchées quelque part en France. On a d'abord cru qu'il s'agissait encore d'un exercice mais on s'est vite rendu compte que c'était plus sérieux. » « Le sergent Kessler nous a tous secoués, continue son camarade Walter Surbeck — un gaillard blond au regard bleu acier qui aurait pu poser pour une affiche de propagande. Kessler criait : "Debout, les gars ! Préparez-vous ! Videz-moi le char de tous vos trucs : il nous faut de la place pour les obus. Vous ne gardez que les vivres et vous me balancez tout le reste." Et il s'est mis à jeter un tas d'affaires, comme les tubes à masques à gaz, les boîtes de graisse et des choses comme ça. On a replié les tentes et avancé les chars à la lisière de la forêt, prêts à partir. »

Mais l'ordre de départ n'arrive pas. C'était bien la peine de tant se dépêcher... Alors, on fignole le camouflage des Panther. « Tout le monde s'y est mis, dit le conducteur de char Hans Rost, qui a lui aussi dix-huit ans. On coupait des branches aussi feuillues que possible. Il y a sur un char un tas de tiges et d'anneaux sur lesquels on peut fixer le camouflage. Partout où l'on pouvait glisser une branche, on le faisait. Là où ça manquait, on mettait du fil de fer. A la fin, personne n'aurait pu croire qu'il s'agissait d'un char. On ne voyait qu'un gros buisson, même en y regardant de près. »

Les casiers à obus sont remplis à ras bord, le plein d'essence est fait, les tanks sont camouflés... mais l'ordre de départ n'arrive toujours pas.

« Plus rien à faire, continue Hans. On traînait autour des chars. Walter Surbeck et moi, on a échangé les adresses de nos familles, chacun promettant d'écrire si l'autre était tué. Il y avait des camarades qui se rôtissaient au soleil mais la plupart essayaient de savoir ce qui se passait. On racontait que l'ennemi avait débarqué au Mont-Saint-Michel ; d'autres parlaient de Caen et de Cherbourg. En vérité, on ne savait rien de précis. Mais personne ne comprenait pourquoi on nous forçait à rester sur place. Franchement, on avait envie d'y aller. On était pleins d'enthousiasme. Toute notre éducation nous avait préparés à la guerre. Le combat était le but suprême. Nous voulions défendre notre patrie. » Et Ludwig Hämmerle confirme : « On piaffait d'impatience. Quand allions-nous enfin démarrer ? Aucun de nous n'avait peur. Notre seule crainte, c'était que les troupes côtières rejettent l'ennemi à la mer avant que nous n'ayons eu le temps de participer à la fête. »

S'ils savaient, ces garçons prêts à se battre et à mourir, que les chefs qui les ont dressés depuis l'enfance pour la bataille ne sont pas capables d'utiliser leur dévouement à l'heure cruciale où se joue le destin de l'Allemagne... S'ils savaient que le crétinisme de la dictature nazie est seul responsable du temps perdu et que la redoutable Panzer-lehr est stoppée encore plus efficacement par la bêtise de leurs chefs qu'elle ne le sera, plus tard, par la bravoure de l'adversaire...

L'ordre n'arrive qu'en fin d'après-midi : les deux cent soixante chars et les huit cents véhicules blindés chargés de grenadiers devront démarrer en direction de la côte à dix-sept heures précises.

Le général Fritz Bayerlein, chef de la division, proteste aussitôt contre la folie de ces instructions. C'est un homme de petite taille, mais trapu et débordant d'énergie. Il a servi avec Rommel à la tête de l'Afrikakorps et il sait par expérience ce dont est capable l'aviation alliée. Pour lui, l'ordre arrive trop tard ou trop tôt. Trop tard : il aurait fallu partir la nuit précédente, à réception de l'annonce de l'attaque ennemie. Trop tôt, car s'il lance ses colonnes blindées sur les routes dès cinq heures de l'après-midi, elles seront exposées au tir des Jabos jusqu'à la tombée de la nuit, c'est-à-dire vers dix heures du soir. Bayerlein demande à ses supérieurs l'autorisation de ne démarrer qu'au crépuscule. Elle lui est refusée. Après avoir bloqué pendant plus de quinze heures la piaffante Panzer-lehr, l'état-major allemand n'admet pas le moindre délai. Bayerlein devra être en mesure d'attaquer à l'aube du 7 juin.

« Quelle joie de prendre la route après cette interminable attente ! raconte Ludwig Hämmerle. Avec un peu de chance, nous arriverions juste à temps. Les chars de la compagnie roulaient depuis quelques minutes quand des dizaines d'avions nous ont survolés. Je me suis senti déborder de fierté et de confiance. Je me disais : "Nos chars roulent vers la bataille, veillés par la Luftwaffe : il ne peut rien nous arriver." Et puis les avions ont piqué en lâchant des bombes et des rafales de mitrailleuse... C'était l'ennemi. »

Les Jabos ont cinq heures devant eux pour s'occuper de la Panzer-lehr.

« *On a commencé à avoir peur* »

Hans Burckhardt, qui a dix-huit ans lui aussi : « Ils nous ont surpris pendant qu'on refaisait le plein d'essence. Nous nous sommes défendus à la mitrailleuse mais les balles semblaient ricocher sur eux. Nous avons appris par la suite que leurs tôles étaient blindées sous le moteur et sous le siège du pilote. Les bombes ont mis le feu au camion-citerne et deux chars ont été carbonisés. Deux morts, plusieurs blessés. C'était épouvantable. On a commencé à avoir peur. »

Le calvaire de la Panzer-lehr n'en est qu'à son début : il durera plus de trente-six heures sans interruption. Sur toutes les routes qu'emboutteillent ses centaines de véhicules, c'est le même ballet mortel des Jabos. Les pilotes des chasseurs-bombardiers ne regagnent leur base que lorsque les ténèbres les empêchent de distinguer l'objectif. Mais les lourdes escadres de bombardiers prennent alors le relais. Elles pilonnent systématiquement les carrefours, les ponts, les villes surtout que doivent traverser les colonnes de Bayerlein. Des amas de ruines obstruent les rues. Celles-ci, même intactes, sont souvent trop étroites et le char de Ludwig Hämmerle, bloqué dans un virage, doit détruire l'angle d'une maison pour se frayer un passage. La lueur des incendies est si forte qu'on y voit comme en plein jour.

« Nous longions des chars carbonisés, se rappelle Rudolf Werner. Ils étaient rouge vif, rayonnant de chaleur comme des boules de feu : nos réservoirs contenaient cinq cents litres d'essence et quand ça cramait... Dans notre char aussi, il faisait très chaud. A cause des freins. Vous ne conduisez pas un Panther de la même façon qu'une bicyclette. Pour tourner à droite, par exemple, il fallait appuyer sur la pédale bloquant la chenille droite. Seule la chenille gauche continuait à progresser et le char pivotait. Alors, comme on virait sans cesse, les freins chauffaient dur et nous avons même dû changer souvent les garnitures. C'était chaque fois un travail de deux heures. » Le mitrailleur Hans Burckhardt : « Je n'y voyais rien. Le chef de char indiquait la direction. Il ne disait pas : "A droite" ou "A gauche" : on faisait comme si on se dirigeait sur le cadran d'une montre. Pour aller droit devant, par exemple, le chef disait : "Direction midi." Pour tourner à droite : "Trois heures" ou "quatre heures", etc. »

Le conducteur de char Hans Rost avait l'impression qu'il n'arriverait jamais au but : « Sur la route, les Jabos nous canardaient. J'essayais de passer par les prés mais ce n'était pas commode. Il y avait les haies. J'avais tout le temps peur de ne pas rester parallèle à la route ou de m'enliser dans un marécage. On a essayé de reprendre le goudron quand la nuit est tombée mais la chaussée était obstruée de véhicules incendiés qu'il fallait pousser au fossé. Le plus dramatique, c'était encore la traversée des villes et des villages. Et aussi des rivières. Les ponts n'existaient plus. Pas de problème quand l'eau n'était pas trop profonde. Sinon, on essayait d'improviser des pontons avec tout ce qui nous tombait sous la main. Quelle perte de temps... »

La nuit est courte, en juin, et l'aube ramène les Jabos à la curée.

Le caporal Hermann Beck les vit piquer et sauta de sa moto pour se précipiter dans le fossé. A quelques mètres de lui, l'un de ses camarades s'était réfugié sous un camion. « Une rafale a mis le véhicule en flammes et j'ai entendu mon copain hurler comme une bête. Je n'avais jamais entendu un cri pareil. Nous avons tous été pétrifiés de surprise. »

Hasso Brodtke, qui roule sur une autre route avec sa batterie : « J'ai eu peur pour la première fois. Le spectacle des morts, les hurlements des blessés, l'odeur infecte du caoutchouc brûlé... Il y en a qui ont piqué une crise de nerfs. Les vieux nous ont calmés. Ils nous disaient : "Ne t'affole pas. On a déjà connu ça. On s'y est habitués et tu t'y habitueras aussi." C'étaient des anciens du front de l'Est. On s'est raccroché à eux comme on se raccroche à un père. Mais quel choc... »

Le même choc que celui subi par les paras de Heydte, si

semblables aux garçons de la Panzer-lehr par la jeunesse et l'enthousiasme. Les uns, qui rêvaient de glorieux combats au corps à corps, ont découvert l'amère réalité des obus de marine. Les autres, brûlant de prouver leur valeur face aux Sherman ennemis, font l'expérience de la mort absurde qui vous arrive du ciel. Tous découvrent cette vérité de la guerre moderne, soigneusement dissimulée aux jeunes par les militaires et les propagandistes de tous pays : sur dix soldats tués, neuf le sont par un ennemi invisible ou contre lequel ils ne peuvent rien. Hans Rost ne peut pas plus agir contre le pilote du Jabo que Wolfgang Geritzlehner contre le canonnier de marine qui, de vingt-cinq kilomètres, lui envoie des obus d'une tonne...

La Panzer-lehr n'attaquera pas à l'aube du 7 juin, ni à midi, ni même le soir. Les Jabos la tiennent à la gorge. Freinée, éparpillée, décimée, égrenant sur les routes les carcasses calcinées de ses véhicules, elle n'arrivera au contact des troupes débarquées qu'à l'aube du 8 juin — quarante-huit heures trop tard.

Walter Surbeck : « J'ai dit à l'adjudant Unger, notre chef de char : "Tiens, on va avoir de l'orage." Il m'a répondu : "Pourquoi ça ? Il n'y a pas un seul nuage dans le ciel. — Vous n'entendez pas le grondement ?" Il m'a regardé, puis il a dit : "Ce n'est pas l'orage, c'est le canon." Tout le monde s'est tu. »

Les Panther de la 8e compagnie approchaient de Tilly, où allait se livrer l'une des batailles de chars les plus acharnées de toute la guerre.

La 311e batterie de Flak se mit en position dans le parc d'un vieux château et Hasso Brodtke s'installa avec les autres radios dans le château lui-même.

« Nous étions bien jeunes, dit-il aujourd'hui, et curieux comme tous les jeunes. Nous avons visité ce château, que les propriétaires avaient quitté, et nous avons découvert dans une immense pièce une garde-robe vraiment extraordinaire : smokings, robes du soir, redingotes, costumes de chasse à courre... C'était si beau que nous en avons oublié la guerre. Chacun a enfilé un costume ou une robe longue, chacun a joué son personnage : "Mes respects, Monsieur le comte — Vous êtes ravissante, ma chère baronne !" Oui, certains s'étaient même maquillés et fardés. Et puis le canon s'est mis à tirer et le camarade raisonnable qui était resté près des appareils nous a crié du premier étage : "Alerte, les enfants ! Tout le monde à son poste !" On s'est précipités vers les appareils pour enregistrer les ordres de tir. Naturellement, pas le temps de se changer. Là-dessus, un officier est entré comme le diable et nous a regardés un long moment, nous tous qui étions devant nos postes en smoking ou en longue robe soyeuse, avec nos lèvres rouges et nos yeux fardés. Il est reparti sans dire un mot. »

Bref entracte dans la tragédie. La 21e Panzer a été battue le 6 juin au soir parce qu'elle attaquait huit heures trop tard. La 12e S.S. Hitlerjugend, retardée elle aussi par des ordres imbéciles, n'a pas réussi, le 7, à briser le front renforcé des Britanniques. La Panzer-lehr sera bloquée le 8 par les Alliés qui ont débarqué de nouveaux chars et de nouveaux canons.

Rommel, s'il avait été présent sur le champ de bataille, aurait sans doute épargné aux blindés cette ridicule cascade d'ordres et de contrordres. Mais il n'aurait pas pu éviter les retards. Il connaissait, depuis l'Afrique, la redoutable efficacité de l'aviation alliée. Il savait que l'on ne pouvait pas faire manœuvrer sous son feu les divisions blindées comme à l'exercice. Aussi avait-il supplié l'état-major suprême de rapprocher la 12e S.S. et la Panzer-lehr des côtes : c'était le seul moyen de pouvoir les jeter dans la bataille dès les premières heures. On le lui avait refusé. Le maréchal-gosse, considéré comme un parvenu par la plupart de ses supérieurs, n'avait pas à se mêler de grande stratégie. C'était pour tenter une dernière fois d'imposer ses vues que Rommel avait décidé de prendre quelques jours de permission en Allemagne. Après sa petite fête familiale, il comptait demander audience au Führer et obtenir de lui l'installation des divisions blindées à proximité immédiate des côtes...

Le dernier espoir

Les Allemands sont-ils donc condamnés à arriver toujours en retard ? Ce n'est pas sûr. Le sprint est perdu pour eux. Malgré les trépignements de rage de Hitler, ils ne rejetteront l'ennemi à l'eau ni le 6 juin ni les jours suivants. Mais ils peuvent encore gagner le marathon. Ils disposent, pour amener des renforts sur le front, des réseaux routier et ferroviaire français, qui sont alors parmi les meilleurs du monde. L'adversaire, lui, doit tout acheminer par mer, dans les cales de ses navires. Sa flotte est gigantesque ? C'est vrai. Mais comment débarquera-t-il sur des plages de sable le matériel lourd — grues, locomotives, ateliers de réparation, hôpitaux — indispensable à une guerre moderne ? Espère-t-il que ses barges suffiront à transporter jusqu'au rivage les centaines de chars nécessaires pour alimenter la bataille ? Impossible. Il faudrait à cet ennemi au moins un port pourvu d'une rade profonde et de quais solides pour que ses transports puissent y décharger leur cargaison.

Il n'a pas ce port et il n'est pas près de le conquérir, car Cherbourg et Le Havre ont été puissamment fortifiés. « Tenons les ports et nous tiendrons l'Europe », avait recommandé à Hitler son état-major, et Montgomery devait admettre que ces ports étaient « pratiquement imprenables par mer ». De plus, un ordre spécial du Führer prévoit que tout port qui ne pourra pas être tenu devra être détruit jusqu'à la dernière pierre afin de le rendre inutilisable.

Voilà pourquoi les stratèges allemands gardent confiance alors même que le Grand Jour va s'achever sans qu'ils aient pu réduire une seule tête de pont ennemi, et alors que les plus lucides savent déjà que les contre-attaques de la 12ᵉ S.S. et de la Panzer-lehr n'y réussiront pas les jours suivants. Tant que les Alliés n'auront pas de port, l'Allemagne conservera sa chance.

Sa dernière chance.

« *Emportons-les avec nous !...* »

Le problème avait été évoqué, il y avait de cela bien des mois, au cours d'une conférence réunissant à Londres les chefs militaires chargés de préparer le débarquement. C'était aux heures noires de la guerre et il fallait beaucoup d'optimisme pour envisager que les forces alliées deviendraient assez puissantes pour traverser la Manche et attaquer de front la Wehrmacht. Les hommes réunis autour d'une table recouverte de cartes avaient la foi chevillée au corps. Du fond des ténèbres, ils préparaient le Grand Jour. Mais que de difficultés... Il leur semblait souvent qu'ils ne parviendraient jamais à les résoudre.

On avait donc évoqué ce jour-là le problème des ports. Il était simple. D'une part, les Alliés avaient besoin d'au moins un port. D'autre part, aucun port ne pourrait être capturé et remis en état dans les délais nécessaires. La conclusion logique était que le débarquement échouerait. Personne n'osait le dire mais tout le monde le pensait.

L'amiral anglais Mountbatten écouta les experts développer leurs arguments, puis il leva la séance en disant calmement : « Eh bien, c'est tout simple : puisqu'on ne peut pas prendre leurs ports, on en emportera avec nous. » Un éclat de rire général salua cette boutade et il y eut même quelques huées : certains trouvaient qu'un problème aussi angoissant méritait mieux qu'une plaisanterie.

Mais Louis Mountbatten ne plaisantait pas.

Cet homme de quarante-deux ans avait une célébrité mondiale. Lord d'Angleterre, apparenté à la famille royale, heureux époux d'une héritière ravissante et milliardaire, il menait une vie mondaine fastueuse et on le voyait à toutes les réceptions où se pressaient les grands de ce monde. Mais c'était aussi un combattant redoutable. Il avait quitté son appartement londonien de trente pièces au premier jour de la guerre pour prendre le commandement du destroyer *Kelly*. Trois mois plus tard, le *Kelly* sautait sur une mine en mer du Nord et Mountbatten le ramenait de justesse au port. Le destroyer réparé part pour la Méditerranée, où l'aviation allemande le met une seconde fois au bord du naufrage. Lord Mountbatten le ramène à bon port et, tandis qu'on le répare, prend le commandement du *Javelin*. Celui-ci reçoit trois torpilles au cours d'un combat qui l'oppose à plusieurs navires allemands. Mountbatten parvient à rallier l'Angleterre et repart sur le valeureux *Kelly*, qu'une escadrille allemande réussit enfin à envoyer par le fond. Sauvé avec la plus grande partie de son équipage, Mountbatten s'était acquis un immense prestige dans la marine britannique. On avait vite oublié l'aristocrate un peu snob dont la photo ornait les magazines de luxe pour ne plus voir que le marin intrépide qui, toujours engagé à fond dans les combats les plus rudes, réussissait à ramener au port un bateau réduit à l'état d'épave.

Tel était l'homme que Churchill avait choisi pour préparer le Grand Jour. Il était à coup sûr énergique et courageux. Ce sont là des vertus de soldat que beaucoup de chefs allemands partageaient avec lui. Mais sa qualité la plus grande, aux yeux de Churchill, était une imagination débordante. Comme le vieux lion britannique, Louis Mountbatten ne croyait pas qu'il existât de problèmes insolubles. Un problème réputé insoluble n'était pour lui qu'un problème dont on n'avait pas encore trouvé la solution. Mountbatten savait aussi s'entourer d'adjoints inventifs. Le meilleur d'entre eux fut sans aucun doute Hugues Hallet, à qui revient probablement l'extraordinaire idée d'emmener des ports à travers la Manche. Churchill, Mountbatten, Hugues Hallet, Percy Hobart et sa bande, les chefs britanniques des services de renseignement qui mènent les Allemands par le bout du nez : l'état-major de l'imagination. En face, des généraux allemands routiniers qui ne savent que compter et recompter leurs divisions. Une seule exception : Rommel, le maréchal bricoleur. Mais ses asperges et ses pieux minés n'apparaissent-ils pas, justement, comme un bricolage un peu simplet auprès de la solution que lord Mountbatten et son équipe viennent de trouver à l'insoluble problème des ports ? « Emporter un port » avec soi, on n'a encore jamais vu ça...

Et pas n'importe quel port. Un *vrai*, capable d'abriter des dizaines de navires, offrant à leur accostage des kilomètres de quais. L'équivalent de Douvres. Mais le port de Douvres a été construit en sept années, et en temps de paix, tandis que le port artificiel imaginé par l'équipe Mountbatten devra être installé en quelques jours, et pendant la bataille. Un port ? Même pas. Il serait insuffisant. Les experts sont formels. Ce sont donc deux ports préfabriqués, deux Douvres ambulants, que l'armée du général Eisenhower devra emporter avec elle.

Les techniciens se mettent au travail. Ils ne sont pas très heureux, les techniciens... Ils estiment que l'imagination est admirable chez les poètes mais redoutable chez les amiraux. Au fond, on leur demande de mettre en équation un poème. Ils savent ce qu'est un port, comment on le construit. Lord Mountbatten le sait-il ? Il y a des règles auxquelles on ne peut échapper par une plaisanterie lancée en conférence d'état-major. Un port, par exemple, se situe toujours dans une zone abritée du vent. On choisit un golfe ou une baie profonde. Aucune des plages de débarquement n'offre un site convenable. Ensuite, un port digne de ce nom est protégé des tempêtes par de longues digues capables de briser les plus fortes vagues. Lord Mountbatten espère-t-il couler face à la côte française les montagnes de pierres et de béton nécessaires à la construction de pareilles jetées ? Non, il ne l'espère pas. Son équipe décide de remplacer les digues traditionnelles par un brise-lames flottant. Il sera composé d'énormes bouées baptisées « Bombardons ». Le port lui-même sera délimité par de gigantesque caissons appelés « Phœnix ». Il y en aura en tout cent quarante-six, de taille différente selon la profondeur de l'eau puisqu'ils reposeront sur le sable du fond de mer. Les plus volumineux seront aussi hauts qu'une maison de cinq étages, aussi longs qu'un bloc d'immeubles. On construira en Angleterre ce prodigieux jeu de cubes, puis on le remorquera à travers la Manche pour le couler face au rivage de France. Chaque Phœnix sera pourvu d'une batterie de D.C.A. de 40, de vingt tonnes de munitions et d'un logement spacieux pour l'équipage.

Allons, les choses prennent forme ! Une première barrière de Bombardons pour casser les grosses lames et une seconde de Phœnix contre laquelle achèvera de se briser la houle. Les navires auront un havre tranquille pour décharger leur cargaison. Mais sur quoi la déchargeront-ils ? C'est ici que les techniciens grincheux attendent l'équipe de Mountbatten. Construire des quais ? Aussi impensable que construire des digues. Et puis avez-vous pensé au petit inconvénient que présentent les marées ? Eh oui, les marées... Elles ne sont pas gênantes dans les ports — *les vrais* — parce que ceux-ci sont creusés si profond qu'ils sont en eau même à marée basse, mais ce ne sera pas le cas de vos deux joujoux. A chaque marée basse, les bateaux descendront le long du quai et les soldats-dockers, au lieu d'être au niveau du pont, se retrouveront face à la pointe des mâts. Déchargement impossible. Autant dire que vos deux ports ne travailleront qu'à mi-temps...

Winston Churchill, qui se passionne pour le projet, a bien aperçu la difficulté. Encore un problème apparemment insoluble puisqu'il n'est pas possible de supprimer les marées. Qu'à cela ne tienne : Churchill écrit en marge du rapport qui lui est soumis : « Les quais devront monter et descendre avec la marée. Ne discutez pas cette décision : les difficultés se chargeront bien de la discuter. » L'équipe Mountbatten passe à l'application. Plus de quais, mais onze kilomètres de jetées-routes flottantes, lancées comme des passerelles sur de lourds chalands. A la tête de chacune de ces jetées-routes, un ponton en acier solidement ancré au fond de la mer par quatre jambes également en acier. C'est sur ces pontons que les navires débarqueront le matériel que des camions transporteront jusqu'à la côte. La plate-forme du ponton, longue de soixante mètres et large de vingt, monte ou descend comme un ascenseur le long de ses quatre piles d'acier grâce à de puissants moteurs électriques. Elle accompagnera donc le mouvement de la marée et les navires se trouveront à son niveau vingt-quatre heures sur vingt-quatre.

« Mulberry ? voyez plutôt l'intendance...

L'imagination a triomphé. Le projet est au point. Il ne reste plus qu'à lui trouver un nom de code pour préserver le secret. Un officier de Mountbatten choisit au hasard un nom de fruit : *mulberry* (mûre). Un choix très regrettable, comme on va voir...

Et maintenant, au travail ! Vingt mille ingénieurs et ouvriers sont réquisitionnés pour la construction des caissons Phœnix, tous les matériaux nécessaires sont rassemblés, mais un problème surgit, auquel personne n'avait songé : celui des chantiers navals. Les chantiers britanniques sont surchargés de commandes toutes plus vitales les unes que les autres et ils n'ont pas de temps à perdre avec le projet Mulberry, dont le nom ne leur semble pas très sérieux. L'équipe Mulberry arrache à grand-peine quelques bassins de radoub, juste de quoi construire la moitié des Phœnix. Où diable fabriquer les autres ? Où trouver des bassins qui n'existent pas ? Problème insoluble...

Problème résolu. Des bulldozers creusent des trous profonds de chaque côté de la Tamise. On construit dans chacun de ces trous un Phœnix et, lorsque le caisson est terminé, les bulldozers creusent un canal jusqu'au fleuve. Le trou s'emplit d'eau, le Phœnix flotte et un remorqueur le hale jusqu'à la Tamise et vers la mer.

Mais que de difficultés ! L'eau de la Tamise s'infiltre dans les trous pendant la construction des caissons et il faut mettre en place des pompes fonctionnant jour et nuit pour l'évacuer. Autre problème : où va-t-on installer les Phœnix terminés ? Tous les ports sont pleins à craquer. On décide de les couler provisoirement en face des plages anglaises. Le contre-amiral

Tennant, contemplant les montagnes de béton à demi immergées, murmure d'une voix stupéfaite : « On dirait que quelqu'un a emporté Chicago pour le déposer là... » Mais un officier pessimiste suggère qu'il serait préférable de vérifier immédiatement s'il est aisé de remettre les caissons à flot. Catastrophe : on n'y parvient pas ! Les techniciens anglais s'avouent impuissants à imaginer une solution. Quelques officiers sautent dans un avion et atterrissent à Washington. On les reçoit avec un sourire : « Projet Mulberry ? Très appétissant, très drôle... » Les officiers enragent. Pourquoi n'a-t-on pas donné à leur affaire un nom de code redoutable qui le ferait prendre au sérieux ? « Si on l'avait appelé par exemple "Dents de tigre", affirme l'un d'eux, je suis sûr que notre tâche aurait été bien simplifiée. » Et les hommes de Mountbatten n'ont pas le droit d'expliquer de quoi il s'agit. Ils ne peuvent pas citer cette phrase au rapport officiel adressé à Churchill : « Le projet est si vital pour le succès du débarquement qu'on peut le considérer comme la clé de voûte de l'opération. » Mulberry est *top-secret*. Les femmes de ménage n'ont pas le droit d'entrer dans la grande salle où sont entassés les plans, les dessins, les maquettes, de sorte que les officiers qui y travaillent vivent dans un perpétuel nuage de poussière. « Projet Mulberry ? Voyez l'intendance, mon vieux, je ne m'occupe pas de fruits en conserve. » Les malheureux officiers finissent tout de même par trouver un technicien américain qui remet les caissons à flot. Ouf !...

Mais les remorqueurs ? Les spécialistes sont formels : pour la périlleuse traversée de la Manche, il faut au moins deux remorqueurs par Phœnix, soit 292 au total. Où les trouver ? Nulle part. L'Angleterre et l'Amérique réunies ne possèdent pas tant de remorqueurs et leurs chantiers navals n'ont pas le temps d'en construire. Que faire ? Imaginer et expérimenter des techniques nouvelles. Après bien des échecs, à force de persévérance et d'astuce, l'équipe Mulberry fait mentir les spécialistes : il suffira d'un remorqueur par Phœnix.

Toutes ces difficultés font perdre du temps. En janvier 1944, à cinq mois du Grand Jour, l'équipe Mulberry a déjà trois semaines de retard sur son programme. En février, ce retard s'est encore accru. Personne n'y peut rien. Personne ne pouvait imaginer tous les problèmes qu'il faudrait résoudre puisque c'est la première fois dans l'histoire des hommes qu'on construit un port en pièces détachées. Les responsables du projet Mulberry, accablés d'échecs et de contretemps, vivent un continuel cauchemar. Ils savent que le succès du débarquement dépend tout autant d'eux que des fantassins de la première vague d'assaut. Ils voient avec consternation s'accumuler en Angleterre les millions de tonnes de matériel que leurs deux ports artificiels devront accueillir de l'autre côté de la Manche. Et rien ne marche. A peine une solution est-elle trouvée qu'un autre problème surgit. L'angoisse ne les quitte pas. L'épuisement physique et nerveux les terrasse. L'un d'eux, le capitaine Clark, vieillit de plusieurs années en quelques mois. Sa chevelure devient blanche. Son visage se creuse de rides profondes. Ce marin n'aura pas eu la joie de commander un navire au feu. Sa guerre consiste à se battre avec les délais de livraison, les problèmes techniques, les bureaux nonchalants qu'il faut sans cesse relancer. Il mène ses hommes d'une poigne de fer, n'admet aucune défaillance. Clark est tendu vers ce seul but : être prêt pour le Grand Jour.

Pluto sous la mer

Une autre équipe se bat de son côté pour mener à bien le projet Pluto. Encore une idée de lord Mountbatten. Il a fait ses comptes. Les énormes quantités d'essence brûlées par une armée motorisée exigeront le va-et-vient à travers la Manche de plusieurs dizaines de pétroliers dont on a grand besoin ailleurs et qui, au surplus, encombreront des ports déjà surchargés. Pourquoi ne pas remplacer cette flotte par un simple tuyau posé au fond de la mer et reliant les côtes anglaise et française ? On le fait bien pour les câbles téléphoniques : pourquoi pas pour un pipe-line ?

Réponse des techniciens consultés : c'est impossible. Mountbatten n'en est pas étonné, sachant par expérience que les techniciens ont tendance à ne juger faisable que ce qui a déjà été fait. Il recrute quelques spécialistes dégagés de l'esprit de routine et les met au travail. Nom de code de l'opération : Pluto. Rien à voir avec le célèbre chien de Walt Disney. Pluto est formé avec les initiales des mots « *pipe-line under the ocean* » (pipe-line sous l'océan).

Les recherches aboutissent. Les premières expériences sont concluantes : le tube de soixante-quinze millimètres de diamètre mis au point par les hommes de Mountbatten fera l'affaire. Mais il faut encore trouver le moyen de dérouler à travers la Manche les dizaines de kilomètres de pipe-line nécessaires. Les navires câbliers classiques ? Ils sont équipés pour la pose de lignes téléphoniques et non pour celle d'un pipe-line. Aucun d'eux n'est assez vaste pour embarquer quatre-vingt-dix kilomètres d'un tube aussi épais. On aménage un gros bateau et l'opération se déroule à la satisfaction générale des techniciens.

Les marins, par contre, font la moue : trop lent, beaucoup trop lent. Ce serait sans inconvénient en temps de paix mais il ne faut tout de même pas oublier l'existence des sous-marins allemands. Une seule torpille bien placée et le navire coulera avec son précieux tube, clouant sur place, faute d'essence, les divisions d'Eisenhower. L'équipe Pluto se remet à l'ouvrage. Elle imagine de fixer sur le pont d'un dragueur un tambour géant, une gigantesque bobine autour de laquelle sera enroulé le tube. Les délais de pose s'en trouvent considérablement raccourcis. Par contre, on va perdre beaucoup de temps à équiper plusieurs dragueurs, car aucun d'eux ne peut emporter à lui seul la totalité du pipe-line. L'équipe Pluto trouve la solution. Les bobines géantes, longues de près de trente mètres, flotteront directement sur la mer et seront tirées par des remorqueurs. Le pipe-line se déroulera tout naturellement au fur et à mesure de l'avance. La solution est à la fois simple et efficace. Le projet Pluto a abouti.

Ce n'est pas tout. L'équipe Mountbatten sait qu'une semaine au moins sera nécessaire pour assembler les deux ports artificiels face aux côtes françaises. Comment abriter pendant cette semaine cruciale les centaines de barges qui feront le va-et-vient entre les gros transports mouillés au large et les plages ? Un coup de vent suffirait à empêcher les transbordements, coupant les troupes débarquées de tout ravitaillement en vivres et en munitions. La solution imaginée par les hommes de Mountbatten scandalise les états-majors de la marine alliée qui, accablés par les phénoménales quantités de matériel à transporter des États-Unis en Angleterre, font naviguer jusqu'aux vieux rafiots bons pour la ferraille. Mountbatten réclame tout simplement soixante-dix navires. Pour quoi faire ? Pour les couler face à cinq plages françaises. On les alignera en arc de cercle et leurs coques massives, dont seuls émergeront les mâts et les cheminées, formeront un brise-lames efficace. Nom de code du projet : *Gooseberry* (groseille) — encore un nom de fruit...

Soixante-dix navires ! L'Amirauté proteste mais Mountbatten reste inflexible. Il consent tout juste à réduire ses prétentions de dix unités : soixante bateaux suffiront. On les lui accorde, la mort dans l'âme. On choisit les rafiots les plus usagés, ceux qui ne tiennent plus que par la peinture, comme disent les marins, et dont les âges additionnés atteignent le total de deux mille ans... La plupart sont des navires de commerce de toutes nationalités mais il y a aussi des bateaux de guerre hors d'usage. Parmi eux, le vieux croiseur français *Courbet*. En 1940, au large d'une plage qui ne s'appelait pas encore Utah, le *Courbet* avait pilonné la division blindée de Rommel qui fonçait triomphalement sur Cherbourg, l'obligeant à bifurquer pour échapper à ses obus. Quatre ans plus tard, le vieux et fier *Courbet* allait reprendre le combat contre Rommel dans des conditions que son équipage n'aurait jamais pu imaginer : en acceptant de se saborder pour protéger de sa masse le troupeau des barges.

Une flotte sortie d'un rêve

Cette seconde flotte alliée navigue vers la France. Flotte étrange, comme sortie d'un rêve, faite de bateaux bons pour la casse, de remorqueurs s'essoufflant à tirer les gigantesques bouées Bombardons, les énormes caissons Phœnix, les bobines de Pluto. Flotte infiniment redoutable pour l'ennemi, non pas à cause de ses canons puisqu'elle n'en possède pas, mais par la somme d'imagination que représentent ces monstres d'acier et de béton halés à travers la Manche. « Tenons les ports et nous tiendrons l'Europe », avaient proclamé les généraux de Hitler. Ils avaient compté et recompté leurs ports, ils les avaient puissamment fortifiés et ils s'étaient crus tranquilles : un port, ça ne s'invente pas. Mais la plaisanterie lancée par un amiral anglais au sortir d'une conférence était devenue réalité, et voguaient vers la France deux ports dont les généraux allemands n'avaient pas tenu compte dans leurs calculs.

S'ils savaient, s'ils voyaient ce spectacle tel que la mer n'en a jamais offert, ils seraient accablés par la certitude de leur défaite. Les Alliés pourront jeter dans la bataille les masses de vivres, de munitions et de matériel nécessaires à une guerre moderne. Pluto sera l'artère nourricière qui leur apportera l'essence aussi vitale que le sang l'est au corps humain. Les renforts arriveront en flot ininterrompu par la gigantesque passerelle jetée au-dessus de la Manche.

Mieux encore : ces stratèges allemands si assurés de gagner parce qu'ils disposent, eux, de routes et de voies ferrées, ils vont découvrir bientôt ce que valent des lignes de chemin de fer après le pilonnage des escadres de Forteresses volantes, et à quelle allure on roule sur des routes où la Résistance française multiplie les embuscades. Il faudra parfois des semaines à leurs divisions blindées pour atteindre la Normandie. Leurs convois de camions-citernes brûleront au bord des routes. Les trains déraillés vomiront sur les remblais leur chargement d'obus et de balles.

La flotte de l'imagination navigue vers les plages où l'on se bat depuis l'aube. En tête, les soixante sacrifiés de Gooseberry, qui arriveront les premiers au rendez-vous. La nuit a été bien longue pour leurs équipages. Ils l'ont passée sur le qui-vive, scrutant les ténèbres, redoutant à chaque seconde une collision qui aurait été fatale : on a déjà découpé au chalumeau les cloisons étanches afin de pouvoir couler les bateaux dès leur arrivée à destination, et le moindre choc entraînerait un naufrage pratiquement instantané, sans chance de survie pour l'équipage. L'aube venue, le risque de collision a disparu, mais la possibilité demeure d'un torpillage ou de la rencontre avec une mine qui aurait échappé aux dragueurs. Les soixante cercueils flottants avancent au rythme de leurs machines poussives.

L'angoisse est aussi profonde sur les bateaux de Mulberry. L'inflexible capitaine Clark a réuni ses hommes juste avant l'appareillage, à l'aube du Grand Jour. Ils s'attendaient à quelques encouragements, sinon à des félicitations. Après tout, ils avaient réussi leur affaire, rattrapant le temps perdu, résolvant tous les problèmes, surmontant des difficultés toujours renaissantes. Le discours du capitaine Clark fut bref : « Quelques-uns d'entre vous ont fait un véritable gâchis de la tâche qui leur était confiée. Ils ont encore une chance de se rattraper au cours des jours et des nuits de travail qui nous attendent. »

Sur ces mots, il donna l'ordre d'appareiller. Droit sur sa passerelle, son visage blêmi par les veilles et creusé par la fatigue enfin offert au vent de la mer, il vit se déployer les remorqueurs qu'il avait dû arracher un par un à l'Amirauté récalcitrante. O surprise — et bonne surprise : il y en avait un de plus que prévu ! Comment était-ce possible ? Clark interrogea par signaux optiques son adjoint, le lieutenant Barton. Celui-ci répondit en morse : « Il n'est pas à nous. J'ai effacé son numéro et j'en ai mis un autre. Personne ne découvrira jamais rien. Les types de ce remorqueur voulaient vraiment venir avec nous. » Après quoi Barton éloigna prudemment son bateau de celui de Clark pour éviter la prévisible colère du terrible capitaine. Celui-ci se borna à accuser réception du message.

Mulberry n'en a pas terminé avec les difficultés. Lorsque le capitaine Clark reçoit par radio le premier message lancé d'Angleterre, il découvre que les livres de code qu'on lui a confiés ne sont pas les bons. Impossible de déchiffrer le message, ni aucun de ceux qui vont suivre. Impossible de demander des instructions si un événement imprévu survient. L'équipe Mulberry est sourde-muette. Soudain, ses radios captent des messages lancés en clair. Une voix furieuse crie à tue-tête : « Vous n'avez pas besoin d'attendre les barges infirmeries pour évacuer vos blessés ! Utilisez n'importe quelle embarcation ! » Cela vient des plages où l'on se bat, où il y a des blessés. Puis encore un cri lancé sur les ondes : « Barge 88 touchée par un coup direct ! » Que se passe-t-il ? Le débarquement a-t-il tourné au désastre ? Et ces messages codés que l'on continue de recevoir sans pouvoir les déchiffrer... Peut-être apportent-ils l'ordre de faire demi-tour ? Si la bataille des plages est perdue et si Mulberry tombe sous le feu ennemi, quelles cibles pour les artilleurs allemands que ces caissons gros comme des immeubles...

Silencieux, tendus, crispés, les radios guettent sur leur récepteur les ordres hurlés à pleine voix et les appels au secours, échos angoissants d'une bataille dont ils ne savent rien.

Ils sont à l'écoute d'Omaha Beach.

« *On est quand même au bout du rouleau* »

C'est la fin.

Les Sherman parvenus au pied de la falaise tiennent sous leur feu la tranchée de Hein Severloh. Les fantassins l'ajustent au bazooka, à la mitrailleuse et au fusil. La terre hachée par les projectiles frémit et tremble sans discontinuer, « comme quand on lance une poignée de maïs dans de la paille coupée », dit le jeune paysan de Metzingen plongé en plein enfer. Ses munitions sont pratiquement épuisées. Courbé en deux, il fonce vers le blockhaus des radios. Ceux-ci, qui ne voient rien de la bataille, lui ont demandé de ne pas les laisser sans nouvelles. Ils ont la hantise de l'encerclement. Hein leur montre l'éclat d'obus qui a cabossé son casque. L'encerclement ? Oui, on se bat à l'intérieur des terres. Les Américains ont réussi à passer. Les jeunes radios apprennent la nouvelle avec calme mais leurs deux sous-officiers, plus âgés, cèdent à la panique. L'un d'eux pleurniche : « Nous sommes perdus... » L'autre, Hein le connaît bien. Un sale type qui n'arrêtait pas de le débiner auprès du capitaine Ferking. Il a perdu toute sa superbe et crève de peur. Hein raconte : « Mon copain Eberhard Schulz, qui devait être tué un peu plus tard, m'a dit : "Sois gentil : sors-le d'ici. Il nous rend dingues avec sa trouille." J'ai empoigné le sous-off qui tremblait comme si c'était la fin du monde et je lui ai dit : "Tu avais envie de te battre ? Tu voulais tirer ? Eh bien, viens avec moi : c'est le moment ou jamais." Il ne voulait pas mais je l'ai pris par la nuque et je l'ai emmené de force. On s'est aplati à un coude de la tranchée et je lui ai montré ma mitrailleuse : "Tu la vois ? Alors, écoute-moi bien. Il faut y arriver d'un seul bond, poser ton doigt sur la détente et appuyer en même temps que tu jettes un coup d'œil par-dessus le parapet. Fais vite parce qu'ils t'arroseront dès qu'ils verront ton casque. Tu tires et tu te remets aussitôt à l'abri, sinon tu es un homme mort. Vas-y !" Il y est allé et je me suis un peu redressé pour voir comment il se débrouillait. J'ai sans doute trop levé la tête car ils nous ont envoyé un obus en plein dans la tranchée. Quand j'ai réussi à me dégager de l'éboulement, plus de sous-off et plus de mitrailleuse. J'ai creusé la terre avec mes mains pour les dégager. Le pauvre type était vivant mais complètement terrorisé. Je lui ai dit : "Allez, va-t'en, sauve-toi ! On est quand même au bout du rouleau." Il ne me restait plus que cinquante balles à tirer. Le capitaine Ferking est sorti du blockhaus pour venir me voir. Il l'avait à peine quitté qu'un obus éclatait à l'intérieur. Le lieutenant Grasz a été touché au genou. Le capitaine m'a dit : "Hein, il faut essayer de filer. Je passe le premier et tu me suis." »

Rien d'autre à faire. Aucune défense n'est plus possible. Mieux vaut tenter une sortie que de se laisser massacrer ou capturer inutilement sur place. Comment traverser le faisceau d'obus et de balles que l'ennemi fixe sur le point d'appui ? Une seule solution : foncer tête baissée en comptant sur sa chance. Le premier à tenter le coup est un sous-officier appartenant à la petite troupe de l'adjudant Pieh. Il bondit hors de la tranchée et disparaît aux yeux de ses occupants. Une grêle de balles s'abat aussitôt sur ce qui reste du parapet. « Je suis sûr, dit Hein, que chaque centimètre carré de terre avait son projectile. » Il échange un regard avec le capitaine Ferking. Celui-ci lui tend la main : « Au revoir, Hein, et bonne chance. Vas-y, je te suis. » Le garçon serre la main de cet officier qu'il a appris à aimer et à respecter. Hein a très peur. La tête vide, il déploie d'un bond sa grande carcasse et jaillit de la tranchée, sa mitrailleuse 42 sur l'épaule. A cinq ou six mètres, un cratère de bombe. Il y jette sa mitrailleuse et plonge dedans. Il est indemne. Le fond du cratère est plein d'eau. Il empoigne sa mitrailleuse et se hisse en haut du trou. Un peu plus loin, un autre cratère. Trois bonds l'y amènent. De saut de puce en saut de puce, il parvient au bord d'une pente raide surplombant un ruisseau à sec. Il s'étend sur le dos, hors d'haleine, épuisé...

Un bruit suspect le fait sursauter. C'est l'un des radios qui s'est lui aussi échappé. Il annonce d'une voix sourde : « Le chef est mort. » Hein ferme les yeux. Le capitaine Ferking n'a pas réussi à passer. Une balle l'a atteint en pleine tête. « Et les autres ? » Le radio hausse les épaules et fait signe à Hein d'écouter. Des cris aigus viennent de la falaise. « Je veux bien qu'on m'accuse de lâcheté, dit aujourd'hui Hein, mais ç'aurait été du suicide de retourner là-bas. Nous ne pouvions plus rien faire pour eux. » Les cris redoublent. Qui appelle ? Le brave adjudant Pieh, qui s'est battu toute la journée malgré sa blessure au cou ? Les sous-officiers radio ? Le lieutenant Grasz, qui n'a pas dû aller bien loin avec son éclat d'obus dans le genou ? Tous mourront sur la falaise. Hein et son camarade resteront les seuls à s'en sortir vivants.

Ils se laissent glisser au bas de la pente, traversent le ruisseau à sec, dépassent une ferme en ruine dans laquelle errent quelques moutons bêlants, attaquent la montée d'un pré couronné par un bosquet d'arbres où ils pourront se cacher pour une nouvelle pause. Hein a l'épaule sciée par sa lourde 42. Son camarade et lui sont épuisés. Ils ne peuvent plus courir mais s'efforcent de marcher aussi vite que possible. Ils ne sont plus qu'à une vingtaine de mètres des arbres quand une mitrailleuse toute proche ouvre le feu. Hein est projeté à plusieurs mètres comme par la gifle d'un géant. Son camarade gît à terre. « Es-tu blessé ? » demande Hein le nez dans l'herbe. Bien sûr qu'il est blessé : le sang imprègne déjà son pantalon. « J'ai mal aux fesses, souffle l'autre. J'ai pris deux balles dans le derrière. » Hein a été lui-même touché à la hanche. « Tu crois que tu vas pouvoir marcher ? » Le radio ne répond pas. Hein allonge et replie ses propres jambes. Ça fonctionne encore. Il a très mal à la hanche droite. Il déboucle son ceinturon, jette son masque à gaz et sa mitrailleuse dans un buisson, et se palpe avec précaution. Deux blessures. Sans doute les mêmes projectiles qui ont atteint son camarade. « Je me suis dit : si les balles sont restées dans ta hanche, tu vas crever ici ; si elles sont ressorties, tu as encore une petite chance. » Ses doigts cherchent et trouvent les deux orifices de sortie : il lui reste une chance de survivre. Mais sa hanche gonfle et le lance douloureusement. A quatre pattes, les deux garçons parviennent tant bien que mal au bosquet. « J'étais à bout, vraiment à bout. En plus de ma hanche, il y avait ma blessure au visage. Mon œil droit était complètement fermé. J'avais mal partout. Nous n'étions plus dans un état normal. La tête vide. Incapables de réfléchir. Une fatigue comme je n'en avais jamais connu. Si on m'avait demandé mon nom, je crois que je n'aurais pas su répondre. »

Un poste de commandement de l'infanterie est installé de l'autre côté du bosquet. Hein l'avait oublié mais il se rappelle maintenant y avoir accompagné le capitaine Ferking. Les fantassins allemands laissent passer les deux rescapés de l'enfer de la falaise. Un infirmier s'occupe d'eux. Ses soins calment aussitôt les souffrances de Hein. Le radio, plus grièvement blessé, est envoyé à l'arrière dans une ambulance. Hein se présente au capitaine Lohmann, chef du poste. Celui-ci le reconnaît : « Mais tu es l'ordonnance de Ferking ! Tu n'es pas beau à voir... Étends-toi sur une civière et repose-toi. » Hein obéit. Une trentaine de blessés sont allongés. Il entend le capitaine Lohmann crier à l'infirmier : « N'évacuez plus personne vers l'arrière : les Jabos ne laissent rien passer. Votre ambulance a cramé sur la route de Bayeux. » Ainsi, le radio est mort brûlé vif. Hein ferme les yeux. Sont-ils donc tous condamnés à périr l'un après l'autre ?

« Quand allez-vous tirer ? »

Le capitaine Lohmann est debout devant sa civière. Hein se redresse. Il ne sait s'il a dormi mais il se sent beaucoup mieux. « Même si tu n'es plus bon à grand-chose, dit Lohmann, tu peux toujours garder les prisonniers. — Quels prisonniers ? — Là-bas, il y a quatre Américains. Tiens, prends ça... » Hein empoigne le fusil que lui tend le capitaine et se dirige en boitant vers les prisonniers. Ce sont des hommes de la Grand Un Rouge. L'un d'eux est blessé. Une balle lui a transpercé les poumons de part en part. L'infirmier allemand a pansé ses plaies. Trois lettres sont inscrites sur son blouson : TEX. Sans doute vient-il du Texas, à des milliers de kilomètres de cette falaise maudite. Hein s'assied à côté de lui. L'homme murmure quelques mots. Hein secoue la tête : il ne parle pas l'anglais. Le prisonnier lui fait comprendre qu'il a envie de fumer. Hein lui offre une cigarette, en prend une lui-même et donne du feu au Texan.

Ils fument en silence leur cigarette, puis une autre encore. La dernière du paquet, ils se la partagent fraternellement. Les autres prisonniers parlent entre eux à voix basse. Soudain, Hein sursaute. Il n'en croit pas ses oreilles. Il se demande s'il n'est pas fou. L'un des Américains vient de s'adresser à lui dans le dialecte d'Uelzen. C'est un patois qu'on ne parle que dans la région où Hein est né. Les autres Allemands sont incapables de le comprendre. Il fait signe à l'homme de répéter sa question. « Quand allez-vous tirer ? » demande l'Américain. Cette fois, Hein est persuadé que c'est l'autre qui a sombré dans la folie. Ahuri, il fait un geste vers le ciel vibrant de déflagrations et répond : « Mais tu n'entends pas qu'on tire ? Ça dure depuis ce matin ! » Le prisonnier secoue la tête : « Je ne parle pas de ça. Je veux dire : quand allez-vous tirer sur nous ? Quand allez-vous nous fusiller ? » Le bon Severloh est encore plus stupéfait qu'indigné : « Vous fusiller ? Mais tu es complètement fou ! Écoute : si je te donnais seulement une gifle, je serais sévèrement puni... » L'homme le regarde, puis hoche la tête, rassuré.

Ils continuent de bavarder à voix basse dans ce patois qu'ils sont les seuls à comprendre. L'extraordinaire rencontre... Que de hasards accumulés pour qu'elle se produise ! Le prisonnier raconte son histoire. Ses parents, nés tout près de ceux de Hein, s'aimaient en cachette de leurs deux familles qui ne voulaient pas entendre parler de mariage. Alors, ils avaient fui ensemble jusqu'à Hambourg, où ils s'étaient embarqués pour les États-Unis. Ils étaient devenus citoyens américains mais on parlait toujours patois à la maison. « J'aimerais aller en Allemagne, murmure le prisonnier, et voir le village où sont nés mon père et ma mère. »

Hein aurait pu le tuer sur la plage. Lui-même aurait pu abattre le mitrailleur allemand d'une balle bien placée. Ils n'y pensent même pas. La guerre s'est arrêtée pour eux deux. Ils ne sont plus ici, sur cette terre de France qui leur est étrangère, mais là-bas, au vieux pays où est resté leur cœur.

Les ténèbres enveloppent lentement la plage jonchée de corps, les blockhaus béants encombrés de cadavres, les haies derrière lesquelles les hommes à l'affût s'efforcent de percevoir la rumeur des Sherman victorieux fonçant vers l'intérieur des terres.

ÉPILOGUE

Le 7 juin à six heures du matin, les fantassins de la Grand Un Rouge délivrèrent leurs camarades et capturèrent Hein Severloh. La plupart des autres blessés allemands avaient trouvé la mort au cours d'une tentative de percée sous le feu d'une mitrailleuse américaine. Hein retourna après la guerre dans sa ferme de Metzingen mais il n'oublia jamais les heures qu'il avait vécues sur la falaise d'Omaha. Le désir lui vint, bien des années plus tard, de rencontrer l'un de ces fantassins américains contre lesquels il avait si durement combattu. Ses recherches aboutirent. Un soir, un visiteur étranger frappa à la porte de sa ferme. C'était David Silva. David avait respecté son vœu : il était devenu prêtre. Le massacre auquel il avait échappé avait définitivement confirmé sa vocation. Les deux anciens adversaires faisaient enfin connaissance après avoir tenté jadis de s'entre-tuer. Ils se séparèrent bons amis.

L'infirmier Robert Trout survécut à la blessure reçue à Omaha. Le 7 juin, à midi, il retrouva sa compagnie, dont il avait été séparé tout au long du Grand Jour. Sur plus de deux cents hommes, ils n'étaient que vingt-six survivants.

Anthony Errico, sorti indemne de l'enfer d'Omaha, comprit dès son entrée dans le premier village libéré que ses angoisses et le sacrifice de ses camarades n'avaient pas été vains. Les Français accouraient sous les balles pour embrasser leurs libérateurs et leur souhaiter bonne chance. Anthony sut alors pourquoi il combattait et que tout ce qu'il avait enduré et endurerait encore était justifié par cet accueil.

Le Ranger Dominic Sparaco a définitivement cessé d'escalader les falaises. Il habite aujourd'hui avec Ida Benson un grand immeuble du Bronx, dans la banlieue de New York, et n'oublie jamais de prendre l'ascenseur.

Heinz Tiebler et ses camarades restèrent encore deux jours dans leur blockhaus d'observation. Il était si bien camouflé que les Américains ne le découvrirent pas. Le troisième jour, le petit groupe réussit à se faufiler jusqu'aux lignes allemandes, ce qui constituait un remarquable exploit. Puis la chance tourna. Une escadrille de Jabos piqua sur Heinz et le blessa grièvement.

Erwin Rommel connut le même sort. Un pilote allié aperçut sa Horch et l'attaqua en piqué. Le chauffeur Daniel, atteint à l'épaule, perdit le contrôle de la voiture. On releva le maréchal avec quatre fractures du crâne. Le village le plus proche s'appelait Sainte-Foy-de-Montgomery... Mais il était écrit que Rommel serait tué, non pas par ses adversaires, mais par l'homme qu'il avait servi si longtemps et si efficacement avant de se détourner de lui : Adolf Hitler. Le Führer, soupçonnant à juste titre Erwin Rommel de comploter contre lui, l'obligea à se suicider. Ainsi mourut un grand soldat qui s'était aperçu trop tard qu'il servait une mauvaise cause.

Les Jabos tuèrent aussi l'austère général Marcks, à qui ses officiers d'état-major étaient venus souhaiter son anniversaire avec une bouteille de chablis dans la nuit du 5 au 6 juin, et qui avait supervisé en personne la contre-attaque désespérée lancée huit heures trop tard par la 21e division blindée. Touché par une rafale de mitrailleuse, il mourut dans un fossé, vidé de son sang.

Le général Roosevelt, le héros d'Utah, eut une fin inattendue. Celui qui avait tant bravé les balles et les obus ennemis mourut paisiblement sous un pommier normand, foudroyé par une crise cardiaque. Tous ses soldats sans exception eurent le sentiment de perdre non seulement un chef, mais un ami.

Le lieutenant Jefferson, qui avait sauté sur une mine à Merville sans cesser pour autant de souffler dans sa trompe de chasse, travaille aujourd'hui à la radio-télévision anglaise. Sid Capon, blessé six semaines après le Grand Jour dans le bois de Bavent, retourna lui aussi en Angleterre et épousa Betty Bryan. Le très optimiste capitaine Greenway a retrouvé sa femme et ses trois enfants. On le voit souvent à Deauville, mais, de tous ses voyages en France, il considère que celui du 6 juin 1944 reste de loin le plus intéressant.

Pour le parachutiste anglais Bill Irving, le souvenir le plus marquant du Grand Jour demeure le spectacle de cette femme priant pour ses enfants, au chevet de leur lit, dans une maison isolée. Quant au souvenir le plus précieux qu'il ait rapporté de France, c'est une lettre de sa femme écrite le 7 juin. Elle lui disait que, quoi qu'il arrivât, elle serait toujours fière d'être son épouse et la mère de ses enfants.

Le para américain Eugene Amburgey, qui avait sauté sur le Cotentin une lanterne à la main, sut que tous ses camarades qui avaient atterri au bon endroit avaient été tués. Il découvrit près de Saint-Côme-du-Mont l'épave de son avion, touché à mort par la Flak. A quelques secondes près, il mourait avec l'équipage... Lors de sa démobilisation, il réussit à dissimuler dans son paquetage le Colt 45 que lui avait donné le mécanicien de l'avion et le rapporta aux États-Unis, mais il se le fit voler quelques années plus tard. Par contre il a toujours à son poignet la montre qu'il portait au moment du saut. Le choc de l'atterrissage avait cassé son mécanisme, bloquant les aiguilles à l'heure et à la minute précises de l'arrivée d'Amburgey sur le sol de France : 1 h 28. Il la fit réparer et elle fonctionne à merveille, mais Eugene regrette aujourd'hui cette réparation : il voudrait que les aiguilles fussent toujours bloquées sur l'instant où sa vie atteignit une intensité qu'elle n'avait jamais connue auparavant et qu'elle ne devrait jamais plus connaître.

La bataille du Grand Jour s'acheva en déroute pour Wolfgang Geritzlehner et ses camarades. Le 7 juin, taillés en pièces par les paras américains, ils se replièrent en désordre vers Carentan mais butèrent sur l'écluse de la Barquette, solidement tenue par le colonel américain Johnson, quelques dizaines d'hommes et huit mitrailleuses. Le feu déclenché par Johnson sema la panique chez les paras allemands. Joseph Kiesel vit l'un de ses camarades tomber à ses côtés, criblé de balles. Un autre se jeta à l'eau et s'enfuit à la nage, mais Josef n'osa pas le suivre. Il finit par se rendre, non sans avoir jeté son appareil photo dans un ruisseau pour qu'il ne profite pas à un Américain. Trois cent cinquante de ses camarades se rendirent avec lui aux hommes de Johnson. Le premier bataillon était anéanti.

Mais les paras allemands du 6e régiment qui survécurent à leur terrible baptême du feu se comportèrent ensuite brillamment. A la mi-juillet, vingt d'entre eux, appuyés par un char Panther, capturèrent un bataillon américain, soit six cents hommes et treize officiers. C'était la revanche de la déroute essuyée devant Johnson. Puis les rescapés du régiment furent encerclés à Falaise avec plusieurs divisions allemandes, mais ils échappèrent à la capture en rampant dans les fossés, le long des routes, tandis que les Sherman américains roulaient sur le macadam à quelques centimètres de leurs têtes. Il restait alors une centaine d'hommes, presque tous blessés. Trois mille parachutistes du régiment de Heydte étaient portés tués, blessés ou disparus. Wolfgang Geritzlehner, blessé au visage par des éclats de grenade, fut de ceux qui survécurent. Il ne veut plus entendre parler de la guerre, lui qui jadis l'avait tant désirée. Il a passé des vacances en Bretagne mais est décidé à ne jamais retourner en Normandie : « J'ai trop souffert là-bas. C'est fini. Je n'y remettrai pas les pieds. »

Le père de Jacques Auverpin est revenu d'Allemagne après cinq années de captivité. Sa femme et lui-même avaient tellement changé qu'ils furent incapables de reprendre la vie commune. Ils divorcèrent. Jacques vécut avec sa mère. Il a oublié aujourd'hui les misères de l'Occupation mais la guerre reste pour lui la grande responsable du naufrage de sa famille.

André Kirschen revint lui aussi d'Allemagne. Il est aujourd'hui éditeur. Il n'aime pas parler de ce jour de 1941 où il abattit un officier allemand à la station de métro Porte Dauphine. Non pas qu'il regrette son geste : il considère au contraire qu'il n'a fait que son devoir. Simplement, il estime que le passé et ses leçons doivent surtout préparer un avenir meilleur.

Anne Frank est morte. Le 4 août 1944, la Gestapo fit irruption dans la maison du canal, enfonça la porte secrète et arrêta les huit occupants de la cachette. Tous furent déportés. Il n'y eut qu'un survivant : M. Frank. Anne périt en mars 1945 dans un camp de concentration nazi, à moins de deux mois de la victoire des Alliés sur l'Allemagne hitlérienne.

Ce livre pourrait lui être dédié, ainsi qu'à toutes les victimes innocentes de la guerre. Mais les pauvres morts n'ont que faire des hommages posthumes : c'est avant leur martyre, et pour l'empêcher, qu'il fallait penser à eux. Ce livre est donc dédié aux garçons et aux filles qui ont aujourd'hui l'âge qu'avaient alors André Kirschen et Anne Frank, pour qu'ils nous construisent un monde où les garçons de quinze ans ne seront pas obligés de tirer sur ceux qui fusillent leurs frères, et où les filles du même âge ne mourront pas désespérées dans un camp inhumain.

Ne dites pas : « Cela ne recommencera jamais » car tout peut toujours recommencer.

TABLE DES MATIÈRES

PREMIÈRE PARTIE : LA NUIT NAZIE 7
Une cachette sur le canal 11
« Ils nous prennent tout ! » 14
Une balle de moins dans le revolver 22
On espère et on désespère 28

DEUXIÈME PARTIE : LA FORTERESSE EUROPE 31
Un blockhaus sur la falaise 33
Un seigneur de la guerre 39
Le maréchal bricoleur 43

TROISIÈME PARTIE : COMME DES VOLEURS DANS LA NUIT 51
Les planeurs s'écrasent sur l'objectif 53
Cinq ponts à faire sauter 60
« Ce sont des amis ! » 63
Western à Troarn 65
Au son des cors de chasse 68
« On leur a lancé des briques ! » 75
Une mission-suicide 78
La montre lumineuse brillait dans la nuit 81
Le capitaine Greenway garde le moral 83
« On va prendre cette sacrée batterie ! » 85

QUATRIÈME PARTIE : DES NAVIRES PAR MILLIERS 89
« C'est le métro à six heures du soir » 91
Le géant américain 94
Le bulldog britannique 98
Veillée d'armes en mer 102

Une carte longue de seize mètres 109
La sentinelle marcha sur le fil 114
Faut-il envoyer au massacre les paras américains ? 118

CINQUIÈME PARTIE : AU CORPS À CORPS DANS LE BOCAGE 125
« Alerte à Wolfgang ! » 127
Où est passé le régiment ? 130
Vingt soldats ont déserté 133
La force et la beauté des jeunes fauves 136
Une jolie jeune fille dans une voiture à cheval 142
Un parachutage catastrophique 145
Treize mille Petits Poucets 149
Une énorme surprise 154
Les Jabos sont partout 157
« C'était atroce... » 160

SIXIÈME PARTIE : LA PREMIÈRE VAGUE D'ASSAUT
DÉFERLE SUR LA PLAGE 163
Des ombres passent sur la mer 165
Les barges s'alignent pour l'attaque 171
Un feu d'enfer s'abat sur la côte 175
« Ils sont là ! » 177
Un général peu ordinaire 182
« Vous prendrez tous les risques » 185
Goliath contre Sherman 190
A l'abordage du Hoc 193
Sur des échelles de pompiers 196
Un Sherman explose comme une grenade 200
Le rivage de l'enfer 202
Tragédie pour les amphibies 207
Les sapeurs se sacrifient 210
Trois cents dollars à la mer 213
« J'aurais pu reconnaître un ami » 215
Une tempête de feu 218
Un petit homme vêtu à la diable 220
La bande à Hobo 226
« Joue-nous un air de cornemuse ! » 230

SEPTIÈME PARTIE : « LE FÜHRER A TOUJOURS RAISON 237
C'est pour de bon ! 239
L'ordre dont tout dépend 245
Comment fonctionne une dictature 247

La grande tromperie 253
Monty se promène à Gibraltar 258
Le deuxième round 262

HUITIÈME PARTIE : LA DERNIÈRE CHANCE 267
Où sont les rigolos ? 269
« Je veux un tir par salve ! » 272
Le sursaut 276
« J'avais la même impression que devant un mort » 281
Les paras d'Otway a un contre dix 285
« Nous n'étions pas faits pour ce boulot » 289
Au son aigre de la cornemuse 291
Les Panther attaquent 293
« Quand allons-nous démarrer ? » 296
« On a commencé à avoir peur » 300
Le dernier espoir 304
« Emportons-les avec nous !... » 306
« Mulberry ? Voyez plutôt l'intendance... » 310
Pluto sous la mer 313
Une flotte sortie d'un rêve 316
« On est quand même au bout du rouleau » 319
« Quand allez-vous tirer ? » 323

ÉPILOGUE 325

Cet ouvrage a été réalisé par la
SOCIÉTÉ NOUVELLE FIRMIN-DIDOT
Mesnil-sur-l'Estrée
pour le compte des Éditions Lattès
en février 1994

Imprimé en France
Dépôt légal : février 1994
N° d'édition : 94048 - N° d'impression : 26389